DAVID MEE & MIKE THACKER

¡AL TANTO!

A Course for A Level and AS Spanish

Spanish Consultant: Núria Vilanova

Nelson

Dedicatoria
Para Enrique García Diez,
<<Cid>> de Padilla de Arriba
(Burgos), de cuya gran amistad
disfruté tan poco tiempo. Que en
paz descanses.

Thomas Nelson and Sons Ltd
Nelson House, Mayfield Road
Walton-on-Thames, Surrey KT12 5PL, UK

51 York Place, Edinburgh 3JD, UK

Thomas Nelson (Hong Kong) Ltd
Toppan Building 10/F
22A Westlands Road, Quarry Bay
Hong Kong

Thomas Nelson Australia
102 Dodds Street, South Melbourne
Victoria 3205, Australia

Nelson Canada
1120 Birchmount Road
Scarborough, Ontario
M1K 5G4 Canada

© David Mee and Mike Thacker 1991

First published by Macmillan Education Ltd 1991
ISBN 0-333-52526-4

This edition published by Thomas Nelson and Sons Ltd 1991

ISBN 0-17-449052-6
NPN 9 8 7 6 5 4 3

Printed in Hong Kong

COURSE OUTLINE

INTRODUCTION

¡AL TANTO! is a course designed for pupils following the new A level or AS syllabuses in Spanish and aims to answer the long-felt need among teachers for a course book based on authentic materials which applies systematically the principles of the new methodology. The course sets out to provide an effective continuation, post-GCSE, of training in the four language skills and, at the same time, to prepare students thoroughly for the examinations.

FEATURES OF ¡AL TANTO!

■ The course is topic-based. There are 13 chapters, each of which explores different aspects of a topic, and practises the four skills by means of a variety of exercises. Topics have been chosen for their interest and relevance to the 16-19 age group.

■ ¡AL TANTO! is divided into three stages, which take the student from relatively straightforward material at the beginning of the course, to more complex and challenging material at the end. Chapters 1-5 are designed both to "bridge the gap" between GCSE and A/AS levels and to develop GCSE topics using more advanced material; Chapters 6-10 focus on more advanced material; Chapters 11-13 are relatively short and aim both to stimulate coursework and give more specific preparation for the A level and AS examinations.

■ Equal importance has been given to the development of the discrete skills of listening, reading, speaking and writing, in line with the new examinations. Chapters usually begin with listening or reading comprehension exercises, after which come speaking or writing exercises designed as "follow-up" practices. Frequently we have combined three or all four skills in the work set on a particular passage.

■ Within each chapter a progression has been followed (but not with absolute rigidity), from (a) "understanding" exercises, which help the student to embark on the topic, to (b) exercises which consolidate and extend the students' knowledge of the topic, to (c) more "creative" tasks, which can only be properly attempted when the themes and lexis of the topic have been firmly established.

■ The course aims to integrate the teaching of grammar with the material. Each chapter covers one or more grammatical points and these points are explained by drawing on examples from the passages and the general context of the chapter.

■ The materials used are taken from up-to-date Spanish sources, especially radio broadcasts, newspapers and magazines. We have been aware of the problem of the dating of material and, where possible, we have chosen "timeless" passages or themes which we believe will still be relevant by the end of the century.

■ Listening extracts have, wherever the original quality allowed, been reproduced "off-air". Demands of authenticity have not, however, been followed at the expense of clarity, so that some extracts have been re-recorded by native speakers.

■ At the end of each chapter, in the section entitled "Desarrollando el tema", we have listed some themes and ideas related to the topic which might form the subject of a longer piece of coursework, of the kind which can be taken optionally in some of the examination syllabuses. We hope that students, stimulated by the course-material, will want to investigate topics further on their own initiative. We therefore see a coursework project as a natural development of the study of topics.

■ ¡AL TANTO! also prepares the student for AS, which was conceived as a natural extension of the practical, transactional approach of GCSE. We have had the needs of AS candidates in mind throughout, as can be seen in the many everyday, authentic tasks which have to be carried out. Writing skill is not tested by all the AS syllabuses, but it is generally held that writing should continue for AS students in the sixth form, even if it is not formally tested by the examination. Some of the writing tasks are less appropriate for AS students than others, but it is our view that AS candidates ought to practise summary and letter writing as an important preparation for a possible future working with Spanish (e.g. writing reports and letters).

METHODOLOGY

Four general principles have influenced our methodology:

1 The "backwash" effect of the examination is of the utmost importance. In the past teachers have been reluctant to try out new approaches because of the nature of the examinations. The new examinations, which reflect good teaching practice in the tasks which are set and the methods of questioning, positively encourage new approaches. In practical terms this means that the sort of questions which pupils will face in the A level and AS examinations can and should be the model to be followed from the very outset. We have designed the course with this in mind.

2 There should be a greater emphasis in an A/AS level course on the student's individual work and less on the "spoon-feeding" teacher. While the latter is irreplaceable, many of the tasks in this course encourage students to *discover* answers for themselves or in

conjunction with a fellow-student. Pair- and group-work are thus crucial parts of the learning process and "verification" by the teacher often comes after the students have worked on an exercise, vocabulary or grammar by themselves.

3 Spanish will be the language used for 90 per cent of the time in lessons, and many lessons will be conducted in Spanish from start to finish. The course is therefore written in Spanish, with the exception of grammatical explanations, which we believe should be taught in English.

4 A course of this kind should be made as enjoyable as possible, and one of the keys to this enjoyment is variety. We have thus deliberately varied the register and length of stimulus passages, the nature of the tasks set and viewpoints on the topic.

THE TRANSITION FROM GCSE TO A LEVEL AND AS

The emphasis on the communicative approach in the teaching of Spanish in recent years has brought with it many welcome improvements in students' language skills, especially those of speaking and listening. Nevertheless it has become clear that some of the skills necessary for A/AS level work have received less attention than in the past, and teachers have expressed concern that the grounding given by GCSE is in some respects insufficient for specialist sixth-form linguists. Thus the adjustment to sixth-form study has become more difficult for some students, especially in the early stages. Two particular problems are the students' grasp of the grammatical structures of Spanish and the limited range of vocabulary acquired through the transactional methods of GCSE. Deficiencies in these areas affect the ability to read texts, whether literary or non-literary.

The transition stage, covered by Chapters 1-5, aims to overcome this problem. In writing these chapters we have been aware of the following needs:
□ that the transition stage should start with subjects already familiar to students, and with the vocabulary they have already acquired. After consolidating this firm basis they should gradually extend their skills.
□ that the early stages of the sixth form should nurture the improved oral and listening skills acquired from GCSE.
□ that students should be given a gentle introduction to wider reading.
□ that students should be encouraged to acquire a deeper grammatical understanding. The early weeks should be concerned with reinforcing the grammar encountered in the GCSE course. Grammar in the sixth form is better taught and assimilated in context, but we should not shy away from the systematic learning of, for example, verb-forms and tenses.

THE EXERCISES

In ¡AL TANTO! we have adopted a graded approach in devising the exercises. In the early chapters students will be presented with "embryonic" forms of exercises found throughout the course: these exercises become progressively more challenging, and, by the end of the course, the students will be tackling exercises of a similar standard to those in the final examination.

A special feature of the first five chapters is the "warm-up" exercise, which is designed to practise the speech, the structures and the vocabulary acquired in the GCSE course. These exercises are followed by passages which can be exploited by a variety of graded steps (e.g. individual work, comparison of responses with those of a partner, checking with a teacher, whole-class summaries). We have included in Chapter 1 a single example of a sequence of these steps in relation to the passage entitled "Dos familias viven bajo un puente en la Plaza de España": the 21 exercises printed there are not necessarily meant to be tackled in their entirety but serve to give teachers an example of the sort of graded steps that could be followed in exploiting any passage (whether reading or listening) at this stage.

GRAMMAR

Our approach to grammar has been to cover the important aspects rather than to give exhaustive explanations of every point. We have set out to explain these aspects in a "readable" way, with examples largely taken from the reading passages. The explanation is followed, for the major points, by a two-stage process of acquisition: the first, "**Discovery**", invites the student to find other examples of the same points in the passages studied and to explain their use based on notes. These notes are read and extended where necessary by the teacher. The second stage, "**Práctica**", encourages students to practise the points for themselves, and frequently they are developed in more creative and imaginative ways. In some chapters a short passage for translation into Spanish, which tests the grammatical point(s), is included.

In the first five chapters the major grammatical areas studied are those which students will have met already at GCSE and which we consider vital to consolidate at the "Transition" stage. Thus all the major tenses, the use of pronouns, negation and imperative forms of verbs are dealt with here. Starting in Chapter 5 and continuing to Chapter 10 we have chosen to concentrate on the major areas of difficulty at this level, namely (i) the use of the past participle and **ser** and **estar**, (ii) the subjunctive, (iii) the use of **se**, (iv) the infinitive, (v) **por** and **para**. There is frequent revision of these points in the later stages of the book, with a special emphasis on the subjunctive. The last three chapters offer a final revision of the major areas. Periodically, grammar points which need less extensive treatment have been dealt with briefly in the chapters. These points are given a fuller explanation in the Grammar Summary, which includes verb tables and an index, at the end of the book.

DESARROLLANDO EL TEMA

We hope that students will acquire the habit of reading newspapers, magazines and books, and listening to authentic material, as a result of the stimulus of topic-work. As well as being an enjoyable way of improving linguistic skills, this could lead to further investigation of the topic-areas. Several boards now offer coursework options, for which extended essays or topic-files of between 400 and 1000 words have to be produced. The list of themes and ideas at the end of each chapter of ¡AL TANTO! will have an obvious relevance for coursework.

Coursework integrates the various skills around a personal interest, and offers a challenge to the student which is both linguistic and intellectual. A coursework project gives the student an opportunity to demonstrate a capacity for personal research, which will involve initially the gathering and sorting of suitable material. Such a project will also test the ability to plan and organise the material, present it effectively, and evaluate it. In this process the role of the teacher is to generate ideas, suggest areas of investigation, help with sources and monitor progress.

In the assessment of coursework, certain qualities, especially the ability to structure essays and to develop a line of thought consistently, are particularly important. Students should learn how to order the material in a sequence, linking the sections logically and building up to a conclusion. The skill of note-taking in Spanish, which is prepared for in the many summary exercises in this course, is also a key one. It is very important that students understand the benefits of using their own words, and realise the dangers of plagiarism.

In the first year coursework is best developed by projects undertaken by the whole class. These should be relatively short and not too ambitious. In the second year, more substantial projects should be attempted, and the students should work more independently of the teacher.

An example of a shorter project might be a study of the new Spanish TAV railway line from Madrid to Seville, or the later planned link between Barcelona and Madrid, both of which are discussed in Chapter 3. There should be plently of material available on this topic in the 1990s. The project could be studied from a variety of points of view: economic, social, geographical, etc.

A longer study could be undertaken on the gypsies in Spain – again a very topical area – and this could take as its starting-point the material in Chapters 10 and 11. This study might have various sections, covering the reality of daily life as a gypsy, the problem of housing, the relationship between the gypsies and the authorities, the historical problem of the integration of the gypsies in Spain. Alternatively, the student might prefer to examine the literary image of the gypsy, as presented by Lorca. This study might involve a contrast of the gypsy myth, as created by Lorca, with the reality of gypsy life in present-day Andalusia (entitled, say, "Los gitanos de Andalucía, mito y realidad").

A list of resources and useful addresses is given at the end of the Introduction.

TAPED EXTRACTS

The taped passages have been carefully chosen to fit the theme being studied and are exploited in several ways, such as listening comprehension, varied question-types, comparison of taped and printed articles on a similar theme, etc.

In jig-saw exercises pupils are meant to listen to different passages in groups simultaneously. It is hoped that schools will possess copying machines for this exercise so that groups of pupils can be given the relevant sections independently to use in language laboratories or on a number of different cassette players, each provided with multiple headsets.

The transcripts of the taped passages in the book are contained in a separate booklet.

STUDY SKILLS

It is important to stress to students that the course aims to develop good language-learning habits. The following points are particularly important:

□ that lessons will be active sessions to enable them to use and practise Spanish in a variety of ways; preparation and follow-up activities will be reserved for homework and private study periods.

□ that they should learn vocabulary regularly.

□ that they should learn to contribute to classes, which, since they will be conducted in Spanish for the most part, will enable them to use the language actively.

□ that they must overcome the fear of making mistakes in Spanish. Indeed, making mistakes is a fundamental part of learning the language. Development of fluency is at times as important as linguistic accuracy. Teachers may wish to consider having classes in which no corrections of the students' spoken language will be made in lessons, and others (designed to improve their accuracy) where every mistake will be corrected.

□ that successful acquisition of a language is a gradual process in which improvements may seem slow at times and can be taking place subconsciously. In this respect, an A/AS level course must be seen as a two-year affair, with study skills and organisation of work established from the very outset.

□ that they should read and listen to passages on other topics on their own and borrow audio- and video-cassettes from the department library in order to further their knowledge and skills. Regular and systematic extra listening and reading should be encouraged from the outset of the course, even if the time spent on this is limited at first to 15 minutes of a tape or a few advertisements from a magazine. The important consideration is that additional reading should be carried out on a *regular* basis in short bursts.

□ that they should learn how to use a dictionary. It is important that students have access to a good bilingual dictionary, such as the *Collins Spanish Dictionary*, and a monolingual one, such as the *Pequeño Larousse Ilustrado* or the *Diccionario Planeta de la lengua española usual*.

"ONE-OFF" EXERCISES FOR USE AT VARIOUS STAGES OF THE A/AS LEVEL COURSE

The very nature of the new communicative courses, with their proliferation of materials, means that, by definition, one course book cannot contain everything required. This course therefore sets out to provide strategies and ideas for treating material on those topics which we have been able to cover.

We believe, however, that to tackle topics exclusively can be a disadvantage and that there are times when some relief from such an approach is desirable. Many teachers and teacher-trainers have invented what might be called "one-off" exercises, which can be used during the A/AS level course, especially in the early stages. To spend a few minutes occasionally on one or more of these exercises can be an important source of extra variety and enjoyment. A list of such teaching strategies is to be found on pages 223 to 228. Although divided for convenience into the various skill areas, several can be combined to practise two or three skills together, and some, if worked out in their entirety, involve all four skills.

We are especially grateful to Rob Rix and Geoff Lucas, of Trinity and All Saints College, Leeds, for permission to use several exercises, for example Speed Read, Listening Grids and the Reporting Task.

USEFUL ADDRESSES

We offer the following addresses as potential sources of material for teachers; all have been used and/or recommended by colleagues. Students engaged on coursework will also find them useful for further material and help on particular themes.

Agregaduría de Educación, Petersfield House, 29 Peter Street, Manchester M2 5QJ.

Anuario el País (published by the newspaper El País annually), Ediciones el País, Miguel Yuste, 38, 28037 Madrid.

Authentik, (newspapers and tapes) Learning Resources Centre, Publications Centre, Trinity College, Dublin, Eire.

BBC Publications:
España viva (*reportaje* sections)
Paso doble
Euromagazine
Por aquí

Consejería de Educación,
20 Peel Street London W8 7PD.

Carabela (a newspaper containing a selection of articles on Spanish and Latin-American topics, with suggestions for their exploitation), European Schoolbooks Ltd., Ashville Trading Estate, The Runnings, Cheltenham GL51 9PQ.

En español (materiales vídeo and materiales audio)
Servicio de Publicaciones, Ministerio de Cultura, Fernando el Católico, 77, 28015 Madrid.

España (+ relevant year) (free monthly publication)
Oficina de Información Diplomática, Salvador 3, Madrid 22.

Exeter Tapes (audio-cassettes) (tapes on Spanish Civilization, Language and Linguistics, and Literature)
Drake Educational Associates, St Fagan's Road, Fairwater, Cardiff CF5 3AEH.

R. Fente, J. Fernández and J. Siles, *Curso intensivo de español*. Niveles de iniciación y elemental. Niveles intermedio y superior. (Edi 6, Madrid, 1984).

Grant and Cutler Ltd. Booklet on Background Studies, Language and Criticism, 55-57 Great Marlborough Street, London W1V 2AY.

Liverpool Spanish Tapes (listening material), The Languages Centre, The University, P.O. Box 147, Liverpool L69 3BX.

L. Miquel López and N. Sans Baulenas. *¿A que no sabes?* curso de perfeccionamiento para extranjeros. (A cassette is available)(Edi 6, Madrid, 1983).

H. Mulphin. *Por lo visto:* video-based learning material for Spanish (1987)
The Language Centre, Hetherington Building, The University, Glasgow G12 8QQ.

Portsmouth Tapes (on contemporary Spanish themes), School of Languages and Area Studies, Wiltshire Building, Hampshire Terrace, Portsmouth PO1 2BU.

Radio Nacional de España (monthly news tapes plus transcripts), Servicio de Cooperación Cultural Internacional, Apartado 156 210, 28080 Madrid.

Spanish magazines:
Blanco y Negro: Serrano, 61, 28006 Madrid.
Cambio 16: Hermanos García Noblejas, 41, Madrid.
Chica: Núñez de Balboa, 118, 3° E, 28006 Madrid.
El País semanal: Miguel Yuste, 40, 28037 Madrid.
Fortuna Sports: O'Donnell 12, 28009 Madrid.
Mía: Paseo de la Castellana, 18, 28046 Madrid.
Muy interesante: Marqués de Villamagna, 4, 28001 Madrid.
Quercus (ecology): C/ La Pedraza, 1, 28002 Madrid.
Tiempo: O'Donnell 12, 4°, 28009 Madrid.
Tribuna: Orense 70, 6, 28020 Madrid.

Spanish newspapers:
ABC: Serrano 61, 28006 Madrid.
Diario 16: San Romualdo 26, 28037 Madrid.
El País (daily or weekly): Miguel Yuste, 40, 28037 Madrid.
Vanguardia: Pelayo 28, 08001 Barcelona.

Téléjournal/Telediario (Transcripts)
The Language Centre, Brighton Polytechnic, Falmer, Brighton, Sussex BN1 9PH.

Temas Hispánicos (Work packs for intermediate and advanced classes)
Resources for Learning Development Unit, Bishop Road, Bishopton, Bristol BS7 8LS.

Topics are:
1 El turismo; **2** La guerra civil; **3** El trabajo; **4** El ocio; **5** La vida rural; **6** El urbanismo y chabolismo; **7** La mujer en España; **8** Los jóvenes.

Veamos los anuncios (video package) (E.J. Arnold).

Videos and Topic Packs
Mr. K Coleman, Apartado 533, 17310 Lloret, Gerona.

Grammars
J. Butt and C. Benjamin. *A New Reference Grammar of Modern Spanish* (Edward Arnold, 1988).

H. Ramsden. *An Essential Course in Modern Spanish* (Nelson, 1985) (reprint).

M.M. Ramsey and R.K. Spaulding. *A Textbook of Modern Spanish* (Holt, Rinehart and Winston, New York, 1956).

ACKNOWLEDGEMENTS

The authors would like to express their gratitude:

■ to the following teachers, and their students, for work done in testing the material and for their invaluable advice on the materials examined: Linda Bell (Wirral Grammar School for Girls), Margaret Chaplin (Bede Sixth Form College), Jenny Cuthbertson (Upton Hall Convent), Barry Ezra (Birkenhead Sixth Form College), M. Hobson, Peter Ling (both Blue Coat School, Liverpool), Derek Marsden (Magull High School), Chris Nolan (Birkenhead High School for Girls).

■ to the following people who gave useful advice or who provided the authors with material of various sorts: Mike, Janine and Cordelia Burghall, Claire Chaplain, Bill Duckworth, Antonio Gamero, María José Iglesias, Dominic Keown, Rebecca McCarthy, Joan-Lluís Marfany, Sheila Newman, María Paz Rodríguez, Anne Shaw, Hannah Thacker, Jonathan Thacker.

We would like to thank especially Chris Nolan and Jenny Cuthbertson for their encouragement and help throughout the project, and Rob Rix, who has done so much to stimulate new approaches to the teaching of Spanish.

1

ESTÁS EN TU CASA

En las páginas siguientes, vamos a examinar el papel desempeñado por la casa en la vida diaria (sea en la tuya o en la de los españoles), y en la vida más exótica de las vacaciones. También se examinarán algunos problemas relacionados con las casas españolas, sobre todo el del chabolismo.

Para empezar:

1 Prepárate a dar una descripción de la casa o piso donde vives, hablando de la situación geográfica de la casa, de su aspecto exterior, de las habitaciones que contiene y los muebles que se encuentran en ellas. También tendrás que explicar por qué o por qué no te gusta vivir allí.

2 Ahora tú y tu compañero de clase tenéis que hablar de vuestras casas, comparándolas según los detalles mencionados antes. A ver si podéis seguir hablando durante por lo menos dos minutos.

3 El profesor va a pedir a un alumno de cada pareja que explique las diferencias principales entre las dos casas de que se ha hablado.

I LA CASA

 Texto A **Donde vivo**

La clase va a dividirse en tres grupos y cada uno va a escuchar a una española que habla de la casa o piso donde vive, sea en Inglaterra o en España. Antes de escuchar la cinta, busca en el diccionario el sentido de las palabras siguientes:

Grupo 1	Grupo 2	Grupo 3
utilizar	una zona	antiguo
el piso de arriba	pertenecer	el despacho
la parte de atrás	compartir	hacer la plancha
la fachada	acogedor	una pila

(continued over)

(continued)	Grupo 1	Grupo 2	Grupo 3
	tapar	un aparador	un friegaplatos
	amplio	un cajón	una nevera
	empapelado	una estufa	plegado
	la calefacción	un calentador de agua	
	la moqueta	el ambiente	

1 Escuchad, en grupos organizados por el profesor, el trozo de la cinta. Cada miembro del grupo debe tomar notas sobre dos o tres aspectos diferentes de la lista que sigue (no siempre se mencionan todos). Después, intercambiad entre vosotros la información para que cada miembro del grupo tenga notas sobre la lista entera.

a lugar/situación de la casa/del piso
b aspecto exterior del edificio y jardín
c aspecto general del interior
d habitaciones
e descripción detallada de una habitación
f personas que viven en la casa
g muebles/aparatos
h calefacción
i cosas que le gustan o no le gustan a la chica que habla

2 Ahora la clase va a dividirse otra vez en grupos de tres alumnos, es decir un alumno de cada uno de los primeros grupos. En estos nuevos grupos, primero vais a comparar los tres trozos que habéis oído, tomando notas sobre las diferencias entre el alojamiento que ha descrito cada española. Después, escuchad juntos a todas tres para que todos estéis de acuerdo sobre los detalles de que habéis hablado.

3 Para terminar, un miembro de cada grupo va a hacer un breve resumen de todo lo que se ha descubierto de las tres chicas españolas.

Casas valencianas

El Boras: Originalidad estética y equilibrio funcional

Luis G. La Cruz/D-16

MADRID.-El aspecto que más llama la atención en la urbanización El Boras es el planteamiento estético y funcional, en buena medida determinado por el hecho, poco frecuente, de haber recurrido a la distribución en una sola planta. Este planteamiento ha facilitado la racionalidad de la distribución del espacio, la ausencia de rincones muertos y, asimismo, el equilibrio estético del conjunto. Esto es: <<confort>> y armonía formal.

En lo que hace referencia al primer punto, domina la sencillez. Se accede a la vivienda a través de un vestíbulo sobre un eje, que permite, a su vez, el acceso a dos zonas bien definidas: a la derecha, la cocina y el salón comedor; a la izquierda, el primer baño y el pequeño distribuidor que comunica con los tres dormitorios.

Cada uno de estos dormitorios recibe su propia <<luz>>. El principal, con baño incorporado, da a la fachada, y los otros dos, al fondo y lateral izquierdo, respectivamente. La superficie ocupada por los tres dormitorios supera la tercera parte del total.

En lo que hace referencia a la superficie común, también hay un logrado equilibrio que no sacrifica el desahogo de la cocina en beneficio de un salón desproporcionado. El resultado es una cocina de dimensiones normales y un salón comedor de adecuadas pro-porciones, que disfrutan de la iluminación frontal y posterior. A esta distribución hay que sumar un garaje generoso multifuncional, una parcela amplia — 500 m.² — y el equilibrio bien pensado entre jardín anterior y posterior, con elementos de buen gusto.

Además, es necesario añadir algunos atractivos. De un lado, la situación, en el kilómetro 15 de la carretera de Valencia, a escasos minutos de la plaza del Conde de Casal y del centro de Madrid. Del otro, el hecho de que el emplazamiento coloca la oferta en una zona de expansión que se caracteriza por el predominio de la vivienda unifamiliar, con buenas comunicaciones y servicios.

VALORACION
HOGAR 16

Situación (☆☆☆)
Entorno (☆☆☆)
Distribución de espacio (☆☆☆)
Calidades (☆☆☆)
Iluminación (☆☆☆)
REFERENCIAS
● Mala. ☆ Con reparos.
☆☆ Regular. ☆☆☆ Bueno.
☆☆☆☆ Muy bueno.

ASI SON LOS CHALETS

Urbanización: El Boras, en Urbanizaciones Rivas. **Situación:** Kilómetro 15 de la carretera de Valencia. **Otros accesos:** Por la comarcal de Mejorada a Vicálvaro. Autobuses desde la plaza Conde de Casal. **Viviendas:** 96 chalets de una planta, pareados, con parcelas de 500 m.² **Superficie:** 150 metros construidos.

Otros: Chimenea francesa en salón, agua caliente por calentador individual, calefacción por techo radiante dotado de termostatos y mandos centralizados individuales.

Habitaciones: Hall de entrada, dos baños - uno incorporado al dormitorio principal. Tres dormitorios, salón-comedor, garaje.

Otras superficies: Garaje, 30 m.² parcela, 500 m.² Ocupación, 142,70 m.²

Servicios: El conjunto residencial Urbanizaciones Rivas tiene previsto dos centros comerciales completos, un colegio en funcionamiento y otros dos previstos.

Texto B

1 Lee el anuncio sobre los chalets <<El Boras>> y, de la lista de palabras que sigue, selecciona sólo las que se refieren a los chalets descritos.

chimenea francesa

agua caliente

salón-comedor

mármol rosa

cuarto de baño

dormitorio

hall de entrada

doble acristalamiento

garaje

calefacción por techo radiante

piscina

cocina

terraza

2 De la lista que ahora tienes, selecciona las palabras que pueden aplicarse a la casa o piso donde vives tú, y escribe cinco frases que se refieran a tu casa/piso y que no figuren en la lista, por ejemplo calefacción de gas, estudio, etcétera.

3 Escribe cinco frases comparando tu piso/casa con los chalets <<El Boras>>, por ejemplo <<Los chalets tienen el mismo número de dormitorios que nuestra casa>> o <<Los chalets son de una planta pero nuestra casa es de dos.>>

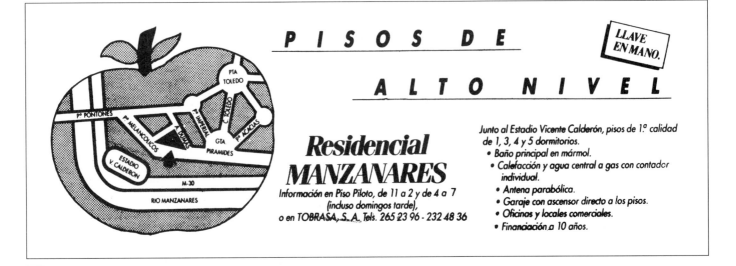

Texto C   Mira el anuncio <<Residencial Manzanares>> e inventa un anuncio que se refiera al pueblo donde vives, describiendo tu propia casa/propio piso o, si quieres, un lugar imaginario.

CASAS EN VENTA

GUARDAMAR (ALICANTE): 8,3 millones

Chalé adosado de dos plantas. Tiene dos dormitorios, dos baños, cocina, sala de estar, barbacoa y chimenea. Está situado a trescientos metros de la playa. (Teléfono: 91-542 50 98.)

MAHON (MENORCA): 70 millones

Casa de campo de 300 m² construida en el siglo XIX y restaurada. Tiene cuatro dormitorios, dos cuartos de baño y dos salas de estar, además de 45.000 m² de frutales. (Teléfono: 971-35 03 13.)

CIUDAD QUESADA (ALICANTE): 15,2 millones

Chalé individual sobre una parcela de 800 m². Consta de dos dormitorios, un comedor, sala de estar y cuarto de baño. La urbanización tiene instalaciones deportivas y piscina. (Teléfono: 91-521 59 92.)

SANTA POLA (ALICANTE): 40 millones

Chalé que se encuentra situado a cinco minutos de la playa sobre una parcela de 3.000 m². Tiene sala de juegos, sauna, barbacoa, pista de tenis y piscina. Acabados de lujo. (Teléfono: 91-413 11 45.)

Texto D

1 Role play

Cliente: Imagina que eres millonario y que quieres comprar una casa en Menorca o Alicante para poder pasar allí las vacaciones. Antes de ir a las oficinas de <<Casas en Venta>>, haz una lista de todas las cosas que van a ser muy importantes en la casa que por fin comprarás. La lista tiene que incluir las habitaciones que quieres además de unas ideas sobre la situación de la casa y del diseño en general.

Empleado: Lee con atención los cuatro anuncios para casas que se venden en Menorca y Alicante. Un cliente entra en la oficina donde trabajas y tienes que contestar a sus preguntas persuadiéndole al final a comprar una de las casas.

2 Carta escrita

Imagina que has pasado unas vacaciones maravillosas en una de las cuatro casas en venta del anuncio. Escribe una carta a tu amigo español, describiéndole el interior de la casa además de la situación de ésta y otras facilidades de la vecindad.

Texto E*

Y ahora ... la otra cara de la moneda ...

1 Antes de leer el texto (pág. 6), busca en el diccionario el sentido de las palabras siguientes:

el techo	el colchón	el albañil
el forjado	el tablón	el alquiler
el hormigón	el butanillo	el sueldo
el arbusto	los trastos	trasladarse
el mobiliario	el alumbrado	la manta

2 Con un compañero, compara las definiciones que has encontrado.

3 Verifica las definiciones con el profesor.

*Teachers: For an explanation of the sequence of exercises exploiting Texto E, see Introduction p.ix.

Dos familias viven bajo un puente en la plaza de España

Madrid / Ignacio Marina-Grimau

Ellos viven en el centro de la ciudad. En plena plaza de España, lo que no es poco, pero... debajo de un puente. Son trece personas (dos matrimonios; seis niños y tres más <<agregados>>). El techo del hogar es el forjado de un paso a distinto nivel, y el material de las paredes de tipología original y diversa: una de hormigón y otras de aire y ruido. El suelo es de arena, y sobre ella han crecido algunos arbustos.

La *casa* es relativamente espaciosa. La decoración podría ser futurista. El mobiliario se compone de seis viejos colchones y de unos gruesos tablones unidos que quieren ser, y es, la mesa; el armario sustituye sus puertas por un mantel de cuadros, dentro del cual se entrevén platos y vasos.

Completa la instalación un butanillo con el que hacer la comida. Rodeándolo todo, montones de ropa, maletas y trastos. De día su situación es puesta en claro por la luz natural, y de noche, por las luminarias del alumbrado público. No es la mejor, pero es gratis.

José Luis Mendoza es un vizcaíno de treinta y tres años que dejó su tierra hace cinco — <<*allí no había trabajo y sí mucho follón*>> — para venir a Madrid. Es el que ahora vive bajo el puente con su mujer, **Alicia Crespo**, y sus cuatro hijos: **Alicia, Marcos, Noelia** y **Oscar**.

Hasta junio la familia residía en San Fernando de Henares, pero tuvieron que abandonar su piso porque de albañil no ganaba lo suficiente para pagar el alquiler. Había que escoger y, entre techo y plato, optó por mantener a su familia, pero a cambio se encontró ante una experiencia que jamás hubiera imaginado: vivir en la calle. Continúa trabajando como albañil, pero su sueldo, asegura, no basta.

Solidaridad en la pobreza

La solidaridad tal vez sea el sentimiento que más une a los pobres. Así junto a **José Luis Mendoza** vive otra familia: el cabeza se llama **Patricio** y nació en un pueblo de Segovia; su mujer es **Laura** y tienen dos chiquillos. Los otros habitantes de esta singular *casa* son **Mario, Ramón** y **Fátima**, una niña de diecisiete años, nacida en Alcázar de San Juan.

Padecen una situación injusta y, desde luego, no muy agradable pero todavía saben lo que es el sentido del humor: <<*sólo faltan las paredes y el sofá para que esto sea una casa de verdad*>>, afirma **Mario.** Estos trece habitantes de una casa deshabitada, porque no es casa a pesar de la ironía de **Mario**, se trasladan en verano a los jardines de Ferraz, como los que saben vivir. Con el otoño vuelven abajo, aunque esperan <<*no comer aquí el turrón*>>. No obstante están bien provistos de mantas.

Aseguran que comen bien y que cuando pueden hacen las cuatro comidas del día: primero siempre los niños. Administrándolo con tino, el dinero que ganan **José Luis** y **Patricio** vale para que trece personas se alimenten durante un mes. El menú de un día cualquiera fue judías blancas con chorizo, y patatas con carne para la cena. Cuando **José Luis** y **Patricio**, también albañil, salen de casa cada mañana, después de asearse en una fuente de los jardines de Ferraz, **Mario** y **Ramón** se quedan con las mujeres y los niños, para mirar por todos. Lo único que quieren es <<*un hogar digno*>>, afirma **Laura**. Son conscientes de que tan trágica situación no está en su mano arreglarla. Al final de todo esperan. Confían.

- *Relative Pronouns:* There are several examples in the text of the use of relative pronouns, such as **que, el/la/los/las que, el/la/los/las cual(es)**, etc. Read through the relevant section of the Grammar Summary on pages 234-35.

4 Lee con atención el artículo y responde después a estas preguntas:
  a ¿Cuántas personas viven bajo el puente?
  b ¿Cómo son las paredes de esta vivienda?
  c Describe los <<muebles>> que tiene la <<casa>>.
  d ¿Cómo se hacen las comidas en esta vivienda?
  e ¿De cuántas personas se compone la familia de José Luis Mendoza?
  f ¿Por qué dejó José Luis el piso que tenía en San Fernando de Henares?
  g ¿Quién es Patricio?

h ¿Qué hacen los habitantes de la vivienda en el verano?

i ¿Qué hacen los dos hombres cada día? ¿Y las mujeres?

j ¿Cuál es la actitud de estas dos familias hacia el futuro?

5 Compara tus respuestas con las de tu compañero de clase, discutiéndolo todo con el profesor. Lee en alta voz las frases del artículo que confirman tus ideas.

6 Lee otra vez el artículo y busca cómo se dice en español:
a the house is quite spacious
b a check table cloth
c a gas stove completes the arrangement
d piles of clothes
e by night
f the street lighting
g as a bricklayer ...
h he chose to look after his family
i his wages are not enough
j a sense of humour

7 Con tus compañeros, verifica las respuestas, leyéndolas en voz alta para el profesor.

8 Mirando el texto, completa las frases siguientes:
a Ellos viven en _____
b El suelo es _____
c El mobiliario se compone de seis _____
d No es la mejor, pero _____
e La familia residía en _____
f Optó por _____
g Padecen una _____
h Con el otoño _____
i Cuando pueden hacen _____
j El menú de un día cualquiera fue _____
k Lo único que quieren es _____

9 El profesor va a leer las frases del ejercicio 8; tú tienes que completarlas ahora en voz alta.

10 Haz lo mismo con tu compañero de clase o con el profesor, pero esta vez se va a escoger las frases al azar; tú tienes que completarlas sin mirar el texto ni tus notas.

11 Con tu compañero de clase, escribe una definición en español de las palabras o frases siguientes:
a un puente   **f** su situación es puesta en claro
b el techo   **g** un vizcaíno
c el arbusto   **h** el alquiler
d la decoración futurista **i** el sueldo
e el mobiliario   **j** el cabeza

12 Compara tus definiciones con las de otros alumnos de la clase.

13 Ahora vas a examinar el estilo en que se ha escrito el artículo:
a ¿Cuál es la actitud del autor al describir la situación en que

viven estas personas? ¿Te parece una actitud llena de simpatía, de admiración o de ironía? Escribe las palabras y frases del artículo que justifican tu opinión, por ejemplo: <<...entre techo y plato>>; <<... como los que saben vivir>>.

b Compara tus ideas sobre este aspecto del texto con las de tus compañeros de clase, haciendo una lista completa de las frases que habéis escogido.

14 Con la ayuda de un compañero, escribe un resumen del artículo utilizando sólo tres o cuatro frases.

15 Compara el resumen que has escrito con los de otros alumnos de la clase, leyéndolos en voz alta.

16 Con un compañero, prepara una entrevista a José Luis Mendoza. Las preguntas y las respuestas tienen que basarse en lo que se lee en el artículo. Cuando hayáis completado los preparativos, ensayad juntos la entrevista.

17 Tenéis los dos que presentar la entrevista delante de los otros alumnos. Es posible que el profesor la grabe.

18 Sin mirar el artículo original, rellena los espacios en blanco con una de las palabras de la lista que sigue. Sólo puedes usar cada palabra de la lista una vez, pero ¡ten cuidado! porque no se necesitan todas las palabras.

La casa es relativamente _____. La decoración podría _____ futurista. El mobiliario se compone de seis viejos _____ y de unos gruesos tablones unidos que quieren ser, y es, la mesa. El armario sustituye sus _____ por un mantel de cuadros, dentro del cual se entrevén _____ y vasos. Completa la instalación un _____ con el que hacer la comida. Rodeándolo todo, montones de ropa, _____ y trastos. De día su situación es puesta en claro por la luz _____, y de noche, por las luminarias del alumbrado _____.
Hasta junio la familia _____ en San Fernando de Henares, pero tuvieron que abandonar su _____ porque de albañil el padre no ganaba lo suficiente para pagar el _____.

agradable	alquiler	butanillo
camas	cocina	colchones
eléctrico	espaciosa	maletas
natural	piso	platos
público	puertas	residía
ser	sueldo	ventanas

19 Traduce al inglés el último párrafo del artículo.

20 Traduce al español el texto siguiente:

José Luis Mendoza is 33 years old; he lives with his family in an unusual "house" right in the middle of Madrid. The walls are made of concrete and fresh air and the furniture consists of six big mattresses and a few thick planks of wood. For José Luis lives in fact under a bridge in the Plaza de España, an unpleasant situation perhaps in comparison with the flat which he used to have in San Fernando de Henares, but which he had to leave in June because his wages were not enough to pay the rent. Nevertheless, José Luis still has a sense of humour. "All we need is a sofa", he says, "and then it'll be a real house."

21 Escribe una frase en español sobre cada uno de los siguientes aspectos de la casa o vida de la familia . Al escribirla, imagina cada vez que eres José Luis o su mujer.

a Nuestro mobiliario	**e** Nuestros hijos
b Lo que comemos	**f** Mi rutina diaria
c Nuestro piso en San Fernando	**g** Nuestro futuro
d Mi/Su sueldo de albañil	

GRAMMAR

The Present Tense: radical-changing verbs and irregular spellings

◆ Radical-changing verbs are those in which a spelling change occurs in the stem of the verb. This occurs in the present tense in all of the singular persons and the third person plural. There are three types of change that can take place:

◇ O > UE, which can occur in **-ar**, **-er**, and **-ir** verbs, e.g. **mostrar (ue)**, **poder (ue)** and **dormir (ue)**.

◇ E > IE, which can also occur in all three forms of verb, e.g. **empezar (ie)**, **perder (ie)** and **sentir (ie)**.

◇ E > I, a change which can only occur in **-ir** verbs, e.g. **pedir (i)**.

A detailed summary of radical-changing verbs is given in the Grammar Summary at the back of the book on pages 237-38.

◆ There are also many examples of verbs which contain an irregular spelling in the present tense. These may be made in the interests of pronunciation where a failure to change the spelling would result in the wrong sound being produced. Thus, the first person of the verb **coger** has to be written **cojo**, and accents need to be used in verbs like **continuar** (**continúo**) so that the stress remains in the correct place. Other spelling changes may involve the addition of a letter because the pronunciation of the

word produces it naturally even though there is no grammatical reason to include it. One of the most common examples of this is the addition of the letter **y** to verbs like **construir** (**construye**) and **oír** (**oye**).

◇ For a full summary of the most common spelling changes in verb forms, see the Grammar Summary on pages 238-39.

Discovery
Read carefully once more through the article dealing with the two families living beneath the bridge in Madrid and, with a partner, write down all the examples of radical-changing verbs in the present tense and also any irregular spellings that you can find. You should be able to find about five examples of each. Once you have made your list, try to think of at least two other examples of verbs that are similar to each of those that you have found in the article.

Práctica
Imagina que eres periodista y que escribes un artículo sobre la vida diaria de una(s) de las personas mencionadas en el artículo. Inventa unas frases que contengan una parte del tiempo presente de los verbos siguientes:

a empezar (ie)	**f** sustituir
b continuar	**g** volver (ue)
c seguir (i)	**h** confiar
d oír	**i** divertirse (ie)
e dormir (ue)	**j** huir

II EL CHABOLISMO

Uno de los grandes problemas sociales con que el gobierno español ha tenido y sigue teniendo que enfrentarse es el de los chabolistas, es decir, de las personas que viven en chabolas o grupos de viviendas pobres y arruinadas. Hay muchos programas de demolición y reconstrucción de estos barrios pobres en las ciudades españolas, los cuales comportan el realojamiento de las familias que viven allí, consecuencia necesaria que sin embargo lleva consigo desventajas evidentes como la reacción de otros sectores de la población. Un ejemplo de todo esto es el caso del programado realojamiento de varias familias procedentes de las chabolas del Pozo del Huevo, un barrio madrileño.

 *Texto F*

Oposición al realojamiento de los chabolistas

1 Antes de escuchar el fragmento grabado, empareja estas palabras, sacadas del texto, con su equivalente inglés:

oponerse a	to dominate
una familia marginal	town councillor
cercano a	a measure
una medida	to oppose
un corte de tráfico	unfairly treated
entrevistarse con	an accusation
alcanzar un acuerdo	to reach an agreement
un ambiente de tensión	to meet with
presidir	a citizen
una queja	underprivileged family
perjudicado	a complaint
un drogadicto	available for building
una concejala	to show/demonstrate
edificable	close to
integrar en	a tense atmosphere
una denuncia	a drug addict
manifestar	closing a road to traffic
un ciudadano	to fit into

2 Escucha dos veces el trozo y luego lee con atención el resumen en inglés que sigue, donde sólo algunos detalles son correctos. Escribe de nuevo el resumen, corrigiendo las faltas que contiene.

Inhabitants of the Moratalaz district of Madrid are opposed to the plans concerning a building being constructed near the M13 motorway where 30 families from the Pozo del Huevo district are to be rehoused. In a meeting between these inhabitants and the local architect Pilar García, an agreement was finally reached, though the locals still plan to demonstrate their general opposition to the plan by marching through the streets. At the meeting, the main complaints were the lack of money provided by the local council and also the fear that the arrival of the Pozo del Huevo folk will bring with it an increase in over-population and poor sanitation. Pilar García stated that the area had been declared habitable since 1983 and that there was in any case still time to reverse the decision to build there if necessary. It is not the only area of Madrid giving her problems at present: families living in the "barrio del Carmen" are up in arms about the proposed opening of a casino which they claim will become a centre for illegal gambling and late-night revelries, thereby causing an increase in crime.

3 Haz una transcripción de la primera parte del texto, rellenando los espacios en blanco:

Vecinos del distrito de Moratalaz que se _____ al realojamiento de más de _____ familias marginales del Pozo del Huevo en un edificio _____ a la M30 decidirán hoy medidas de _____ como cortes de tráfico _____ de la decisión municipal. Anoche estos mismos vecinos _____ con la presidenta del distrito Pilar García Peña y con los _____ de la oposición sin que se alcanzara ningún _____. Mientras tanto, en el distrito de la Hortaleza que _____ preside Pilar García Peña, el chabolismo y la _____ han originado en los últimos días nuevas _____ vecinales.

Texto G

1 Ahora vas a comparar el texto grabado con un artículo escrito sobre el mismo problema en Moratalaz. Antes de leer el artículo, mira el vocabulario siguiente que te ayudará a comprender el nuevo texto.

el realojo	re-housing
arquitectónico	architectural
un inmueble	a building
desarrollarse	to take place
abuchearse	to boo/jeer
un portavoz	a spokesman
la puesta en marcha	the starting-up
el terreno	the land
la reinserción	rehabilitation

Un amplio sector de los residentes de Moratalaz manifestó ayer su oposición al realojo de 300 familias procedentes del núcleo chabolista del Pozo del Huevo en su barrio.

Reunidos con todos los representantes políticos de la Junta Municipal de Moratalaz, se puso en evidencia el desacuerdo entre ambas partes y los propios vecinos. Finalmente,

se acordó una nueva reunión para hoy, en la que se estudiará realizar cortes de tráfico en la zona donde se alza el polémico edificio.

Vecinos y partidos políticos no se ponen de acuerdo en realojar chabolistas en Moratalaz

En un polémico edificio que se está construyendo cerca de la M-30 para 300 familias

Elena de la Cruz y Borja Hermoso / D-16

El edificio que el arquitecto *Francisco Javier Sáenz de Oiza* construye junto a la M-30, en el distrito de Moratalaz, continúa siendo el símbolo de la polémica que Ayuntamiento y vecinos de la zona mantienen acerca del realojamiento de más de trescientas familias procedentes del Pozo del Huevo.

A las protestas de gran parte de los vecinos, contrarios al realojamiento de población considerada marginal en la zona, se han unido las críticas que desde diversos sectores han sido lanzadas contra el estilo arquitectónico de la casa de Sáenz de Oiza, que ha llegado a ser definida como *cárcel* o *colmena*.

Más de trescientos vecinos se reunieron ayer con la Junta Municipal de Vallecas en pleno para informarse más a fondo sobre las familias que se alojarán en las 360 viviendas del inmueble. El encuentro se desarrolló en un ambiente de tensión, en el que el público no paró de abuchearse entre sí y a los miembros de la Junta.

Medidas de presión

Los vecinos acordaron, finalmente, reunirse hoy para designar portavoces que los representen en futuras reuniones con los organismos implicados y decidir la puesta en marcha de medidas de presión, como cortes de tráfico.

Por un lado, una sección amplia de los presentes se quejaba de la falta de información que había rodeado el proyecto y expresaba su convicción de que los habitantes del Pozo del Huevo son en su mayoría delincuentes y drogadictos.

<<Nos van a soltar doscientos "camellos" en el barrio y no vamos a estar seguros cuando nuestros hijos están en la calle>>, opinó Antonia Gómez.

Por otro lado, Juan Ramón González, portavoz de la Asociación de Vecinos de Moratalaz Oeste y Este, con 8.000 afiliados, no se mostró tan reacio a su asentamiento.

<<Pedimos al Ayuntamiento que tome las medidas necesarias para que la integración se produzca de una forma plena y no traumática. Este barrio tiene larga experiencia en este tipo de procesos, que se han desarrollado en varias zonas sin que se hayan producido nunca conflictos>>, añadió, siendo interrumpido con comentarios en contra numerosas veces.

Al público se dirigieron también varias mujeres residentes en el Pozo del Huevo. <<Quiero que me miren bien, porque yo no me considero marginada. En nuestro barrio hay gente buena y gente mala, como aquí. Yo quiero ese piso porque quiero acercarme al centro y mi marido está trabajando para pagarlo>>, indicó Cándida Simón.

En un ambiente hostil, Pilar García, presidenta de la Junta, señaló desde el principio que las alegaciones sobre la calificación de zona verde de la propiedad municipal están desestimadas, pues está designada como edificable en el Plan General de 1985.

Los terrenos donde el Instituto de la Vivienda (IVIMA) construirá 346 viviendas fueron expropiados en 1971 por el Ayuntamiento para realizar zonas verdes, pero su calificación fue modificada posteriormente.

Explosión de xenofobia

El vocal de Izquierda Unida Enrique Gilavert calificó la reunión de <<explosión de xenofobia. Hay vecinos que piensan que han pagado treinta millones por un piso y que su inversión se devalúa con la presencia de estas personas>>.

Todos los grupos políticos coincidían en que no había que limitarse a buscar alojamientos para la reinserción de sectores

marginados, sino también reforzar su integración con programas sociales y escolarización.

Un edificio cerrado al exterior

El edificio de la polémica consta de viviendas duplex con comedor, salón y cocina en el piso inferior, y dormitorios en la planta superior. La finalización del proyecto está fechada para el año 1990.

Francisco Javier Sáenz de Oiza, arquitecto del edificio y considerado como una de las primeras autoridades españolas en materia arquitectónica, indicó que la intensidad de ruidos que produce la vecina M-30 le llevó a diseñar el proyecto cerrado al exterior, con ventanas de tamaño reducido (0,75 por 0,75 centímetros) y abierto a un área interior con una zona ajardinada. El primer teniente de alcalde en el Ayuntamiento de Madrid, Luis Larroque, manifestó la pasada semana que el edificio ideado por Sáenz de Oiza era <<polémico pero de indudable calidad arquitectónica>>.

El arquitecto manifestó ayer que al comienzo del proyecto éste carecía de asignación social.

<<Si lo hubiera sabido, a lo mejor no hubiera hecho viviendas dúplex. De todas maneras, no se hacen viviendas tan a la medida de poblaciones determinadas.>>

2 Ahora lee con atención el artículo escrito y luego haz el siguiente ejercicio:

Mira bien la siguiente lista y pon una equis en las casillas apropiadas. Hay que decidir si cada uno de estos puntos se menciona en el texto grabado, en el articulo escrito o bien en ambos.

	texto grabado	artículo escrito
300 familias marginadas	☐	☐
edificio cercano a la M30	☐	☐
cortes de tráfico	☐	☐
entrevista con la Presidenta	☐	☐
chabolismo y droga en Hortaleza	☐	☐
críticas contra el estilo del edificio	☐	☐
ambiente de tensión	☐	☐
quejas por falta de información	☐	☐
360 viviendas	☐	☐
perjudicados económicamente	☐	☐
una zona verde	☐	☐
drogadictos y delincuentes	☐	☐
una explosión de xenofobia	☐	☐
programas de escolarización	☐	☐
zona edificable	☐	☐
tiempo suficiente para modificaciones	☐	☐
integración en el distrito	☐	☐
poner equipamentos necesarios	☐	☐
descripción del edificio	☐	☐

GRAMMAR

The Preterite Tense and Reflexive Verbs

◆ The preterite tense is used in Spanish to describe events or actions that happened once only and usually on one particular day or at one particular moment. In an article such as the one you have just read, the preterite is the tense used to relate a series of things that happened one after the other.

The preterite tense has many different forms, all of which are set out for you in the Grammar Summary (see pages 241-42). The main types are:

◇ Regular verbs (e.g. **manifestar, comer, añadir**)

◇ "Weak preterites" (e.g. **poner** [**puse**], etc.)

◇ **-ir** verbs which contain radical changes (e.g. **morir** [**murió**])

◇ The verbs **ser** and **ir** which have the same preterite (**fui**, etc.)

◇ The verbs **dar** and **ver** which are very similar in form

(**di, dio**, etc; **vi, vio**, etc.)

◇ Verbs which include a number of spelling changes
(**llegar** [**llegué**]; **construir** [**construyó**]; **sacar** [**saqué**],
etc.)

Obviously, to know and use all of these really well takes a
good deal of time and study. You will see countless
examples of the various forms and uses of the preterite
tense throughout the book, and the best thing for you to
do is to take the whole thing steadily and just deal with
each new rule and type as it occurs. For the moment, we
shall just concentrate on a few straightforward examples
of the preterite tense.

Examples from the passage:
○ Más de 300 vecinos se reunieron ayer (More than 300
people met yesterday)
○ El público no paró de abuchearse (The audience did
not stop jeering at one another)
○ Pilar García señaló que ... (Pilar García pointed out
that ...)

Discovery

Work with a partner, making a list of all the examples of
the preterite that you can find in the passage dealing with
the Moratalaz affair. Try also to agree on why the preterite
has been used in each case.

Práctica

1 Sin mirar el texto, escribe las frases siguientes,
completándolas con la forma correcta de los infinitivos
que aparecen entre paréntesis.

a Un amplio sector de los residentes de Moratalaz
(manifestar) ayer su oposición al realojo de 300
familias.

b El encuentro (desarrollarse) en un ambiente de
tensión.

c Los vecinos (acordar) reunirse hoy.

d Al público (dirigirse) también varias mujeres
residentes en el Pozo del Huevo.

e Los terrenos (ser) expropiados en 1971.

2 Imagina que eres uno de los residentes de Moratalaz.

a Escribe cinco frases para explicar lo que hiciste tú
antes, durante y después de la reunión de los
vecinos. Por supuesto, puedes inventar todo lo que
quieras. En cada frase, tienes que emplear uno de
los verbos siguientes:

indicar	gritar
andar	decir
ir	

b Ahora escribe otras cinco frases para explicar lo que
hicieron tus amigos (los otros vecinos de Moratalaz),
empleando cada vez uno de los verbos siguientes:

acordarse de	añadir
poner	pedir
ver	

◆ Reflexive verbs are extremely common in Spanish; this
is because they are used in a variety of situations, not all
of which are truly reflexive in their meaning. We shall be
seeing more advanced uses of such verbs at a later stage,
but for the moment we shall just look at their forms and
the verbs that are normally reflexive in Spanish. As seen
in the passage on the Moratalaz incident, these may have
a truly reflexive meaning:
○ No me considero marginado (I do not consider *myself*
an outcast)

Or they may have no particular reflexive meaning; they
are simply always reflexive in Spanish:
○ Una amplia sección de los presentes se quejaba de la
falta de información (A large proportion of those
present complained of the lack of information)

◇ For a detailed examination of the forms and uses of
reflexive verbs, see the Grammar Summary on pages
239-40.

Discovery

Read through the article again with a partner and make a
list of all the examples of reflexive verbs that you can find.

Práctica

Sin mirar el texto, escribe una frase con cada uno de los
verbos reflexivos siguientes:

a nos reunimos	e nos acordamos en ...
b me acerqué a	f no se ponen de acuerdo
c se dirigieron a	g me quejo de
d se puso en evidencia	

3 Imagina que eres Pilar García, y tu compañero de clase uno de los
habitantes de Moratalaz. Cada uno debe escoger cinco de los puntos
del cuadro del ejercicio **2** y luego escribir una frase explicando su
opinión sobre éstos. Después, se puede entablar una conversación en

forma de debate para tratar de convencer al otro.

4 Como habitante de Moratalaz, escribe una carta al periódico local para expresar tus opiniones en contra del realojamiento de los chabolistas del Pozo del Huevo. Después, dale la carta que has escrito a tu compañero de clase.

5 Siempre hay que examinar los argumentos en pro y en contra de una cuestión. Imagina que eres madrileño y que acabas de leer en un periódico la carta escrita por tu compañero de clase. Tú crees que las ventajas sociales del realojamiento de los chabolistas son mucho más importantes que cualquier otro aspecto de la cuestión. Prepara tus ideas y respuestas a los argumentos de la carta que has leído y trata de persuadir al autor de ver la otra cara de la moneda. Esto se puede hacer en forma de otra carta escrita o en forma de un debate general entre todos los alumnos de la clase.

Desarrollando el tema

1 *El <<interiorismo>> o diseño interior de las casas:* ¿en qué se diferencian las casas españolas y las inglesas?; la importancia del ambiente, de la luz, del espacio, de los muebles; la importancia de la comodidad; comparación de lo estético y lo funcional.

2 *El chabolismo en España:* el futuro del problema; los efectos de las planificaciones proyectadas para los acontecimientos del '92 — por ejemplo, ¿la villa olímpica servirá para solucionar lo del chabolismo y de los marginados en Barcelona?

3 *El problema universal de los que no tienen hogar:* colecciona impresos y folletos de organizaciones sociales (tal como por ejemplo <<Shelter>>) para examinar esta cuestión. Así puedes preparar cartas, entrevistas, etcétera, para una conferencia de la Comunidad Europea sobre este tipo de problema.

4 *La casa del siglo XXI:* lo que tendrá; su diseño; la importancia de la electrónica; los cambios que se verán en las varias habitaciones — la cocina, el salón, el cuarto de baño.

2

HOGAR, ¿DULCE? HOGAR

En este capítulo, vamos a examinar con más detalle a las personas que viven en las casas, o sea los miembros de una familia. Empezaremos con unas descripciones de los padres o hermanos que todos tenemos para luego considerar las relaciones (tanto las buenas como las malas) que pueden existir dentro de la familia.

Para empezar:

1 Prepara unas respuestas detalladas a las siguientes preguntas para poder hablar después con tu compañero de clase sobre los miembros de tu familia.

    a ¿De cuántas personas se compone tu familia? ¿Quiénes son?

    b ¿Cómo son tus padres/hermanos/abuelos, etcétera. Habla de su apariencia física y también de su carácter.

    c ¿Te llevas bien o mal con tus padres/hermanos, etcétera. A ver si puedes también explicar por qué las relaciones que tienes con ellos son buenas o malas.

2 Ahora compara las respuestas que has preparado con las de tu compañero de clase. Tienes que observar sobre todo las diferencias que resultan de vuestra conversación.

3 El profesor pedirá a un alumno de cada pareja que explique las diferencias entre las dos familias de que se ha hablado. Estas diferencias se referirán, claro está, al número de personas en cada caso y también a las relaciones que cada alumno tiene con los miembros de la familia.

4 Finalmente, a ver si podéis juntos poneros de acuerdo sobre las cosas o características que son necesarias para mantener unas buenas relaciones dentro de la familia. ¿Hay también opiniones comunes en la clase sobre lo que conduce a relaciones difíciles?

I LOS HIJOS

Texto A   **1** Antes de leer el artículo, busca en el diccionario el sentido de las palabras siguientes:

complacer	la inmadurez	acertar a
la ternura	una prueba	valerse por sí mismo
el éxito	aconsejable	suplir
asumir responsabilidades	nefasto	el matiz
el mando	conllevar	humillar
la costumbre	superar	los celos
el riesgo	el nivel medio	el resentimiento
mimado	incrementarse	desembocar
caprichoso	cerebral	un fracaso

¿Cómo influye el orden de nacimiento en la personalidad?

EL PRIMOGENITO

El hijo mayor suele manifestar un deseo permanente de complacer a sus padres y lograr su aprobación. El es quien recibe las primeras ilusiones y las más exquisitas manifestaciones de ternura.

En general, podemos afirmar que el *perfil psicológico* del promogénito viene marcado por las siguientes características:

● Tendencia al éxito social.

● Personalidad convencional, definida y autoritaria.

● Propensión a asumir responsabilidades.

● Gusto en tomar decisiones y participar en la dirección familiar.

● Aceptación de los hermanos, sobre los que suelen adoptar una conducta de protección y mando.

● Ser cumplidor fiel de normas y costumbres.

EL BENJAMIN

El riesgo más grave que suele correr el benjamín es el de ser permanente centro de atenciones y cuidados, con el peligro de quedar <<fijado>> en un papel de niño mimado, superprotegido y caprichoso, cuyos efectos pueden acompañar a veces al sujeto a lo largo de su vida, afectando gravemente al desarrollo de una personalidad marcada por una inmadurez latente, más o menos pronunciada.

El atento lector habrá observado seguramente, que muchos padres, al referirse al último de sus hijos, les llaman <<niño>> o <<niña>> casi de por vida. Buena prueba de que siguen *viendo*, considerando y

El benjamín se puede convertir en el típico niño mimado.

tratando de alguna forma como niños a unos hijos que ya son plenamente adultos.

Lo más aconsejable es que el menor sea tratado como un hijo más. Procuren autoobservarse los padres para no caer en estas conductas, a las que inconscientemente tenderán, para evitar los nefastos efectos educativos que toda permisividad y mimo excesivo conllevan.

EL HIJO UNICO

El aspecto más positivo a que han llegado diversos estudios sobre los hijos únicos es que el 62 por 100 de ellos supera el nivel medio de inteligencia.

La única explicación lógica desde una perspectiva psicológica es que, aunque el hecho de ser únicos conlleve algunos aspectos que puedan influir negativamente en el desarrollo de determinadas áreas, como en la integración social, etcétera, sin embargo, se da una circunstancia muy positiva, ya que al *multiplicarse* las atenciones, el diálogo y la comunicación con el adulto se incrementa también la

estimulación cerebral en mayor medida que en el resto de los hijos.

Otros rasgos de signo menos positivo en el perfil psicológico del hijo único son:

● Suele ser un niño más débil, protegido y mimado, salvo que sus padres empleen una estrategia educativa adecuada.

● Preocupados por cuidar y proteger su <<único y frágil tesoro>>, muchos padres convierten a estos niños en seres dependientes, torpes, caprichosos, semiinútiles, que no acertarán jamás a valerse por sí mismos.

● Las insistentes y machaconas consignas de <<no corras>>, <<ten mucho cuidadito>>, <<que te vas a caer>>, <<eso es demasiado para ti>>, etcétera, convierten a un niño sano en un ser frágil, temeroso <<de vidrio>>, de <<mírame y no me toques>>.

● La *infancia* del hijo único, si los padres no lo remedian, suele estar falta de interacción y relación con otros niños de su edad.

● La *escuela* también puede ser una dura prueba para el hijo único, y que pasa bruscamente de unos esquemas de relación social con adultos protectores a una vida de interacción con niños de su edad a la que no está habituado.

Es importante que los padres traten de suplir la falta de interacción con unos hermanos que no existen por la relación temprana y continuada con otros niños de su edad para facilitar la integración escolar y social.

EL SEGUNDON

Su personalidad suele mostrar un claro matiz de inconformismo e

indisciplina.

El mayor, con su conducta de hermano modelo, obliga de alguna forma al hermano que le sigue a ocupar un segundo puesto que al tiempo que le humilla le hace refugiarse en sí mismo.

Como al segundón no le suelen correr vientos propicios para destacar por los medios normales, se ve obligado a establecer sus propias estrategias para lograr el éxito, inclinándose por actividades de tipo creativo.

El segundón suele ser el inconformista por naturaleza.

Muchos pintores, músicos, literatos y artistas diversos fueron <<segundones>> que se vieron obligados a roturar nuevos caminos en solitario.

Si el segundón es muy próximo al primogénito, los celos serán mayores, y si es bastante lejano, irá siempre rezagado, será menos fuerte y maduro, tendiendo además a la autodesvalorización y al resentimiento si los padres ponen siempre como modelo al mayor. Esta situación puede desembocar en neurosis de fracaso.

> ● **Lo más aconsejable es que el menor sea tratado como un hijo más** (the most sensible thing is that the youngest one should be treated simply as one more child). For the use of the pronoun **lo** followed by an adjective, see the note in the Grammar Summary on pages 233-34.

2 Ahora lee con atención el artículo que habla de las características típicas de cada uno de los hijos de una familia — del primogénito (el mayor), el benjamín (el menor), el segundón (es decir el hijo segundo) y el hijo único.

3 El cuadro siguiente tiene una lista de 20 adjetivos que pueden aplicarse al carácter de una persona. Pon una equis en la casilla que te parezca correspondiente, según lo que se dice en el artículo que has leído. Después de completar el cuadro, compara tus opiniones con las de tu compañero de clase, justificando lo que has escogido si hay diferencias en las casillas elegidas.

	El primogénito	*El benjamín*	*El hijo único*	*El segundón*
creativo				
mimado				
convencional				
maduro				
débil				
torpe				
protegido				
protector				
temeroso				
frágil				
autoritario				
fuerte				
caprichoso				
distinto				
dependiente				
responsable				
indisciplinado				
inteligente				
decisivo				
celoso				

4 Ahora empleando la lista de adjetivos del ejercicio 3, trata de escribir el verbo y/o el substantivo que se relaciona con cada una de las palabras. Por ejemplo:

creativo: *verbo* — crear; *substantivo* — creación
mimado: *verbo* — mimar; *substantivo* — mimo

5 Ahora va a haber un debate en la clase sobre la verdad o falsedad de las ideas expresadas en el artículo. ¿Te identificas con lo que se dice de ti? ¿Y crees que tus hermanos tienen las características de que se habla?

6 Imagina que eres el padre o la madre de un hijo difícil. Escribe un párrafo para mandar al consultorio sentimental de una revista, describiendo el carácter del hijo y pidiendo consejos.

7 El profesor va a distribuir los párrafos escritos en el ejercicio 6 entre los miembros de la clase. Cada alumno debe imaginar ahora que es el columnista de la revista, escribiendo una respuesta a la carta recibida y dando consejos sobre lo que debe hacer el padre que le ha consultado.

II LOS PADRES

Ahora la clase va a dividirse en dos grupos para considerar las relaciones que existen entre el padre y la madre en una familia. Cada grupo va a escuchar a una persona que habla de quién manda en su casa y quién (sea el padre o la madre) es el que se siente sometido.

 *Texto B*   **¿Quién manda en casa?**

1 Antes de escuchar el texto que les convenga, los miembros de cada grupo tienen que buscar en el diccionario el sentido de las palabras o frases siguientes:

Grupo A

los gastos	jugar una partida	ponerse mal
ahorrar	poner mala cara	tener en un puño
no me va mal	adivinar	arrimar
una marioneta	aguantar	arreglarse
fastidiar	el ambiente	incómodo

Grupo B

la vergüenza	meterse en algo	aprovechar
salvarse	armarse una bronca	la muestra
el ama de llaves	antiguo	repartir
gastar dinero	llevar la contraria	salirse con la suya

2 Ahora escucha con atención el texto apropiado según el grupo en que te ha puesto el profesor. Con los otros miembros de tu grupo, busca cómo se dicen en español las frases siguientes:

Grupo A (Eugenio)
   a My wife's the one who decides what we must save.
   b I think I am a puppet.
   c She pulls a face.
   d I can't stand it.
   e When I see her (looking) like that ...
   f She's got me under her thumb.
   g I can't even get close to her.
   h I have to wear what she likes.
   i I have to put up with it.
   j She says that everything she does is for me.

Grupo B (Águeda)
   a He's the one in charge.
   b I'm ashamed to say that ...
   c He always gives me what I ask for.
   d He doesn't interfere with that.
   e I usually go out one day a week.
   f There is an almighty row.
   g My duty is to be at home.
   h I can't contradict him.
   i He is not very educated.
   j I always get my own way.

3 Con los otros miembros de tu grupo, escribe cinco frases para explicar por qué Eugenio y Águeda no están contentos de las relaciones que tienen con su mujer/marido. Por ejemplo:

Grupo A: Para Eugenio, lo peor es cuando su mujer no quiere explicar lo que le ocurre.

Grupo B: Águeda no se siente el ama de su casa.

4 Ahora los miembros de cada grupo van a mezclarse para que un alumno del grupo A hable con uno del grupo B. En las parejas que así se forman, hay que comparar las quejas de Eugenio con las de Águeda, haciendo una lista completa de ellas. Después de completar la lista, habla con tu compañero sobre las siguientes preguntas:
   a ¿En qué se parecen las quejas de Eugenio y de Águeda?
   b ¿Qué aspectos de la vida familiar parecen causarles problemas a los dos?
   c ¿Qué soluciones podéis proponer para los problemas que tienen Eugenio y Águeda?

5 Toda la clase va a participar en una conversación donde se ofrecerán ideas sobre las causas y las soluciones de los problemas que se han examinado en este texto.

Texto C   **1** Ahora vas a leer una nueva descripción de esta misma cuestión de quién manda en casa, pero esta vez vista por un hijo que se llama Carlos. Antes de leer el nuevo texto, empareja estas palabras, sacadas del texto, con su equivalente inglés:

convencido   a child
grabado   to control

administrar	to punish
darse cuenta de	convinced
mangonear	to wear the trousers
un crío	to realise
sentir rencor	engraved (on my memory)
castigar	to feel resentful

Carlos, 17 años, estudiante.

<<Cuando era pequeño estaba convencido de que mi padre mandaba en casa. Yo le pedía siempre permiso a él; mi madre decía que lo hiciera; y lo que él contestaba era lo mismo que lo que contestaba mi madre. La frase <<se hará lo que tu padre diga>>, la tengo grabada. Cuando yo le pedía a mi madre que me comprase algo, decía que lo tenía que consultar con él, para saber cómo andábamos de dinero. Y era ella la que administraba todo en casa. Incluso mi padre pedía algunas mañanas dinero para sus gastos. Empecé a darme cuenta de que era mi madre quien mangoneaba a los catorce años. Quería ir a un viaje de fin de curso y le pregunté a mi padre si me daba permiso. Me contestó que me lo diría al día siguiente. Sé que estuvo mal, pero les estuve escuchando detrás de la puerta. Mi padre estaba de acuerdo en que yo fuera al viaje de fin de curso, pero mi madre no. Por un lado, decía que era un crío; por otro, no le gustaba porque iban también niñas del colegio y ella pensaba que podía pasar cualquier cosa. Al día

siguiente mi padre me dijo que yo no iría al viaje. Y parecía que estaba totalmente convencido de que era eso lo que pensaba, y yo sabía que era porque lo había dicho mi madre. Durante un tiempo sentí rencor hacia los dos. Luego, se me ha ido pasando. Pero ella sigue siendo la que por detrás manda siempre. Cuando se enfadan, me he dado cuenta de que mi madre se va a dormir a otra habitación. No me gusta eso, me parece que ella le castiga así y no está bien seguir estos métodos.>>

2 Lee con atención lo que dice Carlos, y después contesta en inglés a las siguientes preguntas:

  a What originally made Carlos think that his father was the one in charge at home?

  b What reason did his mother give him for having to ask his father if she could buy something for him?

  c When did Carlos first begin to suspect that his initial assumption had been wrong?

  d What specific example does Carlos remember to prove that it was really his mother who made the decisions?

  e How did he feel as a result of this incident, and how does he feel now?

3 Lee otra vez las palabras de Carlos y traduce al inglés las siguientes frases españolas:

   a Yo le pedía siempre permiso a él.
   b Se hará lo que tu padre diga.
   c ... era mi madre quien mangoneaba.
   d Mi padre estaba de acuerdo en que yo fuera al viaje.
   e Ella pensaba que podía pasar cualquier cosa.
   f Se me ha ido pasando.
   g No está bien seguir estos métodos.

GRAMMAR

The Imperfect Tense

In the first chapter, we looked at the preterite tense in Spanish, and made the point that it was used to describe events or actions in the past that happened once only and usually on one particular day or at one particular moment. In the passage where Carlos speaks of the relationship between his parents, you will find one or two examples of this, where the speaker is remembering something his father said or that he himself did on one particular day.

◆ As you will be aware from GCSE work, the imperfect tense is the other major verb form that is required when writing or speaking Spanish in the past; it has various uses, but one of the most important is that the imperfect describes actions and events that happened on several occasions or that were habitually true. Most of the passage spoken by Carlos deals with how his parents *used to* be, what *used to* happen, and it is therefore this tense that is used most frequently by him.

For example:
○ Yo le pedía siempre permiso a él (I always asked [= used to ask] his permission).
○ Decía que lo tenía que consultar con él (She said [= used to say] that she had to consult him).

◆ The imperfect is also used in accounts of the events of a particular day or moment when its purpose is either descriptive or simply one that does not deal with single and momentary actions.

For example:
○ Quería ir a un viaje de fin de curso (I wanted to go on an end of term trip).

◆ In its form, the imperfect tense is less complicated than the preterite. There is one set of endings for **-ar** verbs (e.g. **estaba, estabas, estaba**, etc.) and a different one for **-er** and **-ir** verbs (e.g. **parecía, parecías, parecía**, etc.). Only three verbs (namely **ser, ir** and **ver**) have irregular forms. You will find a summary of the forms and uses of the imperfect tense in the Grammar Summary on page 242.

Discovery

With a partner, make a list of all of the examples of the imperfect tense that you can find in the passage concerning Carlos and his description of his parents. See if you can agree on why the imperfect is used in each case.

Práctica

1 Cuando tú eras muy pequeño, ¿quién mandaba en tu casa? Escribe cinco frases describiendo lo que hacían o decían tus padres y dando una prueba de tu opinión sobre el que mandaba. Claro que los verbos que empleas se escribirán en el tiempo imperfecto.

2 Imagina que eres hijo de Eugenio o Agueda, los dos padres que escuchaste antes. Escribe, tal como lo ha hecho Carlos, un párrafo en español describiendo las relaciones entre tus padres cuando eras pequeño.

Claro que las relaciones tensas como las que hemos estudiado hasta ahora pueden solucionarse de muchas maneras, pero también es posible que los padres nunca consigan encontrar una solución y que al final decidan separarse o hasta divorciarse. Mira el cuadro que sigue titulado <<Por qué se separan>> donde hay una lista de las diversas causas de la separación de los padres, además de los porcentajes de mujeres y hombres a quienes se aplica cada una de las causas.

POR QUE SE SEPARAN

Causas alegadas por las personas que no se han separado por mutuo acuerdo	Mujeres %	Hombres %
No podían entenderse	54	63
Malos tratos de palabra	53	28
Malos tratos físicos	41	13
Infidelidad conyugal	36	23
Incumplimiento de los deberes con los hijos	35	8
Abandono injustificado del hogar	33	25
Otras conductas vejatorias	31	10
Alcoholismo	28	5
Cese efectivo de la convivencia conyugal	23	8
Perturbaciones mentales	17	8
Toxicomanía	8	2
Condena de cárcel	2	—
Otras causas	12	—

Los porcentajes suman más de cien por tratarse de preguntas con respuestas múltiples.
Fuente: OYCOS

Texto D

1 Sin buscar ninguna palabra en el diccionario, trabaja con un compañero, tratando de expresar en inglés las varias causas enumeradas en el cuadro. Verificad vuestras ideas con el profesor.

2 Escribe 10 frases que interpreten las cifras que se dan en el cuadro y que comparen el papel de las mujeres y los hombres en esta cuestión. Por ejemplo:

La mayoría de los hombres deciden separarse de su mujer porque los dos no pueden entenderse.

Hay muchas más mujeres que hombres que dejan al cónyuge a causa de los malos tratos físicos.

Texto E

1 Antes de leer el pequeño artículo, busca en el diccionario el sentido de las cuatro palabras siguientes:

hacer honor a   amenazar con
el juez   manso

Divorciarse por una cuestión de apellidos

Una mujer mejicana de apellido Cordero se divorció recientemente de su marido, Gabriel Lobo, por culpa, suponemos que entre otros importantes motivos, de sus apellidos. Al parecer, el marido, haciendo honor a su nombre de familia, amenazaba constantemente a la pobre señora Cordero con devorarla. Y el juez, ante la evidencia del estado de continua tensión matrimonial y el temor de la sufrida esposa, concedió el divorcio. Lo que no se indica es si la señora Cordero, en este caso, era realmente más mansa que el señor Lobo. ∎

2 Lee con atención esta historia y luego haz un resumen en inglés en un máximo de 30 palabras.

3 Con un compañero, haz una lista de todos los ejemplos que hay en el artículo de los tiempos pretérito e imperfecto de los verbos. Después, tratad juntos de explicar al profesor por qué se ha escogido el uno o el otro tiempo en cada caso.

III LA BARRERA GENERACIONAL

Hasta ahora hemos examinado las relaciones que pueden existir entre los hijos de una familia y entre los padres. Esto nos ha preparado para estudiar también la tercera y última parte de toda esta cuestión familiar, o sea las relaciones entre los hijos y sus padres, vistas sobre todo por los ojos de los primeros.

Texto F   **1** Antes de leer este pequeño artículo, habla con tu compañero otra vez del carácter de tus padres y de las relaciones que tienes con ellos. Después de comparar tus opiniones de una manera muy general, y sea cual sea la realidad en vuestros propios casos, imaginad que os lleváis (**a**) muy bien y (**b**) muy mal con vuestros padres. Trabajad juntos para explicar cómo son o lo que hacen el padre y la madre en ambos casos, de modo que por fin tengáis una lista de las causas de estas dos situaciones. Por ejemplo:

    a Mi padre me deja salir hasta muy tarde los sábados.
    Mi madre es una persona muy comprensiva en lo que se refiere a mis problemas.

    b Mi padre siempre está demasiado ocupado para pasar tiempo conmigo.
    Mis padres nunca me comprenden.

P A D R E S

Si hacemos una encuesta a los hijos sobre los defectos de su padre, las respuestas más corrientes son:

1. Mi padre es ORDENO y MANDO.

2. Son pocas, muy pocas, las veces que reconoce que ha cometido algún error.

3. Lo que dice y exige nunca está en relación con lo que hace.

4. Me gustaría comentar mis problemas, pero nunca tiene tiempo.

5. La confianza con él brilla por su ausencia.

6. Sólo te ayuda si te ve muy caído. Sin embargo, si haces algo bien, es difícil que te apruebe.

7. Son mínimas las caricias de mi padre.

Estas son la mayoría de las quejas de los adolescentes en relación a su padre. ¿Por qué ocurre esto? Para mí no es sólo problema del padre, sino también de la madre. Esta, sin darse cuenta, puede facilitar un mal entendimiento.

Veamos algunos ejemplos en el lenguaje de la madre:

1. Se lo voy a decir a tu padre, por mí haz lo que quieras.

2. No le hagas caso a tu padre, ya sabes que viene enfadado de su trabajo.

3. Vas a ser igual que tu padre, desordenado, vago, agresivo, ya veremos quién te aguanta.

4. Por mí puedes salir con fulano, pero ya sabes cómo se pone tu padre. Si se entera se va a armar.

Trato de hacer comprender a las madres que no puede haber un malo si no hay un bueno en la casa. Convertir al padre en la figura dura y agresiva, carente de ternura y de sentimientos, me parece un error de nuestra civilización actual. Los jóvenes de hoy quieren un padre con el que puedan hablar y no un padre <<JEFE>> o <<AMO>> al que haya que pedir permiso para comentarle cualquier cosa.

Ahora bien ¿cómo conseguir que el padre abandone este papel?

● *Demonstrative Adjectives and Pronouns:* This is one of several passages in this chapter (others being Texto A, Texto G and Texto J) which contain various examples of demonstrative adjectives (**este**, **ese**, **aquel**, etc.) and demonstrative pronouns (**éste**, **ése**, **aquél**, etc.). Read the relevant section on these words in the Grammar Summary on pages 235-36.

2 Ahora lee con atención el artículo <<Padres>> que trata de los defectos del padre y de la madre. Explica en inglés los defectos que se basan en el *carácter* de cada uno, y los que vienen de *las relaciones* que existen entre los dos.

3 ¿Cuáles de los defectos mencionados aparecen también en la lista que hiciste con tu compañero de clase en el ejercicio **1 b**?

4 Elige lo que tú crees que son las cinco cualidades más importantes de un padre y/o una madre, y luego escribe en español un párrafo que resuma tus opiniones. Después, cada alumno va a leer en alta voz su párrafo para ver si tiene las mismas ideas que sus compañeros.

LOS PADRES DE HOY
¿son tolerantes?

ISABEL
17 años

LAURA
19 años

ALFREDO
17 años

La verdad es que **sí son tolerantes.** Yo tengo varios hermanos mayores que me han allanado el camino y que, a su vez, han educado a mis padres. En vez del miedo, las amenazas y los castigos, los padres de hoy utilizan el diálogo. En mi caso y en otros que conozco, lo único que piden es **que no les mintamos nunca.** Así nos pueden ayudar y aconsejar en los momentos críticos. Yo no les cuento absolutamente todo, porque creo que **tengo derecho a mi intimidad y a cometer mis propios errores** y ellos saben que no soy un libro abierto.

Hay de todo. Todavía quedan padres muy autoritarios y muy cerrados. Además, **aún perdura una discriminación tremenda hacia las chicas.** A los chicos se les sigue dando mucha más libertad.

Con mi madre tengo más confianza, pero las cosas serias hay que hablarlas con mi padre, por aquello de que es el **cabeza de familia.** Con estas estructuras, **no hay forma de establecer un diálogo real.** En líneas generales se les puede dar un aprobado, pero queda camino por andar.

A ratos sí, pero **están acogotados por mogollón de fantasmas.** Por culpa de esas neuras a veces no te dejan respirar. Cada vez que quieres salir te leen la cartilla de que tienes que estudiar, que la vida está muy dura y todo eso. Y cuando te ven con chicas, que a ver qué haces y que si el SIDA. **La tele les come el coco** y no se dan cuenta de que nosotros no tenemos un pelo de tontos y no vamos de pardillos por la vida. ¡Y la vamos a vivir por muchos **sermones** que se empeñen en soltarnos!

Texto G

1 Lee dos veces lo que dicen las dos chicas y el chico de la encuesta; la segunda vez, trata de adivinar el sentido de las palabras siguientes. Entonces verifica tus respuestas con el profesor, quien te dará el significado de las palabras que no has podido traducir (¡si las hay!).

allanar el camino	perdurar	el SIDA
la amenaza	el cabeza	comerle el coco a uno
mentir	dar un aprobado	un pelo de tontos
aconsejar	estar acogotado	ir a pardillos
contar	un mogollón de	un sermón
cometer errores	fantasmas	empeñarse en
un libro abierto	las neuras	
hay de todo	leer la cartilla a uno	

2 Lee otra vez lo que dicen los tres sobre si son o no tolerantes los padres de hoy. Luego, contesta en inglés a las preguntas que siguen, escribiendo también en español las frases de la encuesta que te dan las respuestas apropiadas.

Which of the three interviewees:

a Says that parents can be both intolerant and tolerant?

b Thinks that parents are always afraid of the worst?

c Thinks that boys are given more freedom than girls?

d Has been helped in this question by having older brothers?

e Gets a lecture whenever he/she wants to go out?

f Feels that parents are more prepared to talk than to threaten?

g Has a closer relationship with his/her mother than with his/her father?

h Thinks children have a right to some privacy?

i Says that life has to be lived irrespective of parental lectures?

j Thinks that parents still have some way to go in this question?

3 Y tú, ¿qué crees? ¿Con cuál de los tres te pones más de acuerdo? Justifica tu opinión.

Texto H

1 Antes de leer esta carta, que es la respuesta dada por una columnista psicóloga a una carta publicada en la revista española <<Chica>>, busca en el diccionario el sentido de las palabras siguientes:

inaudito	un rinconcito	poner barreras
tender a	el santuario	defenderse
asumir una responsabilidad	un diario	avergonzar
reconfortar	el consentimiento	armarse de valor
pasarse de la raya	registrar	ir a los recados
respetar	las reglas de convivencia	dejarse avasallar

Psicología

Sinceramente, la conducta de tu madre me parece inaudita. Casi todas tienden a sentir una excesiva responsabilidad respecto a la conducta de sus hijos: lo sé por experiencia propia: yo también soy madre.

Y como tal, reconozco que a veces me sorprendo asumiendo una responsabilidad mayor de la que debiera. Ese exceso, a la vez, me reconforta, porque sé que no soy infalible, tampoco como madre.

La tuya, sin embargo, se pasa de la raya, porque no respeta en absoluto tu intimidad.

Toda persona tiene derecho a un rinconcito privado, a un lugar en el que pueda guardar sus pequeños secretos. Este <<santuario>> debe respetarse incluso en la infancia, y mucho más en la juventud.

Tu diario y tus cartas deben ser tabú, y ni tu madre ni nadie debería leerlos sin tu consentimiento. Mucho menos registrar las cosas privadas de tus amigos.

Tu madre ha violado todas las reglas de convivencia y de respeto. Y ha podido hacerlo porque tú no le has puesto barreras. No le has dicho nunca: <<Basta, hasta aquí has llegado>>.

¡Debes defenderte de ella! Dile que te avergüenza que abra tus cartas, que lea tu diario, que registre la ropa de tus amigos ...

Ármate de valor y pregúntale a tu madre si de verdad piensa que durante 16 años te ha educado tan mal como para esperar ahora sólo lo peor de ti.

Tu madre debe darse cuenta de que ya eres responsable de tus actos, y tú debes demostrarle que te sientes capaz de asumir esa responsabilidad. Empieza dando pequeños pasos, limpia y ordena tus cosas, haz tu habitación... Métete luego con otras tareas domésticas, ve a los recados, haz la cena ...

Todo vale, con tal de demostrarle a tu madre que ya hay dos mujeres en casa. ¡Ah!, y si es necesario, guarda tu diario bajo llave. ¡No te dejes avasallar!

- *Possessive Adjectives and Pronouns:* **su, tu, el, tuyo**, etc. are examples of possessive adjectives and pronouns. Read the relevant section of the Grammar Summary on page 236.

---

2 Lee con atención la carta y explica en español el significado de las palabras o frases siguientes:

a me parece inaudita
b no soy infalible
c se pasa de la raya
d un santuario
e el diario
f violar las reglas
g registrar la ropa
h eres responsable de tus actos
i haz tu habitación
j no te dejes avasallar

3 Traduce al inglés los dos primeros y los dos últimos párrafos de la carta.

4 Con tu compañero de clase, haz una lista de las opiniones y los consejos dados por la psicóloga y luego trata de explicar por qué dice lo que dice, imaginando las principales quejas expresadas en la carta que ella ha recibido. Por ejemplo:

> **Psicóloga:** Dile que te avergüenza que abra tus cartas.
> **Carta Original:** Mi madre abre y lee mis cartas.

5 Ahora que tienes el vocabulario necesario y una buena idea de los problemas originales, escribe la carta original mandada por la chica.

6 Finalmente, trabaja con tu compañero de clase, imaginando la conversación entre la chica y su madre después de la cual la chica decidió escribir a la revista. Luego vais a representar la escena delante de los otros alumnos de la clase.

 Texto I **¿Cuándo piensas marcharte de casa?**

1 Antes de escuchar a los tres chicos que hablan del mejor momento para <<abandonar el nido>>, mira el vocabulario siguiente que te ayudará a comprender lo que opinan:

meterse en la vida de uno	to interfere in someone's life
dejar de hacer	to stop doing
el volumen	volume
generar un conflicto	to cause a row
quisquilloso	touchy
la carrera	course (of study)
plantearse una cuestión	to consider a matter
huir	to run away
dar la cara a	to face up (to things)
pelear	to fight
un período de prueba	a trial period
negarse a	to refuse
a base de trabajillos	with the help of some (part-time) jobs
compaginar	to fit in
una bolsa de oxígeno	a "breath of fresh air" (lit. oxygen bag)
afrontar	to face up to
ahuecar el ala	to "beat it"/spread one's wings
actual	present-day
valerse por sí mismo	to manage by oneself
imprescindible	essential
el día menos pensado	when you are least expecting it
una temporada	for a while
largarse	to go away
caer en algo	to realise something

2 Ahora escucha la cinta y escribe en español unas notas breves sobre la opinión de cada uno de los chicos que hablan. Tienes que pensar sobre todo en cómo se diferencian sus ideas y las situaciones en que se encuentran.

3 La clase va a formarse en grupos para comparar lo que ha escrito cada alumno en el ejercicio **2**, hablando especialmente sobre las diferentes opiniones expresadas por Javier, Mercedes y José María. Al final tienes que decir lo que tú piensas de esta cuestión, comparando tu situación familiar con la de cada uno de los tres.

GRAMMAR

Personal Pronouns

Apart from the pronouns which stand as the subject of a verb in Spanish, there are two major groups of pronouns:

◆ Direct and Indirect Object Pronouns, a full list of which is given in the Grammar Summary on page 233. These pronouns are used with a verb, usually appearing in front of it, although they are always placed on the end of a positive imperative. When used with infinitives and gerunds, they can appear either on the end of these or in front of the verb accompanying them. When two pronouns are used together, one must be direct and one indirect, and the latter is always placed first. The pronouns used with reflexive verbs obey the same rules as far as their position is concerned. Examples from the passage are:
○ Yo no siento la más mínima necesidad de marcharme de casa (I do not feel the slightest need to leave home)
○ Se negaron a ayudarme (They refused to help me)
○ Así mis padres se empezarán a acostumbrar a estar sin mí (In this way my parents will start getting used to being without me)

This last sentence could also be written: Así mis padres empezarán a acostumbrarse a estar sin mí.

◆ Disjunctive or Strong Pronouns, a list of which is given in the Grammar Summary on page 233, and one example of which comes at the end of the above sentence. The major use of these pronouns is after a preposition:
○ La verdad es que para mí ... (the truth is that for me ...)

Discovery
With a partner, listen again to the three teenagers talking about their thoughts on the question of leaving home and write down all the examples of object and disjunctive pronouns that you can find. You should also be able to justify in each case the choice of pronoun and the reason for its position in the sentence.

Práctica
Expresando tus propias opiniones sobre la cuestión de cuándo marcharse de casa, escribe diez frases: en las cinco primeras, tienes que emplear pronombres disyuntivos, y en las otras pronombres con verbos, variando la posición del pronombre cuando puedas.

Texto J Para completar este capítulo, te dejamos un artículo final que trata de la juventud, y si bien no se refiere a las relaciones familiares, nos da una imagen bastante divertida (¿y preocupante?) de la barrera generacional.

Qué grande es ser joven

CARMEN RICO-GODOY

L
A sociedad occidental venera la juventud. Se trata de permanecer joven, de actuar joven, de vestir joven y de parecer joven.

Y, de repente en la vida cotidiana los jóvenes de verdad, los que deberían ocupar el trono celestial se convierten en sospechosos *a priori*, en apestados, en seres de los que hay que desconfiar, y hay que vigilar y perseguir.

En las aduanas, por ejemplo, sus bienes y personas son revisados, estudiados y escudriñados con celo y meticulosidad. Se presume que todo joven por el hecho de serlo es presunto traficante de drogas, lleva en la maleta bombas de mano, objetos robados en atracos y pertenece a una banda internacional terrorista o de prostitución.

—¿Qué lleva usted en esa maleta? —le dijo el otro día en el aeropuerto de Barajas un aduanero a un joven que empujaba su carrito con aire de despiste, que es el aire permanente en un joven.

—Cosas mías, tío —contestó el joven, cavando sin saberlo su tumba.

—A ver, a ver. ¡Abrela!

—Si está abierta. No tiene llave.

—¡Que la abras tú inmediatamente! ¡No te quedes conmigo!

—Está bien, no se ponga nervioso —masculló el joven poniéndose colorado, que es como se ponen siempre los jóvenes cuando se les habla directamente.

—¿Qué son estos pingos?

—No son pingos. Es ropa que le traigo de regalo a mis colegas.

El aduanero le hizo abrir los discos y los casetes uno a uno, trajo una palangana para volcar un bote de gel de baño y llamó a su superior para que examinara el bote de Bálsamo de Tigre.

Su madre, que le esperaba fuera, le entreveía cuando la puerta se abría y se cerraba, estaba al borde del ataque.

—¡Ay, Dios mío, Dios mío! ¡Este hijo, que habrá hecho, cielo santo, en que líos se me habrá metido por el extranjero!

—No se preocupe, señora, siempre revisan el equipaje de los jóvenes a conciencia —le tranquilizaba un señor que esperaba a su hija—. Lo peor que se puede ser después de colombiano es joven.

En los comercios, todo está inventado para atraer la atención y el dinero de los jóvenes, pero cuando ellos se deciden a entrar, cunde el pánico entre las dependientas.

—¿Querían ustedes algo? —le dice la dependienta a un joven que lleva a su chica agarrada del cuello.

—No sé... ¡Jo, que guay es esto, tío, mira! —dice la chica señalando una prenda.

—¡Es una falda! —replica la dependienta, que se está poniendo histérica porque ninguno de los dos se saca las manos de las cazadoras.

—Es una horterada. Cómpratela, tía —dice el chico riéndose, y añade—: Mira esta chupa, es horrible, me la quedo.

—Yo creo que están drogados —le susurra la dependienta a su compañera.

—Chica, tranquilízate. Yo tengo unos primos de esa edad y no se drogan y siempre se ríen a destiempo. Yo creo que son así.

—Mira, tía, qué pantalones más guays, si me quedan me los compro.

—Le advierto que estos pantalones son de chica —dice arrebatándoselos la dependienta—. Le estarán pequeños y valen diez mil.

—Pasa contigo, oyes, si no me quieres vender los pantalones, no me los vendas, no sé cómo decirte. Anda, tía, vámonos.

Los jóvenes abandonan la tienda riéndose y las dependientas respiran tranquilas.

—Joder, de la que nos hemos librado —dice una abanicándose con la lista de precios—. Qué miedo he pasado.

—No hemos vendido una escoba en toda la mañana. A este paso tenemos que cambiar de negocio y poner uno de ropa para la tercera edad.

Este texto lo vamos a dejar sin ejercicios: sirve para darte un poco de lectura general que puedes utilizar como quieras (o como quiera el profesor). Te damos las ideas siguientes sobre qué hacer con el texto. Además de esto, contiene muchos ejemplos adicionales de los pronombres de los cuales acabamos de hablar y que puedes examinar si necesitas más práctica.

1 El texto nos demuestra varias actitudes de los mayores y de los jóvenes. ¿Cuáles son?

2 ¿Te parece un artículo divertido o serio? Justifica tus opiniones.

3 El texto contiene varias palabras familiares, usadas por los jóvenes. Haz una lista de éstas y a ver si puedes (**a**) traducirlas al inglés o (**b**) escribirlas en un español más formal.

4 Después de estudiar el texto, y sin mirarlo otra vez, imagina la conversación entre el joven y su madre cuando por fin el aduanero le deja pasar.

5 Escribe una carta al director de una revista para jóvenes, describiendo en términos generales la actitud de los mayores hacia los jóvenes y dando un ejemplo de esta actitud basado en un incidente que te ha pasado a ti. Puedes imaginar que eres uno de los jóvenes mencionados en el texto, o inventar una nueva situación.

Grupo familiar español

Desarrollando el tema

1 *Un estudio de la familia española y la inglesa*: ¿en qué se diferencian?; las relaciones familiares en los dos países; el papel de los abuelos; compara y contrasta la importancia del hogar en España e Inglaterra.

2 *El papel de la mujer en la sociedad española*: ¿cómo es con respecto a su vida profesional y su vida de madre?; la discriminación sexual; la emancipación de la mujer; su papel en la sociedad comparada con el de la mujer inglesa.

3 *Los efectos de la democracia sobre la familia española*: ¿cómo ha cambiado la vida familiar en los últimos años?

4 *El problema del divorcio*: la situación actual en España; el papel de la iglesia en este tema; ¿cómo se diferencia la actitud de la sociedad española de la de la inglesa?

DE VIAJE

Ya es hora de salir de casa y de emprender un viaje ... sea en coche o en tren. Aquí vamos a considerar algunos aspectos de los viajes por carreteras españolas, examinando señales de tráfico, un poco de publicidad, y unos consejos para los conductores, relacionados con el problema universal del exceso de coches en las grandes ciudades como Madrid.

Pero si prefieres evitar los <<rollos>> del tráfico, la RENFE promete <<mejorar tu tren de vida>> – una promesa que ya cumple según la publicidad actual, pero que también llegará a ser una realidad incontestable cuando al final salga un tren muy especial con destino al futuro ...

Pero antes de todo esto, hay que dar marcha atrás por un momento para preparar nuestra salida con un poco de repaso.

Para empezar:

1 Prepara unas respuestas a las preguntas siguientes, para luego discutirlas con tu compañero de clase o con el profesor:

    a ¿Qué prefieres — viajar en coche o en tren? ¿Por qué?

    b Haz una lista de las ventajas y desventajas de cada uno de estos dos métodos de transporte.

    c En un máximo de 100 palabras, prepárate a hacer un resumen oral de un viaje que has hecho y que te ha gustado muchísimo.

    d A ver si puedes empezar una lista de palabras que se refieran a estos métodos de transporte — por ejemplo, las diferentes partes de un coche o un tren, palabras que se refieran a carreteras o a líneas férreas, etcétera.

    e Compara la lista que has hecho con las de tus compañeros de clase, añadiendo todas las palabras que no tienes.

I VIAJANDO EN COCHE

Texto A   **1** Mira las señales siguientes e intenta relacionar cada señal con la descripción apropiada.

Peligro constituido por la proximidad de una intersección regulada mediante **semáforo.**

Peligro por la proximidad de una zona en la que es probable el paso por la calzada de **animales incontrolados** (zonas de pastos o bosques con caza mayor).

Empalme (para autopistas)

Peligro representado por la gravilla suelta existente en la calzada y que puede alcanzarnos por el efecto de las ruedas de otro vehículo. En este caso aumentaremos la distancia de seguridad entre vehículos.

Peligro ante la posibilidad de **obras** que ocupen parte de la **vía.**

Peligro constituido por aviones en vuelo **muy bajo** al aterrizar o despegar y, especialmente, por el **ruido imprevisto** ocasionado. Esta señal se encuentra colocada en vías públicas próximas a algún aeropuerto.

Peligro representado por la proximidad de un **paso a nivel** <<sin barreras>>. El símbolo indica que podemos encontrar la **máquina** (el tren) **sin previo obstáculo.**

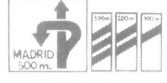 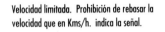

Fin de prohibición de señales acústicas.

Doble curva peligrosa.

Cambio próximo de sentido de marcha a distinto nivel y balizas que anuncian dicho cambio.

Vuelta prohibida. Prohibición de efectuar un giro de 180° para cambiar el sentido de circulación.

Esta señal nos indica la **obligación** de **detenerse** ante la próxima **línea de detención** o, si no existe, ante el **borde exterior** de la vía a que se aproxima, **cediendo el paso** a los vehículos que por ella circulan.

Peligro representado por el **escalón** existente en calzada en **obras.**

Velocidad limitada. Prohibición de rebasar la velocidad que en Kms/h. indica la señal.

Acceso o dirección prohibida.

Prohibición de adelantar extensiva a todos los vehículos automóviles.

Area de Servicios (autopistas)

Peligro por la proximidad a un lugar **frecuentado** por **niños** (escuelas, parque infantil, etc.); que pueden cruzar inesperadamente.

Peligro representado por el **escalón** existente en calzada en **obras.**

Peligro constituido por la proximidad de un **paso a nivel** provisto de <<barreras>>.

Fin de cualquiera limitación o prohibición.

Peligro por **firme irregular** (sobre la distancia indicada en la placa complementaria), por <<badén>> o por <<cambio brusco de rasante>>.

Esta señal anuncia la proximidad de una zona de la calzada, perfectamente delimitada, por la que **pasan** con frecuencia los **peatones.**

2 Ahora escoge y dibuja otras cinco señales que se ven con frecuencia en las carreteras inglesas y trata de inventar para cada una una instrucción o descripción en español.

 ### *Textos B y C* Publicidad

1 Antes de leer y escuchar los anuncios, busca en el diccionario el sentido de las palabras siguientes:

la potencia	un descansabrazos
una caja de cambios	un apoyacabezas
la cualidad	una lámpara de lecturas
una llanta de acero	orientable
un volante	una furgoneta
un cristal	un maletero
un faro de largo alcance	el reglaje de faros
el equipo	al alcance de la mano
el cierre centralizado de puertas	un apoyacodos
un elevalunas	una luna
lujoso	una llanta de aleación
diseñar	el marcaje
tapizar	acertar
el terciopelo	

2 Escoge cinco de las palabras de la lista y nómbralas una por una a tu compañero de clase quien tendrá que darte una corta definición o descripción en español de lo que significan. Después, tú tendrás que hacer lo mismo con otras cinco escogidas por tu amigo.

3 Los anuncios escritos que verás en las páginas 39, 40 y 41 y los que están grabados en la cinta van emparejados según se explica aquí abajo. Después de leer y escuchar los dos anuncios de cada pareja, escoge el coche que más te apetezca, dando cada vez dos razones que expliquen por qué lo has elegido, y también por qué rechazarías el otro.

Primera pareja: el Ford Escort XR3i y el Peugeot 205.
Segunda pareja: el Volkswagen Caravelle y el Volkswagen Jetta.
Tercera pareja: el Seat Málaga y el Renault 5 Oasis.

4 Imagina que estás en España con tu familia y que tus padres han decidido alquilar un coche para que podáis ir todos de excursión durante varios días. Como tú eres el único que sabe hablar español, vas a la oficina de la compañía Avis para informarte de los precios y de las varias marcas que te pueden ofrecer. El precio no importa mucho, pero claro está que el coche tiene que ser apropiado para tu familia. Tu compañero de clase será el empleado de Avis y te ofrecerá tres marcas diferentes.

Escort XR3i
INYECCION DE CARACTER

Además de su potencia, del suave recorrido de su caja de cambios con cinco velocidades y de su segura estabilidad, el XR3i tiene carácter. El fuerte carácter de los Ford Escort al que añade una nueva cualidad: la inyección.

Conózcalo. En la intimidad tiene un carácter que lo da todo:

- Motor 1.600 c.c. con inyección electrónica
- 105 CV.
- Aceleración de 0 a 100 Km/h. en 9,8 segundos
- Velocidad máxima 192 Km/h.
- Par 135 Nm. a 2.800 RPM
- Llantas de acero 14"×6"
- Volante deportivo
- Cristales tintados
- Faros halógenos
- Asientos delanteros deportivos
- Faros de largo alcance
- Preequipo de radio

Equipamiento opcional:
Frenos antibloqueo ALB, techo solar.

1.735.000 Ptas.

(Precio máximo recomendado, transporte e IVA incluidos)

ESCORT. TODO UN FORD.

Uno de los automóviles más lujosos y cómodos del mercado, no es un coche.

Cuando nuestros ingenieros diseñaron en Alemania este vehículo, estaban pensando en sí mismos. En cómo les gustaría ser transportados, en cuáles eran sus necesidades para sentirse tan o más a gusto que en su propio coche.

Y en usted. Para aunar a un tiempo todo el confort del mundo con una mecánica infalible de fabricación alemana.

El resultado son las múltiples versiones del Caravelle de Volkswagen. Pensadas para transportar personas. Con unos niveles de prestaciones que hasta hoy no eran más que una utopía: capacidad para hasta nueve pasajeros. Con

asientos anatómicos, que pueden tapizarse en terciopelo. Descansabrazos regulables. Apoyacabezas que pueden incorporar un cojín de descanso. Y lámparas de lectura orientables.

Odisea espacial en la que puede añadir incluso aire acondicionado, equipar con tracción total Syncro, incorporar el sistema de frenos ABS y propulsarla en silencio con motores gasolina, gasolina inyección, diesel o turbodiesel. Con potencias de 57 a 112 cv. Que alcanza hasta 150 Km/h. Y una maniobrabilidad que desarma incrédulos.

Un automóvil que, obviamente, es más que

un coche.

Y mucho más que cualquier furgoneta.

La gama Caravelle. De Volkswagen. Demostración de personalidad.

Caravelle desde 2.170.449 ptas. (IVA y transporte incluidos)

En su concesionario Volkswagen/Audi

Volkswagen Caravelle y Carat

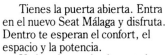

Tienes la puerta abierta. Entra en el nuevo Seat Málaga y disfruta. Dentro te esperan el confort, el espacio y la potencia.

Un interior equipado en toda su amplitud: Con elevalunas eléctrico, reglaje de faros al alcance de la mano, cierre centralizado, apoyacodos central detrás, lunas tintadas, etcétera.

Arranca y vive la sensación de poder que da lanzar y dominar 85 CV de System Porsche a 165 Km/h. Y frenarlos a voluntad con su sistema de frenos cruzados. Por fuera, un nuevo aspecto: Con nuevos marcajes y llantas de aleación. Y para aprovecharlo a lo grande, un maletero sensacional.

NUEVO SEAT MALAGA
LA SENSACION VA POR DENTRO.

Y para completar... su precio: Desde 1.173.592 ptas. IVA incluido. Para que vivas plenamente la sensación de acertar.

MALAGA ⊜
GRANDES SENSACIONES.

Texto D **Consejos para conductores**

1 Antes de escuchar el texto grabado en la cinta, empareja las palabras siguientes con su equivalente inglés:

los demás	to keep close to
el majín	the saying
el dicho	to decrease
prestar atención a	to dazzle
deslumbrar	the others
disminuir	a complete halt
la detención total	to get involved in a fight
arrimarse a	machine/car
el borde	the edge
liarse a combatir	to pay attention

2 Escucha con atención el texto grabado y, con un amigo, trata de explicar brevemente en inglés la situación que aquí se plantea y los consejos que se ofrecen para solucionarla.

GRAMMAR

The Imperative Form of Verbs

◆ With four different words for "you" in Spanish, there are of course four different forms of commands that can be used for any verb. The situation becomes even more complicated due to the fact that the **tú** and **vosotros** forms of the imperative change again when they are made negative and that there are also imperative forms for **nosotros** and the third persons of verbs. Thus, to take one example from the passage you have just heard, (**haga una señal**), the various imperatives that could be formed from this expression are:

usted:	haga una señal / no haga una señal
ustedes:	hagan una señal / no hagan una señal
tú:	haz una señal / no hagas una señal
vosotros:	haced una señal / no hagáis una señal
nosotros:	hagamos una señal (let us give a signal) / no hagamos una señal
él/ella:	que haga una señal / que no haga una señal (let him give a signal)

◆ When pronouns are used with the imperatives, whether they are normal object pronouns or those from reflexive verbs, they should be joined on to the end of the command unless the latter is negative, in which case they are placed in front of the imperative. Thus:

hágalo	no lo haga
hazlo	no lo hagas
hagámoslo	no lo hagamos
levántate	no te levantes
levántese	no se levante

It is clearly impossible to learn all of these forms overnight; like other similar points, the best thing is to try to *understand* the forms and uses of these words (a full explanation is provided in the Grammar Summary on page 240), and to practise using them from time to time. Look out for examples in your future reading and listening and stop occasionally to check that you understand the examples you come across. There are many examples in every chapter of the book – many of the instructions that accompany exercises, for example, are written in the **tú** and **vosotros** forms of the imperatives.

◆ Other constructions which, while not being precisely imperative, still convey a strong sense of obligation, are **tener que**, **deber**, **haber (hay) que/de**, or an expression like **lo más importante es**. For example:

○ Tienes que hacer una señal (You must give a signal)
○ Debemos hacer una señal (We must give a signal)
○ Hay que dar una señal (One must/it is necessary to give a signal)
○ Lo más importante es dar una señal (The most important thing is to give a signal)

Note that in the above examples each construction is followed by an infinitive. However, **lo más importante es que** could be followed by a subjunctive:

○ Lo más importante es que des una señal

Discovery

Listen once more to the taped passage containing advice offered to motorists by the Dirección General de Tráfico, and with a partner, make a list of all the imperatives that you can find. Try to explain the form of each one, using the above notes to help you, and see if you can also write out together other imperative forms of the examples you have discovered. You could, for example, imagine that you are giving this advice to a friend (**tú**) or to a group of friends (**vosotros**).

Práctica (Texto D2)

1 Mira los consejos ofrecidos por la Dirección General de Tráfico en este texto, aparecido en los periódicos españoles poco antes de la Semana Santa. Nota por escrito los varios ejemplos de la forma imperativa de los verbos y trata de cambiar cada uno de ellos en diferentes personas y también en formas negativas.

2 A ver si puedes escribir un anuncio para la Dirección General de Tráfico que quiere aconsejar a los conductores sobre lo que se debe hacer y no hacer en las situaciones siguientes.

Utilizando la forma del texto español, tienes que dar cinco consejos cada vez, empleando imperativos.

  a Consejos para conductores que vayan a pasar las vacaciones viajando por España, llevando a remolque una caravana.

  b Consejos para conductores españoles que tengan la intención de veranear en Inglaterra.

Conduzca con precaución. Tendrá una Semana Santa segura. Y recuerde estos consejos:

✳ Antes de salir de viaje verifique su automóvil (líquido de frenos, presión neumáticos...).

✳ Por su seguridad, abróchense los cinturones si viaja en coche. Y conduzca con cabeza si va en moto: use el casco.

✳ En autopistas y autovías circule por el carril de la derecha y señale con antelación sus maniobras.

✳ En caso de avería, retire el vehículo de la calzada.

✳ Es probable que parte del viaje lo realice en caravana, por ser estas fechas de desplazamientos masivos. Mantenga la distancia de seguridad. Y auméntela en autopistas o si las condiciones meteorológicas son adversas.

ATENCION TRANSPORTISTAS

En determinadas horas y fechas de esta Semana Santa no podrá circular por ciertas carreteras ("B.O.E." de 16 de marzo de 1989). Infórmese en el Tel. (91) 742 12 13 o en las Jefaturas Provinciales de Tráfico.

OPERACION SEMANA SANTA
⚡ Dirección Gral. de Tráfico
MINISTERIO DEL INTERIOR

Utilice el Mejor Seguro del Automóvil: La Precaución.

Texto E El Tráfico en Madrid

Como todas las capitales europeas, Madrid tiene un enorme problema con respecto a la cantidad de vehículos en sus calles. Aunque es un problema común, hay quien dice que la situación madrileña en este asunto es mucho peor que la que existe en otras ciudades del mundo. De hecho es un problema que preocupa muchísimo al presidente del gobierno español, Felipe González, quien en 1989 se encontró con el (ahora ex-)alcalde de Madrid Juan Barranco para hablar sobre el tema y sobre las posibles soluciones. Grabado en la cinta hay un fragmento del programa <<Redacción Madrid>> donde se habla de este encuentro.

1 Antes de escuchar el texto grabado, busca en el diccionario el sentido de las palabras siguientes:

padecer	ácido	una medida
un informe conjunto	el tráfico rodado	apoyar
mejorar	anárquico	las cercanías
acudir	el jefe del ejecutivo	el municipio

2 Escucha con atención el fragmento del programa y después escribe un resumen muy corto (no más de 60 palabras) sobre la situación y el problema descritos.

---

3 Imagina que después de pasar unos meses estudiando en Madrid, ya estás harto del tráfico y de los problemas que te ha causado en varias ocasiones. Escribe una carta a la Dirección General de Tráfico detallando los problemas que has encontrado, tus opiniones generales sobre el tema, y las soluciones que quieres ofrecer.

II VIAJANDO EN TREN

Texto F

1 Lee con atención los pequeños párrafos de publicidad publicados por la RENFE, y trata de adivinar el sentido de las palabras siguientes; verifica tus respuestas con el profesor.

salir a cuenta	una litera	una pareja
un descuento	un plazo	adquirir
una ventaja	un recorrido	tener algo en cuenta

2 Ahora, tienes que desempeñar los papeles del cliente o del empleado según las situaciones siguientes y utilizando el Texto F. Tu compañero de clase o el profesor desempeñará el otro papel.

Papeles del cliente:

a Imagina que eres un estudiante inglés y que estás pasando seis meses en España, trabajando como ayudante en un instituto madrileño. Se te ha pedido organizar un viaje desde Madrid a Granada para un grupo de 20 alumnos que van a quedarse una semana en la ciudad andaluza. Te acompañará otro profesor en el viaje. Has pensado que será sin duda más barato viajar a Granada en tren para luego hacer el viaje de vuelta en autobús, algo que también proporcionará mayor variedad a la semana. Así que vas a las oficinas de la RENFE para explicar la situación e informarte de las posibilidades.

b Estás veraneando en España con tu familia (que se compone de tus padres, tus dos hermanos de 11 y 13 años, una hermanita de 3 años, y tú). Pensáis hacer una excursión en tren desde Madrid hasta Sevilla, pero tus padres creen que el precio para todos será demasiado alto, así que tienen la intención de dejar a tus hermanos y a tu hermanita en casa de unos amigos mientras que ellos y tú estéis en Sevilla. Vas a las oficinas de la RENFE para informarte de los datos necesarios.

c Estás en Barcelona durante las vacaciones de verano después de volar desde Heathrow y tienes seis semanas antes de regresar en un vuelo que ya tienes reservado. Decides pasar una o dos semanas en Madrid para después volver a Barcelona en autocar y así poder ver durante el trayecto otras ciudades españolas. Por eso vas a las oficinas de la RENFE para explicar la situación e informarte de las posibilidades.

Papeles del empleado de la RENFE:

a El cliente quiere hacer reservas para un grupo escolar. Sólo piensa reservar plazas individuales para un viaje de ida a Granada. Tú

tienes que tratar de persuadirle que reserve un compartimento y también que haga el viaje de vuelta en tren.

b El cliente quiere reservar asientos para su familia en un tren con destino a Sevilla. A causa de los posibles gastos, sólo dos o tres miembros de la familia van a viajar. Trata de persuadirle que vayan todos, hablándole de las ventajas de la Tarjeta Familiar de RENFE.

c El cliente tiene la intención de hacer un viaje de ida desde Barcelona hasta Madrid. Tienes que averiguar cuánto tiempo va a pasar en la capital y por qué sólo quiere un billete de ida. Claro está que debes persuadirle para que compre un billete de ida y vuelta.

Texto G **1** Mira los seis dibujos siguientes e intenta relacionar cada uno con la descripción apropiada.

2 Con un compañero de clase, haz una lista de todos los imperativos de verbos que hay en las descripciones. Comenta las formas de los verbos y el uso de los pronombres.

Texto H   He aquí otros tres dibujos publicados por la RENFE. Inventa una descripción que explique cada uno de ellos utilizando la forma imperativa de unos verbos españoles.

Texto I   **1** Las dos cartas que siguen fueron publicadas en el periódico español <<El País>>. Sus autores se quejan de problemas en el servicio ofrecido por la RENFE. Antes de leerlas, busca en el diccionario el sentido de las palabras siguientes:

un reclamo publicitario	ubicado	una disculpa
descifrar	sudoroso	permanecer
esclarecer	suspender	la meseta
la ciudadanía	expedido	una avería
susodicho	arremolinado	el percance

2 Lee con atención las dos cartas y compáralas: ¿te parecen iguales en cuanto al estilo en que están escritas? Imagina el tipo de persona que ha escrito cada una.

La Estación de Ferrocarril, Valencia

CARTAS AL DIRECTOR

Vagón 'fantasma'

Como todo el mundo sabe, "Mejora tu tren de vida" es un reclamo publicitario que actualmente nos es lanzado con reiteración por nuestra inefable Renfe. Reclamo que, cual mensaje sibilino, es necesario descifrar y que, imbuido del deber de solidaridad que a todos nos obliga, voy a intentar esclarecer para provecho y estímulo de la ciudadanía.

Y ello porque en la tarde del pasado día 7 he tenido la *fortuna* de verme implicado en estos hechos: mi hija adquirió un billete Madrid-París para el exprés *Costa del Sol*, en el que se establecía que su reserva se situaba en el vagón número 69. Al llegar a la vía número 12 de la estación de Chamartín, donde se hallaba formada dicha composición, acompañando a mi hija, pude comprobar que el susodicho vagón, primero que debía ser por la cabeza del tren, había desaparecido y que su lugar lo ocupaba el vagón *auto-tren*.

Interrogados los empleados ferroviarios presentes, no fue posible obtener la más mínima información sobre el paradero de aquél, remitiéndoseme al jefe de estación, cuyo despacho está ubicado en la vía primera.

Pues bien, tras recorrer la no despreciable distancia entre ambas vías, con la consiguiente subida y bajada al y del vestíbulo central, sudoroso y agitado por el calor y el apresuramiento dada la premura de tiempo, me vi sorprendido por la perplejidad reflejada en la cara del responsable de la estación (muy amable, por cierto), quien tampoco conocía lo ocurrido con el vagón *fantasma*, y que, tras intentar infructuosamente telefonear por tres aparatos distintos (supongo que serían interfonos), se ausentó unos instantes para aparecer acompañado de otro ferroviario uniformado al que oí decir que suspendería la salida del tren hasta recibir su autorización expresa. A continuación me pidió que le acompañase, y nos dirigimos al despacho de billetes internacionales del vestíbulo central, donde preguntó si tenían noticias de la retirada del vagón 69, recibiendo respuesta negativa, por lo que, tras revisar el listado de los billetes expedidos y por despachar, ordenó que se bloqueara la venta de 80 plazas.

Por fin nos dirigimos a la vía 12, donde todos los aspirantes a viajeros del vagón 69 provistos de billetes, en gran parte extranjeros, se hallaban arremolinados frente al vagón *auto-tren*, pensando sin duda que tendrían que viajar instalados en los vehículos en él estibados, y comunicó a aquéllos que podían instalarse en las plazas no ocupadas de todos los otros vagones de la composición, a cuyo efecto daría instrucciones a los empleados que controlaban el acceso a los mismos.

Esto provocó el éxodo de los pacientes usuarios – no se produjo la más mínima protesta –, que, cargados con sus bártulos, se fueron distribuyendo por el tren, en cuyo momento abandoné la estación, cuando ya se había demorado un cuarto de hora la salida de éste.

Lógicamente, la incompetencia e ineficacia organizativa de una empresa pública que tanto nos cuesta a todos los ciudadanos me llenaron de indignación, y sentí rubor ajeno frente a los usuarios extranjeros que habían padecido un trato tan desconsiderado (ni la menor advertencia, ni la más mínima disculpa). – **Manuel Cerezo**. Abogado. Madrid.

Un retraso en la meseta

Hace pocos días tuve, una vez más, que tomar un tren de la Renfe. Concretamente, el *Costa del Sol* Madrid-París. A una hora de la salida de Madrid el tren se detuvo, y así permanecimos durante una hora y media, en mitad de la meseta segoviana, sin que ningún responsable de la compañía tuviera la amabilidad de comunicar a los pasajeros la razón de la parada inesperada ni la duración estimada de la misma. En el más puro estilo de andar por casa, la noticia corrió de voz en voz y de pasajero en pasajero: nos había detenido una avería de la locomotora y esperábamos la llegada de otra máquina de Madrid para reemplazarla.

El percance alteró, como es natural, todo el horario del tren, cruces, paso de frontera, etcétera, a consecuencia de lo cual la llegada al destino se retrasó ... ¡tres horas! No ha sido la primera vez ni será la última. ¿Desconoce la dirección de Renfe las responsabilidades de un servicio público? – **Rosa Aguilar**. Luxemburgo.

---

3 Imagina que eres el <<responsable de la estación>> mencionado en la primera carta. Se te acerca el autor de la misma y te explica por qué está enfadado. ¿Qué le vas a decir? Tu profesor desempeñará el papel del viajero.

4 Imagina ahora que eres un empleado de la RENFE y que acabas de recibir la segunda carta. En no más de 120 palabras, escribe una respuesta a la señora Aguilar.

III DEL TALGO AL TAV

Como cualquier país europeo, España ha hecho planes ambiciosos y tomado decisiones importantes para enfrentarse a los retos del mundo tecnológico y ponerse a la altura del resto del continente de cara al desarrollo de la sociedad que avanza hasta el año 1992 y más allá. En cuanto al transporte público, uno de los proyectos más importantes es el de la modernización del sistema ferroviario y sobre todo la construcción de una línea de alta velocidad, con trenes parecidos al TGV (*Train à Grande Vitesse*) francés, cuyo equivalente ibérico será el TAV (Tren de Alta Velocidad).

El nuevo tren ya tiene nombre: tras considerar varias opciones como <<bolo de fuego>> y <<poema visual>>, se escogió el nombre y el concepto de: AVE, un nombre redondo que puede transcribirse como Alta Velocidad o Alta Velocidad Española. Un nombre también que tiene cierta connotación de velocidad y otra en el sentido ecológico y de fantasía. El logotipo (alas azules con una mancha amarilla – los colores del logotipo normal de RENFE) ha sido creado por una compañía inglesa, Addison, que también ha diseñado el morro del tren, más aerodinámico que el del TGV francés.

En toda esta cuestión de la alta velocidad, España ha tenido que debatir varios asuntos como otros países (ofrecer contratos a compañías extranjeras, decidir el orden prioritario de las nuevas líneas, etcétera), pero ha habido también problemas puramente españoles: por ejemplo, el ancho de vía (= track gauge) español es diferente (más ancho) que el europeo, y además el deseo de poner fin a su larga historia de aislamiento del resto del continente desempeña un papel significativo en la decisión sobre la primera vía construida. ¿Se debe ir hacia la frontera con Francia, desde Madrid hasta Port Bou, o abrir un camino hacia el sur desde Madrid hasta Sevilla donde se celebrará en 1992 la Exposición Universal?

Vamos a examinar tres artículos que sirven para hacer un resumen de esta cuestión – de las dudas expresadas en varios momentos del debate total, las decisiones tomadas y los varios cambios que supone todo el asunto.

Texto J

1 Antes de leer el primer artículo, busca en el diccionario el sentido de las palabras siguientes:

candoroso

poner en duda

conceder

el parisino

disfrutar de

el suministrador

sobado

la red ferroviaria

apostar por

exceptuar

un enlace

preconizado

un trayecto

calentar

Marruecos

el estrecho de Gibraltar

disuasorio

hacer transbordo

un perjuicio de tiempo

intermedio

el aislamiento

comprometer

2 Lee con atención el artículo sobre <<El tren bobo>> y responde a estas preguntas:

a ¿Qué tiene que hacer la RENFE el 21 de octubre?

b Según el autor, ¿cuál es la decisión más revolucionaria que se ha tomado en materia de comunicaciones intraeuropeas?

c ¿En qué condiciones extenderá Francia su línea de alta velocidad hacia España?

d ¿Cuál sería el efecto de un enlace Barcelona-Pirineos?

e Según el señor Julián García Valverde, ¿cuál ha sido la razón principal de construir una línea entre Madrid y Sevilla?

f ¿Por qué dice el señor Valverde que no es necesaria por el momento la construcción de una nueva línea entre Madrid y Barcelona?

g ¿Por qué dice Albert Vilalta que el ancho de vía español tiene un efecto disuasorio en los viajeros que llegan a España?

h ¿Cuál es la solución intermedia que se sugiere en cuanto a la cuestión del ancho de vía?

3 Lee otra vez el artículo y escribe una traducción inglesa de las frases siguientes:

a Algo así le podría ocurrir a la futura línea de tren de alta velocidad.

b Cabe la pregunta de por qué sigue Madrid aislada ...

c ... en cuanto a transportes por tierra se refiere.

d La red europea de trenes de alta velocidad.

e ... a menos que se garantice ... la construcción del enlace.

f Si así ocurriese ...

g ... próxima a la mitad.

h ... el principal cuello de botella.

i ... hay quien piensa que ...

j Sea como fuere, ...

El tren bobo

El diccionario de la lengua española lo dice bien claro: *Bobo: Extremadamente candoroso, de muy corta capacidad.* Algo así le podría ocurrir a la futura línea de tren de alta velocidad que el Ministerio de Transportes construye entre Madrid y Sevilla. Nadie pone en duda la extrema necesidad que Andalucía tiene de comunicaciones terrestres con el resto de España, ahora estranguladas en Despeñaperros. Pero también cabe la pregunta de por qué sigue Madrid aislada del resto de las capitales europeas en cuanto a transportes por tierra se refiere. Conceder prioridad a la línea entre las dos ciudades más importantes del país, Madrid y Barcelona, redundaría en beneficio de todo el Estado. Mientras los parisinos se preparan para ir a Londres en tren en apenas dos horas, los madrileños disfrutarán de un viaje de tres horas para acudir a ver la Expo 92 en Sevilla.

Cruz Sierra y Javier Arce

EL próximo día 21 de octubre, el consejo de administración de Renfe deberá elegir al suministrador de los primeros trenes de alta velocidad que circulen por España, en la línea que une Madrid con Sevilla, antes de 1992. La decisión, en torno a la cual se han movido cuestiones de política exterior y costosas campañas de *lobby*, no es más que el punto final de un proyecto que acerca a madrileños y andaluces, pero en el que se pierde la oportunidad de incorporar España a los grandes proyectos europeos de transporte ante la tan sobada perspectiva de 1992.

Técnicos y políticos se preguntan si guarda coherencia con el proyecto europeo la opción de crear una red ferroviaria de alta velocidad hacia el sur en lugar de dar prioridad al trayecto Madrid-Barcelona.

Europa entera apuesta por el desarrollo de las comunicaciones ferroviarias para facilitar el transporte de personas y mercancías mediante programas combinados de alta velocidad. La aplicación de estos programas constituyó el impulso decisivo para la realización del túnel bajo el Canal de la Mancha, sin duda el elemento más revolucionario en materia de comunicaciones intraeuropeas hasta el año 2000.

La red europea de trenes de alta velocidad tiene situado en Marsella por el momento su enclave más al sur, si se exceptúa la extensión ya comprometida por el programa italiano hasta Roma vía Turín. Pero Francia ya ha manifestado su negativa a extender la línea más al sur de Marsella a menos que se garantice por parte española la construcción del enlace Barcelona-Pirineos, actualmente preconizado por el gobierno autónomo catalán.

Si así ocurriese, la capital catalana se acercaría notablemente a la mayor parte de las capitales europeas: Londres a ocho horas, París a cinco, Bruselas a seis y veinte,

---

Andalucía entera depende de los atascos de Despeñaperros, y en toda la región sólo hay 70 kilómetros de vía doble. Enormes colas de trenes guardan turno hasta pasar.

Frankfurt en ocho y Marsella a tres horas. Una reducción de tiempos respecto a los actuales próxima a la mitad.

Para Julián García Valverde, presidente de Renfe, la elección entre Sevilla y Barcelona estuvo clara desde el principio, al margen de que este tipo de cuestiones las decide el Ministerio de Transportes y el Gobierno: <<Con la elección del trayecto Madrid-Sevilla, en primer lugar eliminó el principal cuello de botella de la red nacional de ferrocarriles>>.

Y añade que, por ahora, la comunicación ferroviaria entre Madrid y Barcelona está suficientemente servida.

ANCHO DE VIA. Otro elemento ha calentado aún más el debate de la alta velocidad: el ancho de vía español, que sigue siendo superior al internacional y que nos aísla ferroviariamente por el Norte (Francia) y hasta por el Sur (Marruecos) en el caso de que algún día se llegue a construir el paso bajo el estrecho de Gibraltar.

<<Las relaciones internacionales de España por ferrocarril suponen una quinta parte de las existentes en los restantes países de Europa. Y la razón es muy clara: tenemos una frontera, un ancho diferente que resulta disuasorio y que hace que un 85 por ciento de los viajeros – 950.000 personas – que cruzan la frontera tengan que hacer trasbordo – salvo los del Talgo – y esperar entre media hora y dos horas>>, afirma Albert Vilalta, director general de Ferrocarriles de la Generalitat.

Los perjuicios en tiempo y costes que el diferente ancho de vía provoca al transporte ferroviario español han llevado a los expertos a propugnar una adaptación del ancho español al internacional. Ahora, con la alta velocidad, hay quien

---

Con el Tren de Alta Velocidad, Barcelona se acercaría notablemente a la mayor parte de las capitales europeas

---

piensa que podría ser el momento oportuno para ejecutar una solución intermedia: no cambiar toda la red, pero al menos poner el ancho internacional en los nuevos trayectos de alta velocidad que se construyan.

Los defensores del trayecto Madrid-Sevilla argumentan en su favor el tradicional aislamiento de Andalucía y la necesidad de facilitar el acceso desde y hacia el resto del país.

Pero, por el momento, la opción *sur* (Madrid-Sevilla) comprometerá las expectativas de desarrollo de las zonas económicas más cercanas a Europa. Sea como fuere, Madrid y Sevilla estarán unidas por el primer tren de alta velocidad español y se convertirá en el cuarto país del mundo que lo disfrute.

4 Mirando el texto, completa las frases siguientes:

a Los madrileños disfrutarán de un viaje de tres horas para acudir a ver _____

b La red europea de trenes de alta velocidad tiene situado en Marsella por el momento su enclave _____

c ... el enlace Barcelona-Pirineos, actualmente preconizado por _____

d La capital catalana se acercaría notablemente a la mayor parte de _____

e La elección entre Sevilla y Barcelona estuvo clara _____

f La comunicación ferroviaria entre Madrid y Barcelona está _____

g ... el ancho de vía español ... sigue siendo _____

h ... hay quien piensa que podría ser _____

i ... la opción Madrid-Sevilla comprometerá las expectativas de desarrollo de las zonas más _____

j Madrid y Sevilla estarán unidas por el primer _____

5 Sin mirar el artículo original, rellena los espacios en blanco con una de las palabras de la lista que sigue. Sólo puedes usar cada palabra de la lista una vez, pero ¡ten cuidado! porque no se necesitan todas las palabras.

El próximo día 21 de octubre, el _____ de administración de Renfe deberá _____ al suministrador de los primeros trenes de alta velocidad que circulen por España, en la _____ que une Madrid con Sevilla antes de 1992. La decisión no es más que el punto final de un proyecto que acerca a _____ y andaluces, pero en el que se pierde la _____ de incorporar España a los grandes proyectos europeos de transporte ante la tan sobada perspectiva de 1992.

Los defensores del _____ Madrid-Sevilla argumentan en su favor el tradicional _____ de Andalucía y la necesidad de facilitar el acceso desde y hacia el _____ del país.

Pero la opción *sur* (Madrid-Sevilla) comprometerá las expectativas de desarrollo de las zonas económicas más _____ a Europa. Sea como fuere, Madrid y Sevilla estarán unidas por el primer tren de alta velocidad español, y se convertirá en el cuarto _____ del mundo que lo disfrute.

aislamiento	ancho	cerca
cercanas	consejo	decisión
elegir	gallegos	línea
madrileños	norte	oportunidad
país	resto	trayecto
ver		

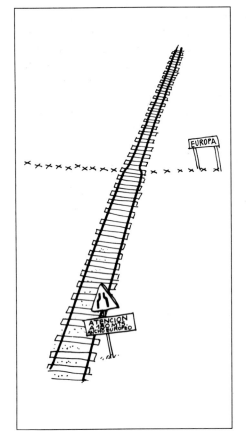

GRAMMAR

Revision of the Future and Conditional Tenses

◆ These two tenses are very similar in the way they are formed: for most Spanish verbs, the full infinitive is used as the stem for both of them, although the endings obviously differ. You need to remember, however, that there is a number of very common Spanish verbs which have an irregular stem in these two tenses (e.g. **podré / podría** from **poder**, **haré / haría** from **hacer**). Once you know it, however, the stem is always the same for the two tenses and the endings never vary. You will find a full account of the forms of these two tenses in the Grammar Summary on pages 240-41.

◆ The usual meaning of the future ("will do") and the conditional ("would do") are fairly straightforward. In a passage like the one above, there will obviously be several examples of each tense; such articles are dealing with what *will* definitely happen (future tense) and also what *would* happen (conditional tense) if certain events take place or were to take place.

◆ Two verbs that take on an unusual meaning in the conditional tense are worthy of mention: **podría** is frequently translated as "might", and **debería** as "ought".

Examples of the future:
○ disfrutarán de un viaje de tres horas (they *will have* the benefit of a three hour journey)
○ se posibilitará el acceso al resto de las provincias andaluzas (access to the rest of the Andalusian provinces *will be* made possible)

Examples of the conditional:
○ Algo así le podría ocurrir a la futura línea (Something like this *might happen* to the future line)
○ La construcción de una doble vía ... tendría unos gastos excesivos ... (To build two tracks ... *would involve* excessive expense ...)

◆ The future tense is often rendered in Spanish by the construction **ir a** followed by an infinitive. Thus:

○ disfrutarán de un viaje de tres horas, *or:*
○ van a disfrutar de un viaje de tres horas.

The same construction can sometimes be used to replace the conditional tense also; in this case, **ir** will be in the imperfect tense. For example:
○ Dijo que lo haría más tarde, *or*
○ Dijo que iba a hacerlo más tarde

Discovery

Working with a partner, read again through the article on "El tren bobo" and make a note of all examples that you can find of the future and conditional tenses. See if you can agree on how to translate each example.

Práctica

1 Escribe diez frases, utilizando los cinco verbos que siguen. Debes emplear cada verbo en dos frases, la primera vez en el tiempo futuro, y la segunda en el condicional. En cada frase, hay que tratar de afirmar o comentar algo sobre el futuro de la RENFE después de que se haya construido la primera línea de alta velocidad.

poder	hacer
tener	deber
viajar	

2 Utilizando la información que contiene el artículo <<El tren bobo>>, escribe diez frases que digan algo sobre lo siguiente. En cada frase debes emplear los tiempos futuro o condicional, (y tendrás que inventar por lo menos dos ejemplos de *cada uno*), con excepción de las preguntas que van marcadas con dos asteriscos (**) donde será necesario utilizar el verbo **ir** seguido de **a** y un infinitivo.

a Una línea de alta velocidad entre Zaragoza y Burgos.
b ** El túnel bajo el Canal de la Mancha.**
c El trayecto desde Barcelona hasta Bruselas.
d El famoso cuello de botella en Despeñaperros.
e Un túnel hacia Marruecos.
f ** Los viajeros que cruzan los Pirineos en tren.**
g El ancho de vía español.
h El aislamiento de Andalucía.
i ** La línea Madrid-Sevilla.**
j Las relaciones internacionales.

Texto K El segundo artículo trata de las decisiones tomadas por el gobierno español y fue publicado unas semanas después del texto sobre << El tren bobo>>.

1 Antes de leer el texto, empareja cada una de las palabras siguientes con su equivalente inglés:

paulatinamente	a proposal
conceder	a package (lit. "mouthful")
una locomotora	financial viability
hacerse cargo de	at a later date
una propuesta	gradually
dotar	signalling
la amortización	an engine
posteriormente	to heed
una mancha de aceite	to offer
un trazado	to supply
un bocado	a spot of oil
atender	a line
las señalizaciones	to take charge of

Decisión salomónica en el contrato de Renfe

Francia y Alemania se repartirán el contrato ferroviario y el ancho de vía internacional se implantará lentamente

EL asunto está más bien decidido. La red española de ferrocarriles se convertirá al ancho de vía internacional desde Port Bou hasta Sevilla en una primera fase para extenderse al resto de las líneas paulatinamente. El suministro del material de alta velocidad se concederá a Francia y el de locomotoras de gran potencia a Alemania, quien con toda probabilidad se hará cargo de las empresas españolas Ateinsa y Maquinista.

En la compañía española, con su presidente Julián García Valverde al frente, ya se lavan las manos en lo que al ancho de las vías se refiere.

Las propuestas de Renfe son conocidas; una primera consistente en poner patas arriba toda la red ferroviaria para cambiar el ancho, considerada impracticable por irrentable y caótica. Otra segunda consistiría en dotar de ancho internacional a una pequeña red – posiblemente Madrid-Euskadi-Cataluña-Valencia y Sevilla.

UNA PROPUESTA RAZONABLE. Los trenes que circulasen por esa nueva red de ancho internacional no servirían para el resto del territorio, haciendo más difícil la amortización del material.

La tercera posibilidad, calificada por los expertos como <<la más razonable>> y que, por otra parte, no obligaría a Transportes a comprometerse desde ya mismo en un plan de implantación, no es más que una fórmula mixta de las dos propuestas anteriores, es decir, en una primera fase establecer el nuevo ancho en las líneas y trayectos que se construyan de nueva planta. Y, posteriormente, y en torno a esas obras nuevas, ir extendiendo el ancho – y la alta velocidad – como una mancha de aceite, a todo el país.

Así que el ancho <<a la europea>> se irá aplicando únicamente en los nuevos tramos de alta velocidad. El primero, Madrid-Córdoba-Sevilla. El segundo, Madrid-Zaragoza-Barcelona-frontera francesa. Y a partir de este gran eje Barcelona-Sevilla comenzaría la construcción, muy ordenada y científicamente calculada, de las demás líneas de alta velocidad con ancho internacional. Sería como una lenta expansión tentacular. Primero, se integraría el otro paso fronterizo con Francia, Irún, desde donde bajaría un nuevo trazado hasta la fusión con la línea de Madrid-Barcelona a la altura de Zaragoza. Al mismo tiempo, se extendería por el oeste una línea hacia Portugal. Y ya, poco a

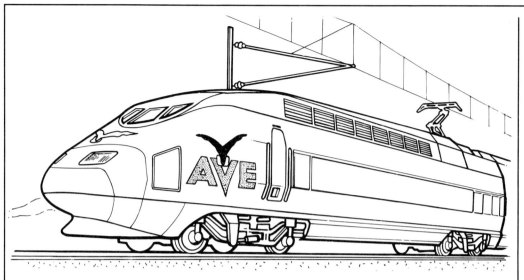

poco, se comenzaría a rellenar el crucigrama. Desde Madrid hacia Valladolid, Burgos e Irún a través de una nueva travesía de Guadarrama; el triángulo que una a las tres capitales vascas; la extensión desde Barcelona hacia el sur, hacia Valencia, Alicante y Murcia, desde Sevilla hacia Málaga y otras capitales, y así todo. En el año 2000 todavía

quedará la mayor parte del trabajo por hacer.

Una semana después de que el Gobierno haga pública su decisión sobre el ancho internacional, el Consejo de Administración de Renfe hará lo propio acerca de quién será el vencedor o vencedores del macro concurso para el suministro del material rodante que

circule por los nuevos anchos. Un bocado por el que se han interesado gabinetes de influencias — Julio Feo y Vasallo, por parte de la francesa Alsthom —, movilizado embajadas completas — Guido Brunner al frente de la delegación diplomática alemana — e irritado gobiernos tan poderosos como el de Noboru Takeshita,

premier de Japón.

Todo apunta a que, finalmente, Felipe González, asesorado por sus ministros de Industria, Economía, Transportes y Asuntos Exteriores, reparta el contrato entre franceses y alemanes. Alsthom construiría los 24 trenes de alta velocidad en sus factorías francesas y en la fábrica española CAF, atendiendo así a los deseos del Gobierno vasco de impedir que esta empresa, situada en el corazón del nacionalismo vasco — el valle del Goierri en Guipúzcoa — pierda su primer puesto entre los constructores españoles de material ferroviario.

El bocado más apetitoso puede que finalmente se lo lleven los alemanes de Siemens, que recibirían el contrato de fabricación de las 75 locomotoras de gran potencia para Renfe, más otras 40 para Portugal y 20.000 millones de pesetas más en señalizaciones para la red.

Cruz Sierra

● *Numbers:* There are many examples of the use of cardinal and ordinal numbers in passages J and K. Read the relevant sections in the Grammar Summary on pages 232-33 and remember that speed and fluency are the two qualities you should aim at when reading passages that contain numbers (especially large ones!).

2 Lee con atención el artículo y después escribe en inglés un breve resumen de las decisiones tomadas. No utilices más de 50 palabras.

3 Lee otra vez el artículo y busca cómo se dice en español:
a everything to do with the question of the track gauge
b to turn upside down
c ... due to it being uneconomical
d ... considered to be the most acceptable (possibility)
e it is merely a combination
f most of the work
g it will still be incomplete
h rolling stock
i everything suggests that ...
j the most appetising slice of the cake

4 La clase va a dividirse en grupos de tres alumnos. Cada alumno tendrá el mapa de España siguiente y escogerá una de las tres fases descritas en el artículo para la implantación de la nueva línea de ancho europeo. Primero hay que trazar la línea que corresponda a la fase que has escogido, marcando todas las ciudades por las cuales tu vía va a pasar. Después, cada miembro del grupo tiene que describir en español la línea que corresponde a su fase para que los otros dos puedan trazar las dos líneas que les faltan. Al final, uno de los tres tendrá que describir al profesor todas las tres fases que van a implementarse en el futuro.

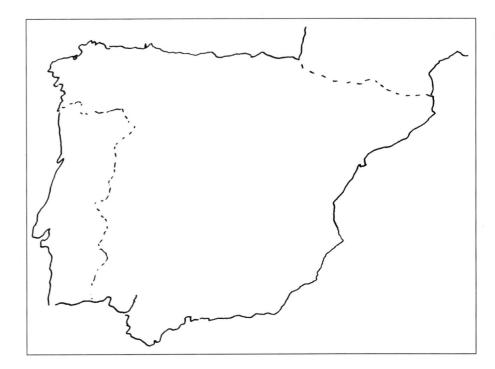

GRAMMAR

Revision of Future and Conditional Tenses (cont.)

Práctica

1 Cambia el primer párrafo del texto K de estilo directo a estilo indirecto, empleando el tiempo condicional de los verbos en vez del futuro. Empieza así:

El autor dijo que el asunto estaba más bien decidido. La red ...

2 Empezando con la segunda frase del sexto párrafo (<<El primero, Madrid-Córdoba-Sevilla ...>>) lee en voz alta en compañía de tu compañero el resto del párrafo, cambiando todos los verbos condicionales para que se transformen en verbos futuros. ¡Claro que el último verbo no se cambiará!

 Texto L **Debate sobre el cambio del ancho de vía**

Es obvio que no todas las decisiones sobre esta cuestión están tomadas ya: el contraste entre el coste previsto y el verdadero, los posibles efectos sobre el medio ambiente y las reacciones del público son tres razones entre varias que harán que el tema sea debatido en su globalidad y quizás haya que cambiar algo durante los años noventa. He aquí un reportaje de la radio española de enero de 1990 donde se aconseja hasta abandonar el proyecto entero.

1 Antes de escuchar la cinta, busca en el diccionario el sentido de las palabras siguientes:

enredado	perjudicial
un nudo	a corto plazo
proclamarse a los cuatro vientos	ser de recibo
un rodeo	un tirón
la celeridad	madurar

2 Escucha con atención el texto grabado y toma notas sobre los puntos principales que se examinan aquí. Después, habla con tu compañero de clase, comparando y contrastando el contenido de este texto y el de los textos J y K.

Texto M   El tercer artículo nos muestra que el trabajo sobre la nueva línea ya ha comenzado. Este artículo es para leerlo de una manera más general en vez de estudiar los detalles como en los dos artículos anteriores.

El tren rápido cambia la vida de Sierra Morena

El paro ha desaparecido en la zona, y en torno a la nueva línea férrea se multiplican los negocios. Las estrellas del proyecto son los túneles.

CARLOS MIRAZ (Enviado especial)

Tramo en remodelación Madrid-Brazatortas.

Tramo en nueva construcción Brazatortas-Córdoba.

LEJOS estaban de suponer viajeros como Al-Nasir Li-Din Allah (más conocido como El Califa Abderramán III) en el año 938 que el camino que por entonces utilizaban para ir a Toledo iba, mil años después, a hacerse tan famoso. Ya por entonces, los árabes que se desplazaban desde la capital del califato hasta Toledo utilizaban como *vía rápida* hacia la meseta la que, pasando por el Armillar (Guadalmellato) iba a través de Fash-al-Ballut (Valle de las Bellotas, hoy de los Pedroche), hacia Calatrava, Malagón y Toledo. Pero, por un sitio u otro, eran unos diez días de aventura a caballo.

Hoy, esos diez días están a punto de convertirse en menos de dos horas gracias al futuro Tren de Alta Velocidad (TAV) y a cien kilómetros de nueva vía que constituyen una de las obras de ingeniería más espectaculares del siglo en este país: el llamado NAFA (Nuevo Acceso Ferroviario a Andalucía).

Por el norte, el plan consiste fundamentalmente en acondicionar dicha línea a las nuevas exigencias de vía y velocidad. Pero, el verdadero desafío es el NAFA sur. Se trata de abrir un surco en Sierra Morena, a través de una zona semidespoblada y carente prácticamente de cualquier tipo de infraestructura, manteniendo un desnivel máximo del 1,2 por ciento. Una línea recta sobre el mapa que perfora montes, salva barrancos, rellenándolos o construyendo viaductos sobre ellos y desmonta lomas realizando trincheras.

Sin duda, el protagonista por excelencia de las obras es el túnel. La dificultad y el riesgo de su construcción y un cierto

LOS tuneleros son los trabajadores mejor pagados: 200.000 pesetas de sueldo al mes frente a las 80.000 que, por término medio, gana un peón. Aunque depende de la clase de túnel.

componente romántico a la hora de aventurarse en el interior de la montaña, confiere a los túneles especial personalidad. *Calar* el túnel, es decir abrir luz entre sus dos extremos, es el momento cumbre para quienes trabajan en él, atacándolo bien desde dos frentes. Cuando un túnel queda expedito la tradición exige celebrar una pequeña fiesta que tiene algo de sabor marinero. Se recuerdan anécdotas, se comentan aspectos del trabajo.

Cada túnel tiene su nombre, y a veces hasta su anécdota. Así por ejemplo el más corto atraviesa una elevación por un pintoresco cortijo. Su presencia, el que la altura de la cota estuviese en el límite que hace más aconsejable la perforación que el desmonte y el costo de la expropiación lo salvó de la goma-2. Después se supo que está deshabitado.

Al final bien podrá decirse que el TAV se habrá abierto

paso a través de Sierra Morena a golpe de millones y de goma-2. Es difícil calcular la cantidad de explosivos que se consumi-

EL propietario de un olivar quiso renunciar a la indemnización por expropiación a cambio de colocar a la familia en las obras. La imaginación no descansa.

rán en la totalidad de los cien kilómetros. Pero si en un mes, en el tramo Villanueva-Conquista se han empleado 75.000 kilos, la cifra final puede llegar a miles de toneladas. Algo así como hacer estallar una pequeña bomba atómica por partes.

Dada la belleza del paisaje y la riqueza cinegética de la zona, los alcaldes de los municipios afectados expresan constantemente su preocupación por el impacto ecológico de la obra. Francisco Tébar García, alcalde socialista de Villanueva de Córdoba, piensa que no es oro todo lo que reluce. <<La nuestra es una región muy bonita y nos preocupan los daños que puedan generar las escombreras, o los accesos a las zonas hasta ahora resguardadas. Por eso confiamos en que se lleve a cabo el plan de recuperación ecológica prometido por el ministro Barrionuevo. Pero también nos preocupan otras cosas como por ejemplo el que la carretera comarcal 413 está quedando pulverizada.>>

Y aunque la imagen no se corresponda con las epopeyas del ferrocarril plasmadas en imágenes por los *westerns*, aquí predomina la maquinaria pesada, a veces auténticos dinosaurios de acero, y la coordinación de las fases sobre una mano de obra multitudinaria, lo cierto es que para los pueblos de la zona el TAV ha supuesto un elemento revitalizador. No sólo porque haya hecho desaparecer, prácticamente, el paro, sino también por la dinamización del comercio y los servicios.

Cualquier visitante que a la hora de comer pase frente al bar Hecu, en Adamuz, puede pensar que en su interior se celebra una boda a tenor de los vehículos aparcados en su proximidad. Sus dueños lo abrieron pensando en las obras, y acertaron. <<Damos más de setenta comidas diarias y la verdad es que nos mantenemos gracias al personal de la vía.>>

Pero las obras se han dejado notar en todo.

Así, el propietario de unos olivos afectados por las obras ofreció renunciar a la indemnización a cambio de la colocación de un familiar en las obras. También se ha dado el caso del propietario de unas ovejas que ha solicitado ser indemnizado porque con las explosiones éstas se le morían ... del susto.

La imaginación no descansa. Y el tren comienza ya a ser algo casi como de la familia. En un diario cordobés se anunció que el TAV llegaría en viaje de pruebas a la capital cordobesa, pero que se temía que, dada la inexperiencia del maquinista y la velocidad alcanzada, no le diese tiempo a frenar en la estación.

● *Word Order:* There are one or two examples in this passage of sentences where the order of words does not follow the English. This is a feature of Spanish which can cause difficulty for foreign students of the language. The most frequent examples involve the positioning of the verb before its subject. One example of such a sentence in the passage is:

○ **... en torno a la nueva línea férrea se multiplican los negocios** (... business deals are multiplying around the new railway line.)

Read the section of the Grammar Summary (pages 246–47) that deals with this and then try to find other examples in the passage.

---

1 Lee el artículo dos veces; la segunda vez, trata de adivinar el sentido de las palabras siguientes, y entonces verifica tus respuestas con el profesor.

desplazarse	desmontar	a golpe de
la meseta	una trinchera	la escombrera
la ingeniería	un riesgo	resguardar
acondicionar	un componente	comarcal
la exigencia	conferir	el acero
el desafío	el momento cumbre	acertar
el surco	expedito	la indemnización
semidespoblado	un cortijo	el familiar
carente de	la goma-2	un susto
el barranco	bien podrá decirse	un viaje de pruebas

2 Escribe un resumen en inglés del contenido del texto, no utilizando más de 100 palabras.

3 La clase va a dividirse en grupos de cuatro alumnos para preparar un programa de RNE en el cual se debate el tema de la nueva línea ferroviaria entre Brazatortas y Córdoba. El profesor será el presentador del programa durante el cual hará preguntas a varias personas invitadas al estudio: un representante de la RENFE, que podrá explicar lo que se trata de hacer y las dificultades del proyecto, además de contestar a las dudas y las preocupaciones de los otros; el alcalde de Villanueva, que se preocupa por los daños que puedan generar los trabajos en su región; uno de los obreros, que podrá explicar su trabajo, las condiciones en que vive y el dinero que recibe; y por fin uno de los habitantes de la región, que ve las ventajas y también las desventajas del proyecto.

Después de algún tiempo en que los participantes deben leer otra vez el artículo y preparar sus papeles, el programa se ensayará y por fin se presentará en su totalidad. ¡También se podría grabar!

4 Traduce al español el texto siguiente:
The important decisions on the future of the Spanish railway network have finally been taken. There will be a new High Speed Train operating from 1991 and the change in the track gauge will be carried out in three phases: the first will run from Madrid to Seville, the second from Madrid to Barcelona via Saragossa and the other lines will be built from this main Barcelona-Seville artery. Felipe González will share out the contract between the French firm Alsthom, who will make the 24 High-Speed Trains, and the German company Siemens, who will produce 75 powerful engines. All that glistens is not gold, however: one newspaper article recently pointed out that construction of the new lines would cause ecological disasters, and that to build the first line southwards would not reduce Spain's traditional isolation from Europe. France would not, it said, build its TGV line beyond Marseilles without a Barcelona-Pyrenees link.

Redacciones
Escribe aproximadamente 250 palabras sobre uno de los temas siguientes:

a En un viaje por Andalucía, has visto las obras que se empiezan sobre la nueva línea de alta velocidad. Escribe un artículo para un periódico describiendo lo que va a pasar en tu opinión, y empleando el título <<No es oro todo lo que reluce>>.

b Imagina que ya has viajado en el TAV desde Madrid a Sevilla, un trayecto que te ha impresionado muchísimo. Escribe una carta a tu amigo español, describiéndolo todo y explicando por qué se lo recomendarías.

c En un viaje por Francia llegas a los Pirineos donde tienes que esperar más de una hora para que se cambie la locomotora. Escribe una carta al director de la RENFE quejándote de lo sucedido y opinando sobre lo que pasaría con un enlace de alta velocidad Barcelona-Pirineos.

d Según lo que has leído en este capítulo, ¿te parece verdad que si hicieras un viaje en tren por España, <<RENFE mejoraría tu tren de vida>>? ¿De qué manera?

e Unas semanas antes de ir de vacaciones a España a casa de tu amigo español, éste te manda una carta en que te invita a acompañarle en un viaje por el sur de España. No sabe si alquilar un coche o ir en tren. Escríbele una carta diciéndole lo que preferirías y por qué.

Desarrollando el tema

1 *El problema del tráfico en las grandes ciudades españolas:* detalles del problema de la densidad del tráfico; su influencia en la vida cotidiana de los ciudadanos; lo que hacen las autoridades; lo que se podría hacer.

2 *Los viajes en avión:* una colección de artículos y publicidad sobre este método del transporte; ventajas y desventajas; el futuro del avión comparado con el del coche o del tren.

3 *El turismo en España:* examen de las ventajas y las desventajas; los grandes centros turísticos de España; la importancia del turismo; el efecto sobre la vida y los pueblos de los españoles.

4 *Los TAVs:* los efectos futuros en España y en Europa; el efecto sobre el medio ambiente; el desarrollo de la polémica del ancho de vía.

5 *La infraestructura del sistema de los transportes en España:* las carreteras; los coches; el transporte rural; los ferrocarriles.

4
UNAS PÁGINAS DEPORTIVAS

Los toros y el fútbol son quizás los dos deportes españoles más conocidos y ya se ha escrito muchísimo sobre ellos. Por eso, queríamos en este capítulo examinar uno o dos aspectos menos conocidos del mundo deportivo español como el ciclismo y el tenis, y presentar a dos de sus representantes más famosos. También vamos a estudiar cosas más generales sobre la importancia y el papel de los deportes en nuestra vida diaria, además de un gran problema que se ha discutido mucho recientemente y que sin duda va a seguir con nosotros para muchos años ya: nos referimos a la polémica sobre la cuestión de las drogas empleadas por los deportistas del mundo, polémica que llegó a ser muy discutida después de lo ocurrido con Ben Johnson en Seúl.

Pero antes de todo esto, vamos a hacer un poco de repaso y a la vez ampliar lo que ya habréis hecho sobre este tema durante vuestros estudios para el examen del GCSE.

Para empezar:

1 Prepara unas respuestas detalladas a las siguientes preguntas. Después vas a hablar con tu compañero de clase sobre lo que pensáis y hacéis los dos en cuanto a los deportes.

    a Haz una lista en español de todos los deportes que conoces. Después, trata de completar la lista, añadiendo al lado de cada deporte cómo se llama la persona que lo practica y también las cosas que se necesitan para practicarlo.
    Por ejemplo:
    el tenis – el tenista – una raqueta – una pelota – una cancha de tenis – una red.

    b ¿Qué deportes practicas? ¿Por qué te gustan?

    c ¿Te gusta mirar partidos de tenis, de fútbol o de cualquier otro deporte? ¿Prefieres verlos en la tele o vas a menudo a un estadio, un centro deportivo, etcétera?

    d ¿Hay un centro deportivo cerca de tu casa? ¿Qué se puede hacer allí?

    e ¿Piensas que los deportes tienen un papel importante en la vida moderna? ¿Por qué?

2 Ahora compara las respuestas que has preparado con las de tu compañero de clase. Así podrás añadir palabras a la lista que has empezado y también podéis los dos hablar después con el profesor y los otros alumnos de la clase sobre la popularidad y la importancia de los deportes en general.

I HACIENDO EJERCICIO

Texto A

1 Antes de leer el anuncio para el Club de Campo, busca en el diccionario el sentido de las palabras siguientes:

la hípica	la esgrima	el complejo
la vela	el salón de actos	la piscina de saltos
el recinto	peatonal	la tierra batida
el hoyo	la cascada	una pista polideportiva
el aprendizaje	el surtidor	las gradas
el entrenamiento	el picadero hípico	el vestuario
el arbolado	la cuadra	el albergue juvenil

EL MANANTIAL

Esta información no constituye documento contractual.

Una nueva forma de vivir el deporte.
Para toda la familia

EL CLUB DE CAMPO SEÑORIO DE ILLESCAS, nace como un Club «lleno de vida», donde junto a las diferentes competiciones nacionales e internacionales de Golf, Hípica, Tenis o Vela que se celebrarán en él, usted podrá utilizar, en un entorno urbanístico y paisajístico de gran belleza, unas instalaciones del más alto standing. En un recinto cerrado de 500.000 m², podrá disfrutar de un ambiente social selecto en el edificio del Club a orillas del lago y la cómoda práctica de cada uno de los deportes, que por el elevado número de sus instalaciones, le permitirán su utilización de una forma agradable y sin esperas.

Si desea información, llámenos (gratuitamente)
Tels: 900 140 140 - 900 160 160 - 900 170 170
o bien visite nuestras oficinas en calle
Infanta Mercedes, 90 · 1º
Tels: 571 33 61 - 571 34 77 - 571 35 93

A PARTIR DEL 1 DE JUNIO
VENTA DE ACCIONES LIMITADAS
Se adjudicarán por riguroso orden de solicitud

CLUB DE CAMPO
SEÑORIO DE ILLESCAS
Km. 32 Autovía Madrid-Toledo

① **CAMPO DE GOLF**
De 18 hoyos, preparado para competiciones internacionales. Varias alternativas de recorrido. Campo de aprendizaje y entrenamiento. Rodeado de extenso arbolado.

② CLUB SOCIAL CON:
Restaurante de lujo con actuaciones musicales. Cafetería. Autoservicio. Gimnasios masculino y femenino. Escuela de bellas artes. Ballet. Esgrima. Sauna y Masaje. Salón de actos. Salas de estancia, lectura y TV. Centros escuela de monitores para los diferentes deportes.

③ LAGO ARTIFICIAL:
Con puente peatonal. Cascada iluminada e isla con surtidor geiser.

④ PICADERO HIPICO CON:
Pista de exhibición y plaza de ejercicios. Cuadras de alojamiento.

⑤ COMPLEJO DE PISCINAS CON:
1 Piscina olímpica cubierta, climatizada e iluminada. 1 Piscina de saltos. 2 Piscinas-lago tropicales.

⑥ PISTAS DE SQUASH:
4 Pistas, climatizadas e iluminadas.

⑦ PISTAS DE TENIS:
4 Pistas de tierra batida y 10 pistas de superficie rápida, iluminadas.

⑧ FRONTONES:
2 Frontones, uno de ellos con gradas.

⑨ PISTAS POLIDEPORTIVAS:
1 Pista exterior y 1 cubierta.

⑩ PISTA DE HIELO:
Cubierta, con gradas y vestuarios.

⑪ CAMPO DE FUTBOL-SALA:
Con gradas e iluminación.

⑫ VIA PARA BICICLETAS:

⑬ PISTA DE FOOTING:

⑭ ALBERGUE JUVENIL:
Con zonas recreativas para niños.

2 Ahora lee rápidamente el anuncio: al cabo de tres minutos, tendrás que cerrar el libro y escribir una lista de todas las instalaciones y facilidades que tiene el Club y que tú recuerdes. Compara entonces la lista que tienes con la de tu compañero de clase.

3 Contesta en inglés a las siguientes preguntas:
   a What type of sportsmen and women is the Club de Campo likely to attract? Explain your answer.
   b Why does the advertisement claim that sports facilities at this Club are better than normal?
   c In what two ways are you advised to get more information?
   d How has the Club attempted to attract people other than those who are keen on sport?
   e Which facilities could one take advantage of at night?

4 Ahora tienes que escribir una carta formal o informal (¡o las dos!). Para ayudarte un poco vamos a darte unos consejos sobre cómo debes empezar y terminar una carta escrita en español.
   a Cuando escribes una carta bastante formal, puedes poner tus señas al principio y a la derecha, seguidas por el nombre de la ciudad desde donde escribas, y la fecha. Nota cómo se escribe la fecha en español – no es igual que en una carta inglesa:

Liverpool, 12 de enero de 1990

A la izquierda, se escriben las señas de la persona u organización a la cual va dirigida la carta. No te olvides de que el número de la calle va después de su nombre. Por ejemplo:

Avenida de Blasco Ibáñez, 140

Empiezas la carta con una de estas frases:
   Muy señor mío:
   Estimado(a) señor(a):
   Distinguido(s) señor(es):
   Estimado señor García:
   Señor Director:

Y para terminarla, hay también unas frases bastante formales:
   Le(s) saluda(n) atentamente
   Reciba un atento saludo de
   Quedamos a la espera de sus gratas noticias. Atentamente,
después de lo cual firmas la carta y escribes tu nombre en letras mayúsculas.

Ejercicio:
Tu amigo español te ha enviado el anuncio del Club de Campo, y como vas a estar en Madrid en el verano, decides que irás al Club para practicar unos deportes que te gustan. Siguiendo los consejos de arriba, escribe una carta al director del Club hablándole de tus planes y haciéndole preguntas sobre las posibilidades que tendrás de practicar tus deportes favoritos cuando estés allí.
   b Para escribir una carta más informal (por ejemplo a un amigo), sigue los consejos de arriba sobre dónde y cómo poner tus señas y la fecha. Entonces puedes empezar con una de estas frases:

Mi querido(a) amigo(a)
Mi apreciado amigo
Querido Enrique
Mi querida Isabel
¡Hola Isabel!

y antes de firmarla, puedes utilizar quizás:

Recibe un fuerte abrazo de
Muchos besos y abrazos de
Afectuosamente
Un afectuoso saludo de
Con mucho cariño

Ejercicio:
Después de las vacaciones pasadas en Madrid y mencionadas arriba, decides escribir una carta a tu amigo español para darle las gracias por haberte enviado el anuncio, y para describirle el Club de Campo y lo que hiciste y viste cuando estabas allí.

Texto B

1 Lee con atención la siguiente lista de deportes en donde se habla de sus pros, sus contras y de unos consejos para los que quieren practicarlos.

FÚTBOL

Pros: Un ejercicio razonable y completo, dependiendo de la posición en que se juegue y de los niveles de los equipos; sociable, apasionante, barato.
Contras: Riesgo de lesiones potencialmente serias; no hay beneficios significativos en cuanto a la forma física, a menos que el jugador se mantenga en movimiento.
Consejos: Para lograr una forma física máxima opte por el fútbol sala.

BAILE

Pros: Son buenos ejercicios aeróbicos para estar en forma y adquirir flexibilidad, así como equilibrio y una correcta postura corporal; creativo, permitiendo una preparación cualificada; sociable.
Contras: Riesgo de lesiones musculares; incómodo; se depende de las instalaciones y exige un equipo caro.
Consejos: Apúntese a una clase de principiantes en la que todos estén al mismo nivel y puedan ir mejorando juntos.

PESAS LIBRES

Pros: Excelente para endurecer y dar tono a los músculos.
Contras: Riesgo de lesiones, especialmente en la parte inferior de la espalda, por levantamiento incorrecto; ningún beneficio aeróbico específico si las pesas son demasiado pesadas; aburrido.
Consejos: Apúntese a una clase o club para aprender las técnicas de levantamiento apropiadas; trabaje con pesas ligeras.

AEROBIC

Pros: El aerobic es un término que abarca todos los movimientos ininterrumpidos realizados al compás de la música. Sociable, divertido, cómodo; puede practicarse en clase o en casa.
Contras: Riesgo de lesiones musculares si no es correctamente enseñado y supervisado.
Consejos: Elija un profesor adecuadamente preparado.

ESQUÍ

Pros: El descenso es bueno para fortalecerse y adquirir flexibilidad; el esquí de fondo es un ejercicio aeróbico de primera clase.
Contras: Descenso: alto riesgo de lesiones; beneficios aeróbicos limitados, a menos que se domine; se depende de la estación del año; caro. Esquí de fondo: incómodo y caro; muy pocas estaciones europeas ofrecen esta opción.
Consejos: El esquí no debería ser la única forma de ejercicio.

PESAS FIJAS

Pros: Es más seguro que con pesas libres; excelente para endurecer y tonificar los músculos; es posible concentrarse en cualquier masa muscular que se desee y rehacer la forma del cuerpo.
Contras: Eleva temporalmente la tensión sanguínea, incómodo si se va a un gimnasio y caro si se adquiere el equipo necesario.
Consejos: Pruebe usted el equipo en un gimnasio antes de invertir en él personalmente.

TENIS

Pros: Sociable, barato y bajo en riesgo de lesiones.
Contras: Bajo valor como ejercicio, a no ser que se practique a un nivel alto, debido a las continuas paradas y saques; incómodo; se depende de las instalaciones y de los compañeros de juego.
Consejos: Elija una raqueta en una tienda especializada, hágase socio de un club con instalaciones cubiertas, consiga un profesor para mejorar su juego.

NATACIÓN

Pros: Ejercicio completo de primer orden; no se soporta peso alguno y por tanto es idóneo para cualquiera que lo practique, incluyendo los obesos o mujeres embarazadas.
Contras: Incómodo – se depende del acceso a piscinas o al mar y puede exigir desplazamientos; aburrido, no se – puede hablar y no hay nada a qué mirar.
Consejos: Use gafas de natación para proteger sus ojos del cloro.

SQUASH

Pros: Excelente ejercicio aeróbico y de fortalecimiento muscular si ya tiene usted una buena forma física; fácil de aprender; sociable; apasionante.
Contras: Es un juego muy vigoroso, competitivo y absorbente. Como entrenamiento para conseguir una buena forma física no es recomendable para las personas que carecen de ella.
Consejos: Juegue con personas de edades y capacidades similares.

CICLISMO

Pros: Excelente ejercicio aeróbico y de fortalecimiento; es ideal para las personas con exceso de peso; cómodo; se puede combinar tanto con las vacaciones como con actividades diarias.
Contras: Efecto limitado sobre la flexibilidad de las articulaciones.
Consejos: Por la noche utilice una banda reflectora en el torso y manténgase lejos de las carreteras en caso de niebla o de hielo en el piso.

CORRER

Pros: Excelente ejercicio aeróbico: barato – el único gasto son las zapatillas – y cómodo – se puede correr sin depender de instalaciones.
Contras: Riesgo de abusar del ejercicio; lesiones en los pies, tobillos, rodillas y caderas, especialmente en las personas con exceso de peso.
Consejos: Reduzca el riesgo de lesiones adquiriendo un par de zapatillas de buena calidad; desarróllelo gradualmente.

- *Apocopation of adjectives:* **primer** and **ningún** are examples of adjectives that are shortened (apocopated) when placed in front of singular nouns. For further details, see the Grammar Summary on pages 231–32.

---

2 Estudia bien el cuadro siguiente que contiene una lista de los deportes mencionados en el Texto B y otra de varias características que se pueden aplicar a unos de ellos. Pon una equis en todas las casillas apropiadas.

	Fútbol	Baile	Pesas libres	Aerobic	Esquí	Pesas fijas	Tenis	Natación	Squash	Ciclismo	Correr
Sociable											
Barato											
Ejercicio completo											
Bueno para obesos											

	Fútbol	Baile	Pesas libres	Aerobic	Esquí	Pesas fijas	Tenis	Natación	Squash	Ciclismo	Correr
Excelente ejercicio											
No depende de instalaciones											
Depende de instalaciones											
Aburrido											
Beneficios limitados											
Riesgo de lesiones											
Caro											
Se aconseja hacerse socio de un club											
Mejor con profesor											

cont.

3 Role-play

Escoge tres de los deportes enumerados arriba y prepara un párrafo completo que describa en cada caso sus pros y sus contras, además de los consejos que le darías a un amigo que quiere empezarlos. Después, habla con tu compañero de clase, imaginando que tú eres el director de un centro deportivo donde los deportes principales son los que has escogido, y que él es alguien que quiere hacerse socio del centro e informarse de los beneficios de tales deportes. Una vez practicado el ejercicio, podéis representarlo delante de los otros alumnos de la clase.

4 Ahora escoge otros tres deportes que no se hayan estudiado hasta ahora (por ejemplo el cricket, el baloncesto, el netball) y redacta para cada uno un párrafo como los del Texto B, escribiendo en forma de notas breves los pros, los contras y cualquier consejo que consideres necesario.

 Texto C **Titulares deportivos**

Antes de escuchar el texto, estudia bien la lista de deportes que sigue y también las notas que resumen los titulares que vas a escuchar. Al escuchar la cinta, tienes que emparejar los deportes y las notas, poniéndolos en el orden en que los has oído.

Severiano Ballesteros

a	Football	**i**	Spanish star adds two more world titles to his collection.
b	Basketball	**ii**	Popular figure retires at peak of career.
c	Golf	**iii**	Madrid team league champions 1989.
d	Athletics	**iv**	Advertisement for radio coverage of national competition.
e	Motorcycling	**v**	Real Madrid best of Spanish teams in European competitions.
f	Football	**vi**	Spaniards win four medals in Indoor Championships.
g	Taekwondo	**vii**	National team to travel to Ireland.
h	Tennis	**viii**	Spanish player wins Madrid competition.
i	Bullfighting	**ix**	Nine Olympic medals for Spanish team.
j	Cycling	**x**	Spanish victory in women's contest in Brazil.

II EL <<DOPING>>

En el mundo de los deportes de los años 90, el tema del <<doping>> ha venido a ser muy grave y ha sido detalladamente examinado. Ben Johnson, el hombre más rapido del mundo, fue desposeído de su medalla de oro on Seúl por haberse <<dopado>>. Unos meses después, el diario <<The New York Times>> aseguraba que la mitad de los deportistas que participaron en aquellos Juegos Olímpicos recurrieron a estimulantes en sus entrenamientos. Hace tiempo que la pureza en el deporte es sólo retórica: el público, los estados y las empresas exigen al atleta que supere sus límites. Y el atleta se deja seducir poniendo en peligro su salud.

Texto D

1 Antes de estudiar este texto, busca en el diccionario el sentido de las palabras siguientes:

comprobar	una grúa	controles por sorpresa
el lanzador de disco	una piltrafa	el remo
una marca personal	una cobaya	el relevo
debilitarse	fichar	los alijos
derrumbarse	una jeringa	atestiguar
la halterofilia	proceloso	

2 Lee con atención el artículo y escribe en inglés un resumen de los problemas principales que menciona el autor.

3 ¿Te parece un artículo pesimista u optimista en cuanto al futuro del problema? Justifica tu opinión.

Secuelas del culpable

Las sanciones van por detrás del problema

JUAN-JOSÉ FERNÁNDEZ

Doping es una palabra a la que le faltan los límites. Nadie, ni siquiera los médicos, pueden garantizar el perjuicio o no de los productos. Como mucho, pueden ser buenos para unas cosas, pero quizá no para otras, al igual que tantos medicamentos. Ya antes de cuestionar la peligrosidad futura del *doping*, el deportista de elite se pregunta si el esfuerzo que realiza, muchas veces por encima de sus límites, le pasará factura en el futuro. Grandes atletas de la historia han pagado incluso con su vida sus esfuerzos, sin que en todos estuviera comprobado que se drogaran.

Tal vez por haber ido demasiado lejos en su actividad, forzando su físico hasta el extremo, pero sobre todo con las *ayudas* externas del *doping*, el porvenir suele acabar siendo ruinoso. Algún caso real puede ser más elocuente.

El lanzador de disco húngaro Janos Farago, por ejemplo, de buen nivel internacional, con una marca personal hace pocos años de 65,80 metros, fue uno de ellos. Su viuda declaró tras su muerte: "No puedo asegurar que mi marido ha muerto de cáncer porque ha utilizado *doping*. De lo que sí estoy convencida es que su organismo se debilitó y lo notó mucho". Y añadió: "En menos de dos años, antes de los Juegos Olímpicos de Montreal, en 1976, subió de los 95 kilos que pesaba a 130 y consiguió mejorar también enormemente sus marcas, antes muy discretas. Pero inmediatamente comenzó a sufrir trastornos hepáticos e inflamaciones renales agudas. Incluso tuvo que serle extirpado un riñón".

Aunque casi nunca se notificó oficialmente, *muertos históricos*

en modalidades que comenzaron a usar el *doping* antes que otras, se debieron a su abuso: el ciclista británico Tom Simpson, el primero, se derrumbó en las cuestas del Mont Ventoux durante el Tour de 1967, víctima de un colapso cardíaco; su cuerpo, con las drogas y el calor, no resistió. En halterofilia, al belga Serge Reding, una auténtica grúa humana, medalla de plata en los pesos superpesados (por encima de los 110 kilos de peso corporal) en los Juegos Olímpicos de México 68, no le resistió el corazón, inflado artificialmente por músculos superiores a los que podía soportar. El finlandés Kaarlo Kangasniemi, medalla de oro en los pesos medios (hasta 90 kilos) se convirtió en una piltrafa humana por el abuso de esteroides. El último caso más conocido, en atletismo, ha sido el de la alemana Birgit Dressel. Murió de un choque alérgico debido a la interacción de un cúmulo de medicamentos. Fue utilizada como un auténtico cobaya y la gota final resultó una serie de inyecciones para tratar un lumbago.

El uso de drogas para calmar los dolores de lesiones también acabó destrozando a figuras como el ciclista francés Roger Riviere y el piloto motociclista español, también ex campeón mundial de esquí acuático, Víctor Palomo.

Otra variante moderna han sido los muertos de la cocaína, sobre todo en el deporte profesional norteamericano. En el fútbol y en el baloncesto. Tal vez el caso más sonado fue el del joven Len Bias, fallecido tras una fiesta cuando acababa de fichar por los campeones de la NBA, los Celtics de Boston y se le auguraba un espléndido porvenir. Pero en el baloncesto no sólo ha estado la cocaína. En

la madrugada del 26 de noviembre de 1977, por ejemplo, el pivot norteamericano Robert Louis Elmore, de 23 años, que acababa de ser fichado un mes antes por el Lazio-Eldorado, de Roma, fue encontrado muerto en la cocina de su apartamento de la capital italiana, junto a una jeringa, restos de heroína y otros estupefacientes. Medía 2,09 metros y había sido el tercer mejor reboteador de la temporada universitaria norteamericana ese año. El deporte, que teóricamente proporciona salud, es, en la alta competición, una empresa bastante procelosa. Actualmente la persecución contra el *doping* se ha intensificado y el proyecto de generalizar los controles por sorpresa en los entrenamientos de los atletas, puede descubrir más casos. También se ha colaborado más.

La modernización de los aparatos de control, como sucedió en Seúl, ha sido un avance importante. También las sanciones a los traficantes. El mundo del 'doping' ha formado laboratorios clandestinos

---

Antes de Seúl, ya algunos países, hasta ahora herméticos en el asunto, permitieron a ciertas federaciones internacionales hacer controles en sus propias casas. Fue el caso de la RDA, por ejemplo, en remo y halterofilia. Incluso la modernización de los aparatos de control, como sucedió en Seúl, ha sido un avance importante.

También las sanciones a los traficantes. El mundo del *doping* ha llevado a la formación de laboratorios clandestinos, fundamentalmente en México, especializados en productos prohibidos.

Fábrica de esteroides

Cerca de la frontera mexicana, en California, fue detenido el año pasado el ex atleta británico, campeón de Europa de 400 metros en Helsinki, en 1971, y medalla olímpica en el relevo de los Juegos de Múnich, en 1972, David Jenkins. Farmacéutico de profesión, abrió en San Diego una fábrica para la producción de esteroides anabolizantes. Unas semanas antes de Seúl declaró a la cadena de televisión británica ITV que el 80% de los atletas olímpicos británicos para Seúl probablemente habían usado drogas en su preparación. Y como entendido en el deporte de EE UU, donde vivía en los últimos años, afirmó que el 95% de los participantes norteamericanos. En la última cita olímpica se volvieron a descubrir casos positivos, aunque ningún británico o norteamericano. Pero nadie puede garantizar ya que no es una lucha tardía. Los alijos encontrados en muchas fronteras a atletas también lo atestiguan. Y han aparecido demasiados casos de positivos en la última historia del deporte confirmando el retraso. Se tuvieron que producir muertes o daños irreparables para que empezase la batalla oficial. Después, y ya sin saber dónde está la verdad de un récord o empieza su mentira – caso Ben Johnson –, siempre se ha ido por detrás de los métodos de ayuda. Las sanciones se han endurecido y se endurecerán más. Pero la raíz del problema permanecerá inamovible.

GRAMMAR

Compound Tenses

Compound tenses (so called because they are composed using *two* words as opposed to the one in the *simple* tenses that we have examined so far) are formed in Spanish with the auxiliary verb **haber** and the **past participle**.

The past participle is formed by removing the infinitive ending (**-ar**, **-er**, or **-ir**) and adding to the remaining stem the endings **-ado**, **-ido** and **-ido** respectively. There is also of course a number of very common verbs which have irregular past participles. These are listed in the Verb Tables beginning on page 248.

◆ There are five compound tenses in Spanish, four of which we shall examine here. To form each one, the auxiliary verb **haber** is put into a certain tense and then followed by the past participle. Thus:

◇ The **perfect** tense consists of the **present** tense of haber and the participle:
○ La comercialización del deporte **ha conducido** a una guerra de hipócritas (The commercialization of sport **has led** to a war of hypocrites)

◇ The **pluperfect** tense consists of the **imperfect** tense of haber and the participle:
○ El deportista se **había convertido** en un ser de salud delicada (The sportsman **had changed** into a being suffering from delicate health)

◇ The **future perfect** tense consists of the **future** tense of haber and the participle:
○ El gobierno **habrá puesto** en marcha la reglamentación <<antidoping>> (The government **will have put** into effect the "antidoping" laws).

◇ The **conditional perfect** tense consists of the **conditional** tense of haber and the participle:
○ A no ser por la comercialización del deporte, el problema de utilización de estimulantes **habría sido** ampliamente dominado (Were it not for the commercialization of sport, the problem of stimulant usage **would have been** largely controlled)

◇ The fifth compound tense is known as the **past anterior**. You will find details of it in the grammar notes on compound tenses, beginning on page 242.

◇ Finally, the **perfect infinitive** also exists, consisting of the **infinitive** of haber and the participle:
○ Fue suspendido tras **haber dado** positivo en un control antidoping (He was banned after **having produced** a positive result in a drugs test)

- When it is used with **haber** to form a compound tense, the past participle *never* agrees.

- You should *never* split **haber** from its past participle; pronouns, negatives, etc. are therefore placed before **haber**, *never* before the past participle:
○ Los problemas nunca han parecido más graves *or* no han parecido nunca más graves (The problems have never seemed more serious)
○ Se le había acusado de tomar estimulantes (He had been accused of taking stimulants)

Discovery
With a partner, read carefully through the article "Secuelas del culpable" and note all examples of compound tenses that you can find. Practise together putting the examples that you find into all five compound tenses.

Práctica
1 Estudia otra vez el artículo <<Secuelas del culpable>> y escoge a dos de los deportistas mencionados. Entonces explica al profesor lo que les **había** pasado en la historia, empleando por supuesto el tiempo pluscuamperfecto. Escribe dos frases para cada deportista.

2 Ahora imagina lo que les **habría** pasado a los deportistas a no ser por las drogas. Escribe cinco frases utilizando el tiempo potencial compuesto (= conditional perfect) de los verbos.
Por ejemplo:
○ Janos Farago no se habría debilitado.

3 Escribe cinco frases diciendo lo que en tu opinión **habrá pasado** antes del año 2000 en esta cuestión del doping.

Por ejemplo:
○ Los gobiernos (no) habrán controlado el doping.

Redacción

El príncipe de Merode, presidente de la comisión médica del COI (Comité Olímpico Internacional) declaró después de los Juegos de Seúl: <<Es precisa una lucha contra el 'doping' bajo tres principios: la protección de la salud de los atletas, la defensa de la ética deportiva y médica y el mantenimiento de la igualdad de oportunidades.>>

Escribe una redacción en español sobre este tema, diciendo si estás o no de acuerdo con el príncipe de Merode y si consideras los tres principios mencionados de igual importancia. También tendrás que dar tus propias ideas sobre el porvenir del problema.

III DOS ESTRELLAS ESPAÑOLAS

A pesar de que hemos tratado la cuestión del <<doping>> como un fenómeno internacional, con personajes de otros países como Ben Johnson, hay que señalar que los mismos españoles conocieron este problema hace unos años, pero en una forma controvertida que subraya lo difícil y lo ambiguo del asunto.

 Texto E

Pedro Delgado, ganador de el <<Tour>> de Francia 1988

1 Antes de escuchar el texto, trata de adivinar el sentido de las palabras siguientes y luego verifica tus respuestas con el profesor.

una etapa	encabezar	ingerir
diariamente	fuera de juego	la meta
el desconcierto	la sospecha	la Vuelta a España

2 Escucha con atención el texto grabado y luego escribe aproximadamente 40 palabras en español para resumirlo. Después tendrás que leer tu resumen delante del profesor y los demás alumnos.

3 Ahora escucha otra vez el trozo de la cinta, y rellena los espacios en blanco del texto siguiente:

En 1988, el segoviano Pedro Delgado _____ que muchos consideran como la _____, el <<Tour>> de Francia. Para los aficionados españoles, que diariamente _____ por televisión, y para el propio Pedro Delgado, _____ de enorme desconcierto cuando el corredor español, que _____, tuvo que soportar ciertas acusaciones de <<doping>>.

<<No sé. Yo es que siempre ... es que es _____ que ..., de mi historia ciclista. Es la primera noticia que ... que recibo en mi carrera deportiva sobre este aspecto, y pues _____ un poco ... un poco fuera de juego, pues porque tampoco _____. Sobre todo, al ser todo en base de rumores, rumores, rumores. Pues nada, rumores.>>

Finalmente, las sospechas de que Pedro Delgado _____ productos químicos prohibidos _____, y el corredor entró como _____. De esta manera lograba el objetivo que _____, ya que, para prepararse para el <<Tour>> de Francia, e' corredor segoviano _____ de España, prueba que ganó el irlandés Sean Kelly.

En el mundo del ciclismo español, no cabe duda de que Pedro Delgado (<<Perico>>) ha sido durante mucho tiempo el número uno. Ganador de muchas pruebas internacionales, se convirtió en 1988 en el héroe de Segovia y de España entera al conquistar el mundo, siendo el tercer español en la historia en ganar la carrera considerada como la más importante del ciclismo mundial – el famoso <<Tour>>. Pero lejos del podio y de las aclamaciones, ¿cómo es el ídolo del pueblo español? Ahora mismo vamos a saberlo.

Texto F

1 Antes de leer este artículo, busca en el diccionario el sentido de las palabras siguientes:

la miel	torcido	inalcanzable
sosazo	imprescindible	la rabia
la añoranza	gélido	centrado
la resaca	la clavícula	idóneo
la incógnita	estropearse	el estándar
dosificar	desengrasado	la barriada
la bolsa de aseo	aguantarse	arrastrar
pinchar	el apego	desconcertado

Entrevista con el ciclista, Pedro Delgado

Tiene 28 años, los ojos soñadores, del color de la miel, y un corazón frío. Esto último es lo que alaban los comentaristas de ciclismo, el excelente control al que sabe someter su cuerpo y sus posibilidades. Lo único que le preocupa es ganar una y otra vez, y como tiene una gran fe en sí mismo, hasta se permite analizar las consecuencias del triunfo, sus agujeros negros. Al esfuerzo físico que supone una gran carrera, eso que a los demás nos parece algo inhumano, Delgado no le tiene miedo. En cambio, teme las añoranzas. Esos días, muchos al año, que su profesión le obliga a pasar lejos de su casa, de su novia, de su familia, de su ciudad. Es lo duro del ciclismo, lo que menos le gusta a este campeón indiscutible y casi indestructible.

—En las etapas muy duras, cuando vuelve agotado al hotel, ¿no llega a desear que se suspenda la competición, a soñarlo incluso?

—Cuando termina una carrera larga, como la Vuelta a España, durante unos días te levantas creyendo que tienes que ir a correr, y de pronto tienes la sensación de que te falta algo: ¿y qué hago yo ahora? Hay una especie de resaca que dura dos o tres días y durante los cuales no sabes dónde estás. Vas a entrenar, te vas solo, es una sensación rara.

—¿Cómo se logra descansar por las noches, cómo se huye del cansancio y sobre todo de la obsesión de la etapa que ha terminado y de la incógnita que supone la próxima?

—Yo necesito relajarme, y lo hago leyendo libros. Con la lectura me concentro con facilidad, es lo único que me saca de ese mundo de locos. Porque pensar en la carrera es malo, y si te dejas llevar, te levantas como si hubieras corrido toda la noche. Cuando hace frío sueñas con una ducha caliente, en ese momento de placer que supone sentir el agua caliente sobre tu cuerpo. Cuando hace mucho calor sueñas que estás en una playa de arena fina, con palmeras incluidas, sin hacer nada, en plan vago, vago. Esto nos pasa a todos, porque en los momentos de tranquilidad que hay en las carreras, sin darnos cuenta, siempre sale a relucir el tema de las vacaciones. La gente cuenta sus planes, dónde piensa ir, o dónde le gustaría, como si fuera a

"Yo soy el típico español que se interesa por todo, pero que no sabe de nada. Soy un desastre. Sólo sé de ciclismo"

salir al día siguiente, cuando en realidad tardará en hacerlo seis meses.

—¿Qué es la *pájara*?

—La *pájara* es que de pronto sientes que vas corriendo contra un muro. Es un muro auténtico, que no puedes traspasar, pero hay algo que te obliga a seguir y a seguir. Es como cuando de pequeño sueñas, yo al menos lo soñaba, que corres desesperadamente, pero no puedes avanzar y te entra una angustia terrible. Hay dos clases de *pájara*, la que se produce por una deficiencia de alimentación, cuando no has comido suficiente, y la que sobreviene como consecuencia de haber realizado un esfuerzo físico excesivo. En cuanto a los efectos que producen, las dos son idénticas, pero la segunda es más peligrosa. En la *pájara* por una deficiencia de alimentación, la recuperación es muy rápida, pero la otra te deja muy fastidiado físicamente y al día siguiente todavía estás tocado. Yo al principio les tenía mucho miedo, cuando era muy fogoso y me olvidaba de comer y de todo. Pero cuando eres profesional no llegas a esos extremos, porque las cosas están más organizadas. Además, tú conoces tu cuerpo, aprendes a dosificar el esfuerzo. Entonces lo peor, lo que sí sientes, es el cansancio acumulado de los días, te sientes como un pobrecín.

—Este conocimiento de su cuerpo, de sus posibilidades, le habrá llevado a saber qué es lo que no debe hacer de ninguna manera cuando participa en una carrera.

—Sé, por ejemplo, que para mí es imprescindible mantenerme aislado. Esto, en algún grado, les pasa a muchos, pero en mi caso es una auténtica necesidad. Vivo un estrés muy fuerte antes de la carrera, durante la carrera y después de la carrera, por la afición, los periodistas. Y llega un momento en el que sé que debo irme a mi habitación y dar cerrojazo. Por eso la lectura me resulta tan útil. A veces, algún compañero me ha prestado algún libro, aunque yo soy muy organizado y en cada carrera me llevo dos. Sé que uno de ellos lo voy a terminar y que el otro quedará a medias. En la Vuelta a España sólo me llevé uno, pero porque sabía que iba a pasar por Segovia y mi padre me acercaría el segundo. Y me lo llevó.

—Los libros son para usted como la bolsa de aseo, que siempre se pone en el equipaje.

—Sí, sí, necesito las dos cosas en la misma medida.

—¿Suele reflexionar sobre lo que ha leído en los libros?

—No. Lo que me hace pensar es lo que leo en los periódicos, ahí sí que te enteras de lo que es la

"Uno no se cansa nunca de ser el primero. Es más difícil ser el segundo. Y como lo único que sé hacer bien es esto, voy a seguir ganando"

vida. Los libros son para mí pura ficción, aunque algunos los compro para enterarme de ciertos fenómenos. Pero, bueno, yo soy el típico español que se interesa por todo, pero que no sabe de nada. Soy un desastre. Sólo sé de ciclismo.

—He leído que trataba muy mal las bicicletas cuando era joven. ¿Qué relación establece con ellas?

—Hay algunos que hablan con la bicicleta y con las paredes y con el espejo. Yo no hago eso.

—¿Y qué se le puede decir a una bici?

—Son palabras que no podrás escribir. Se oye sobre todo cuando pinchas, o cuando te caes y se queda torcida. Los ciclistas decimos que, cuando uno va bien, la bici se pincha; que cuando uno va fatal y desea que se pinche, para no quedar tan mal, no pincha ni aunque te metas por las piedras.

—La bicicleta es una enemiga y una amiga. En cualquier caso es algo imprescindible. Podríamos fantasear un poco sobre esto. ¿Qué le parece si la comparamos con una mujer?

—No llega a tanto. No la considero como a una mujer, porque a la bicicleta la domino.

—Pero usted ha dicho que se pincha en el momento menos oportuno.

—Es una máquina. Eso es lo único que se me ocurre decir sobre ella. A la máquina bicicleta la veo de una manera fría, gélida, un instrumento de trabajo. Gracias a ella puedo vivir bien y gracias a ella me rompo la clavícula de vez en cuando.

—¿No siente agradecimiento por una máquina que le ha dado todo lo que tiene?

—Yo sé de gente que guarda sus bicicletas. Y parece lo lógico, porque a mí me preguntan si no conservo aquéllas con las que he ganado las dos vueltas de España y el Tour. Pero no. Cuando se me estropea la que tengo, me la tiene que prestar un amigo, o acercármela el equipo. Al principio, con la euforia de tener la primera bicicleta, la mantenía limpia. Pero duró muy poco. Siempre está sucia, desengrasada, en un estado fatal. Cuando no tenía un equipo que se ocupara de todo, siempre llegaba a las carreras con una bicicleta que era un desastre. Pero como ganaba, pues se aguantaban, me lo consentían, aunque me reñían mucho, pero mucho. Ahora ya tengo los mecánicos, ellos se ocupan y yo no me entero de nada, paso completamente. Es que soy muy frío. También es que uno coge más apego a las cosas inalcanzables.

—Inalcanzable para usted fue el Tour durante un tiempo.

"Siempre me he considerado muy centrado. La timidez me dejaba sentado en un rincón, pero se aprende mucho mirando a los demás"

—Pues sí. Y entonces se crea un síndrome, una rabia. Siempre he terminado tranquilo el Tour, pero he tenido una rabia.

—La seguridad en sí mismo le convierte a usted en un hombre optimista.

—Yo creo que las cosas sólo se hacen por amor o por odio, su contrario. Alguien que no siente ni padece no hace nada. Ésa es mi teoría.

—Y corre por amor al éxito.

—Sí, claro.

—Pero si ya ha ganado el Tour, que era, según decía antes, lo inalcanzable, ¿no se cansará de alcanzar las mismas metas?

—Uno no se cansa nunca de ser el primero. Todavía no he oído a nadie decir eso. Y como lo único que sé hacer bien es el ciclismo, voy a seguir ganando en esto mientras pueda.

—Esta especie de frialdad, de equilibrio, ¿lo tuvo usted siempre?

—Siempre he sido muy tímido, pero me he considerado muy centrado. La timidez me dejaba sentado en un rincón, pero desde allí, calladito, observaba mucho. Y se aprende mucho mirando a los demás. Es como más se aprende de la gente. Por eso, como ahora hablo mucho, porque tengo que hacerlo, con periodistas y otra gente, pues he empezado a observar menos. Y eso no me gusta, me pierdo cosas. No es fácil hablar y observar al mismo tiempo.

—¿Cree que nació usted para ser ciclista?

—He sido consciente de mis cualidades, y como no voy a ser un tonto, he tratado de exprimirlas al máximo.

—¿Existen unas cualidades físicas idóneas para ser corredor?

—Hay unos estudios, de ésos que se hacen ahora, que explican cómo debe ser el ciclista perfecto. Parece que yo coincido con ellas. No soy ni bajo ni alto. He sido estándar toda mi vida: ni gordo ni flaco; no corría ni mucho ni poco. Hasta en los estudios era del montón. Pero en el ciclismo he sido una superestrella. Es lo único en que he conseguido brillar, y como lo tuve muy claro desde el principio, pues me decidí por ser corredor. Yo a los 15 y 16 años ya ganaba carreras, pero estoy convencido de que, de no haber sido así, yo lo dejo. Estoy convencido. Lo que no quería era seguir siendo un estándar.

—¿Cómo se asimila ser el primero tan joven?

—Es más difícil ser el segundo.

—Cuando a un artista le dan un premio, generalmente a edad avanzada, suele decir: este premio me hubiera hecho mucha ilusión cuando era joven, ahora lo tomo con mucha naturalidad.

— En ciclismo no hay un cambio brusco. Al principio eres el primero en la barriada, luego en la ciudad, y así vas ampliando el círculo. La emoción que me producía un triunfo a los 15 años era igual que la que sentí al ganar el Tour. También el trabajo que me cuesta es equivalente. Y siempre me ocurre lo mismo, una vez que he ganado, cuando llego al podio, el sentimiento es el mismo; yo mismo lo minimizo, le quito valor nada más conseguirlo.

—Se protege contra el éxito.

—Sí, trato de hacerlo. Antes no, pero ahora sí.

—¿Qué es lo que teme?

—No sé no aprender ..., temo perder mi propio punto de vista. Trato de buscar el equilibrio. Me da miedo ganar muchas veces, aunque es lo que más deseo, y que eso me haga perder ese equilibrio, volverme tonto. Temo llegar a pensar que todo el mundo es una mierda. Tengo claro que no hay que dejarse arrastrar.

—¿Por qué le tiene tanto miedo al desequilibrio?

—No sé, porque en mi casa todos somos muy centrados. Pero he visto a mucha gente desconcertada, cambiada.

—Alguien escribió que usted era un ciclista del Mercado Común, ¿Le gustó?

—Me encantó, la verdad; me parece un halago tremendo.

—El hecho de no ser querido por todo el mundo ¿cómo lo asimila?

—Es bueno para eso que hablábamos, para el equilibrio. Lo importante para mí es que me sienta bien conmigo mismo. Ahora mismo estoy contento, vivo como en las nubes, me considero muy feliz a todos los niveles.

2 En el primer párrafo del artículo, el autor habla de Pedro Delgado como un hombre muy <<frío>> y a quien sólo le preocupa ganar una y otra vez. Después de leer el artículo, ¿estás de acuerdo con esta descripción de su carácter? Justifica tu opinión en un máximo de 50 palabras.

3 Trabaja con un compañero para comprender lo que dice Delgado sobre lo siguiente y luego explica al profesor lo que los dos habéis decidido:
   a Cómo se siente Delgado al terminar una carrera muy larga.
   b La importancia de la lectura.
   c Los dos tipos de <<pájara>>.
   d Las relaciones que tiene con las bicicletas.

4 He aquí una lista de diez adjetivos que se pueden aplicar a Pedro Delgado según lo que se desprende del artículo. Escoge cinco de ellos y escribe cinco frases para explicar por qué se le puede considerar así. Por ejemplo: <<Perico es **soñador** porque dice que cuando hace frío, sueña con una ducha caliente.>>

frío	controlado	temeroso
indestructible	organizado	optimista
equilibrado	tímido	ambicioso
feliz		

5 Hay unas cosas que dice Delgado que parecen, fuera de contexto, un poco curiosas, hasta incomprensibles. Explica en español lo que quiere decir exactamente con las citas siguientes:
   a Hay una especie de resaca que dura dos o tres días.
   b La lectura ... es lo único que me saca de ese mundo de locos.
   c Sientes que vas corriendo contra un muro.
   d Los libros son para mí pura ficción.
   e Soy un desastre.
   f A la máquina bicicleta la veo de una manera fría, gélida.
   g Alguien que no siente ni padece no hace nada.
   h Tengo claro que no hay que dejarse arrastrar.

6 Busca el párrafo que empieza <<Hay unos estudios, de ésos que se hacen ahora ... >> y cámbialo del estilo directo al estilo indirecto. Empieza así:
Delgado dijo que había unos estudios, de ésos que se hacían entonces, que ...

7 Imagina que vas a entrevistar a Pedro Delgado. Inventa cinco preguntas que quieras hacerle y que sean diferentes de las que le hacen en el artículo. Después, haz las preguntas que has inventado a tu compañero y contesta también a las suyas. Las respuestas tienen que estar basadas en lo que habéis aprendido del carácter de Delgado.

GRAMMAR

Negatives

◆ The standard way of making a verb negative in Spanish is of course to place the word **no** in front of the verb. Remember that this is placed in front of the auxiliary verb in a compound tense, in front of the imperative, in front of an infinitive, and also in front of the object pronoun whether the latter is direct, indirect or reflexive:

○ ¿no llega a desear que se suspenda la competición? (in the end, don't you want the race to be called off?)
○ ... cuando no has comido suficiente (... when you have not eaten enough)
○ ... para no quedar tan mal ... (... in order not to end up in such a bad position ...)
○ No la considero como a una mujer (I don't look on it as I do a woman)
○ ¿no se cansará de alcanzar las mismas metas? (won't you get tired of achieving the same goals?)

◆ Other common negative words in Spanish are **nunca/jamás** (never), **nada** (nothing), **ningún/ninguna** (no, none – used as an adjective with a noun), **nadie** (nobody), **ni ... ni ...** (neither ... nor ... used in front of nouns) and **tampoco** (neither – used with a verb).

These words will be found before or after a verb, though you must remember that when they are placed after the verb, **no** must be placed before that verb:
○ No me había enterado de nada (I had not understood

anything)
○ Jamás dejo un libro a medias (I never leave a book half-read)
○ No soy ni bajo ni alto (I am neither short nor tall)
○ No he oído a nadie decir eso (I have not heard anyone say that)

For further notes on the uses of negatives in Spanish, see the Grammar Summary on page 246.

Discovery
Work with a partner to find all the examples of negatives in the interview given by Pedro Delgado. With examples where just the word **no** is used, try to include another negative word in the same sentence so that more or less the same meaning is conveyed, as in the following examples:
○ *Original text:* ¿no llega a desear que se suspenda la competición?
   Additional negative: ¿no llega nunca a desear que ...?
   or ¿nunca llega a desear que ...?
○ *Original text:* cuando no has comido suficiente ...
   Additional negative: cuando no has comido casi nada ...

Práctica
Refiriéndote a cualquiera de los temas que has estudiado sobre el deporte, escribe diez frases que contengan ejemplos de palabras negativas. A ver si puedes utilizar todas las palabras negativas mencionadas arriba, y variar su posición con relación a los verbos.

No podemos dejar el ciclismo sin mencionar la carrera española más importante del año. En efecto, después del <<Tour>> y del <<Giro>> de Italia, se considera que la Vuelta Ciclista a España es la prueba más prestigiosa del mundo. Es una carrera con unos 4.000 kilómetros que se celebra normalmente a finales de abril / principios de mayo y que pasa por una veintena de provincias españolas. En España, la Vuelta interesa y apasiona aunque también es verdad que es un espectáculo, como todos los grandes, que queda un tanto ahogado por la publicidad y que implica por eso enormes cantidades de dinero generadas en cada pedaleo. Es interesante, entonces, descubrir que también hay otras consideraciones más dignas de admiración que aparecen de vez en cuando, como por ejemplo la importancia de conservar el medio ambiente de los excesos de la popularidad de semejante espectáculo.

Texto G Los Lagos de Enol (Covadonga)

1 Antes de escuchar el texto grabado, mira el significado de las palabras siguientes:

el patronato	board of trustees
cumplir	to fulfil
el escrito	document
remitir	to submit
acceder a	to have access to
La publicidad	advertising
sobrevolar	to fly over
un compromiso	an undertaking
la cumbre	summit
denominarse	to be called
luchar denodadamente	to fight bravely

2 Escucha bien el texto y escribe cómo se dicen las siguientes frases:

a ... as long as a set of conditions are fulfilled.
b The Board met this morning.
c ... as far as the number of vehicles is concerned.
d I take it for granted.
e ... just as we have fought collectively to get the "Vuelta" ...
f ... the Park shall be left as we have found it.
g So one stage will end at the Covadonga lakes.
h ... in memory of the mayor who died recently.

VUELTA CICLISTA A ESPAÑA 1989

□ Etapa contra reloj

Terminamos este capítulo con otra estrella del campo deportivo español, pero esta vez en el mundo del tenis. Arancha (también se escribe Arantxa) Sánchez Vicario figura en la actualidad entre las mejores tenistas del mundo. Su primera victoria importante llegó el 10 de junio de 1989 cuando derrotó a Steffi Graf en la final de Roland Garros (un torneo del <<Grand Slam>>) en París. Con ella y también con su gran rival Conchita Martínez, este deporte español no puede pedir más por el momento.

Textos H e I Lee el artículo sobre Arantxa Sánchez (Texto H) y también las notas biográficas (Texto I, pág. 80) y trata de emparejar cada una de las palabras españolas que siguen con su equivalente inglés:

Texto H

un sorteo	new paragraph	**un bote**	a novice
un alevín	a bounce	**apuntar**	to give in
rabioso	a draw	**una casta**	to show a preference
un encargado	dedicated	**punto y aparte**	to register
volcado	to crush	**darse por vencido**	to get angry
decantarse	furious	**coger un cabreo**	person in charge
un palmo	a breed	**aplastar**	an inch

Texto I

sin compromiso	a shot
los tejanos	a backhand
el peluche	unattached
una jugada	jeans
la dejada	"let" (in tennis)
un revés	fur

<<¿Acaso no ve mis pendientes?>>

Arancha era confundida con un niño a los diez años y a los diecisiete ha alcanzado la gloria en París

Cuando Arancha Sánchez sólo tenía diez años parecía un niño por su apariencia física. Durante el sorteo de un campeonato de alevines, el director del torneo le dijo: <<Acércate, muchacho, y ve sacando las papeletas de cada jugadora...>> Arancha, enfurecida y rabiosa, le contestó: <<Oiga, yo soy una niña y no un muchacho. ¿Acaso no ve mis pendientes?...>> En otra ocasión, la encargada de los vestuarios femeninos le prohibió la entrada, diciéndole que el vestuario de los hombres estaba enfrente. Arancha sufrió otra rabieta y volvió a echarse mano a las orejas, luciendo con arrogancia sus pendientes.

La menor de la saga de los Vicario recoge la herencia de toda una familia volcada en el mundo del tenis. El matrimonio formado por Emilio Sánchez (ingeniero industrial) y Marisa Vicario, decidió, desde que sus hijos eran pequeños, que canalizaran sus energías a través del deporte. Y así Marisa, la hija mayor (25 años) empezó a jugar al tenis a los 9 años, aunque de mayor se decantó por estudiar Administración de Empresas en Estados Unidos, y allí ha proseguido su carrera de tenista. Dicen que 1989 será el año de su revelación. Emilio (24 años) dejó la natación por el tenis y desde los 11 años su carrera tenística ha ido en alza. Está considerado como el tenista español más brillante de los últimos años y junto con su hermano Javier (21 años) representa a España en la Copa Davis. Este último es también un importante puntal del tenis español.

EL TENIS ME DIVIERTE

Y en ese ambiente familiar, mezcla de rigor y responsabilidad tempranos, y acompañando a sus hermanos mayores al Club de Tenis, cuando aún no levantaba un palmo del suelo, creció la pequeña de todos, Arantxa:

–"Sí, mi afición vino de familia. Y yo creo que antes de coger una muñeca cogí una raqueta. Empecé a jugar con cuatro años. Mis padres al principio pensaban que no iba a jugar bien, pero cuando me pusieron en la pista y jugué con mi padre y vieron que cogía todas las pelotas, que las cogía al primer bote, se dieron cuenta de que iba en serio y me apuntaron a la Escuela y al Club de Tenis de Barcelona".

Arantxa Sanchez Vicario se levanta a las ocho de la mañana. Entrena tres horas. Vuelve a casa, come, una hora de reposo y por la tarde entrena de nuevo otras dos horas, y después hace hora y media de preparación física. Cuando regresa a su casa son algo más de las siete, a esa hora una profesora le enseña inglés y alemán. A las nueve y media cena y a la cama. Los fines de semana entrena, sólo por la mañana; por las tardes sale con sus amigas/os, al cine muchas veces, porque le gusta mucho.

¿Qué tipo de películas?

–"Me gustan cantidad las películas de terror, y también las de risa. Y me gusta mucho Rob Lowe, aunque Tom Cruise es el actor que me gusta más, y, bueno, Jane Fonda y Robert Redford".

De Arancha Sánchez podría escribirse un libro. En 1985, en Granada, Arancha, con sólo trece años, se proclamó campeona de España. La más joven de la historia. Pese a su corta edad, Arancha demostró en la final de aquel campeonato su temperamento, su genio, su casta y su raza.

UNA AUTÉNTICA VICARIO

Arancha merece la pena, es punto y aparte, otra cosa, ella es diferente. Cortés, amable, educada. Sabe estar siempre en su sitio. Es una auténtica *Sánchez Vicario*. De su madre ha aprendido la corrección, los buenos modales; de sus hermanos aprovechó la lección de saber luchar hasta el final dentro de una pista, el no darse jamás por vencida, la bravura, la combatividad.

Arancha siempre sonríe. Jamás está triste. Es un pequeño torbellino, pleno de sinceridad. Su hermano Emilio lo ha repetido: <<De todos nosotros, Arancha es la que mejores condiciones tiene para jugar al tenis. Su juego es intuitivo, inteligente, fresco. Siempre sabe cómo reaccionar en un momento difícil del partido. ¿Qué pasa cuando estamos todos juntos en nuestra casa en Barcelona? ¡Oh, la la...! ¡Es como si temblara la tierra...!

Arancha es sencilla, humilde y en todo momento disciplinada en los entrenamientos.

<<Yo no soy Martina Navratilova. Mi tenis es diferente, por eso sé que mi base principal debe ser el trabajo. Sin una buena preparación y un método de vida sano no podría haber llegado donde estoy.>>

A Arancha le entusiasman las películas de risa. Se desternilla con ellas. No quiere películas complicadas, impropias de una niña de su edad. Su malicia no va más allá de sentir la satisfacción de ganar, aunque sea a su propia hermana.

<<¡Jo!, el día que gané a mi hermana Marisa lo pasé en grande. ¡Qué cabreo cogió! Estuvo dos días sin hablarme. Y es que a ninguno de los hermanos nos gusta perder. Yo siempre he admirado a mi hermana y a Chris Evert. Así que ganarlas a las dos fue para mí "demasiado".>>

Al verlas siempre juntas no parece sino que Marisa Vicario y Arancha nacieran a la vez y del mismo vientre, unidas por un eterno e inseparable cordón umbilical.

Dentro de la pista, Arancha es diferente. <<Si puedo aplastar a mis contrarias, por 6-0 y 6-0, no pienso que eso puede ser una humillación para ellas. El tenis es un juego donde puede darse cualquier resultado.>>

BUENA ESTUDIANTE

Arancha hace sólo unos años no sabía si se haría profesional o terminaría estudiando una carrera universitaria. <<Yo soy una buena estudiante y sé que estudios y tenis resultan, a veces, incompatibles. Voy a intentar ambas cosas, pero a causa de mis viajes me veo obligada a recuperar muy de prisa. Sin embargo, reconozco que me gusta más el tenis que los libros...>>

Es natural, es lo único que ha visto hacer a su alrededor desde que vino al mundo, hace diecisiete años. Su primer regalo de los Reyes Magos fue una raqueta. <<Yo jamás he jugado con mis muñecas. Cuando era pequeña mi madre me decía que hiciera lo que todas las niñas de mi edad, pero yo, en vez de coger una muñeca, tomaba la raqueta y le pedía a mis hermanos que me dejaran jugar un poquito con ellos, dejando las muñecas encima de la cama...>>

- ● **Volver a** + infinitive: this construction means "to do something again" and is a useful variation on the use of **otra vez** or **de nuevo**. The verb **volver** is put into whatever tense is needed:
  - ○ **Arancha ... volvió a echarse mano a las orejas** (Arancha ... raised her hands to her ears again)
  - ○ **Un día, Arancha volverá a ganar este campeonato** (One day, Arancha will win this championship again).

ARANTXA SANCHEZ VICARIO

Nombre: _Arantxa Sánchez-Vicario_

Lugar de nacimiento: _Barcelona_

Fecha: _18 - 12 - 71_

Estatura: _1, 67_

Peso: _55 Kgs_

Padre: _Emilio_

Madre: _Marisa_

Estado: _Soltera y sin compromiso_

Entrenador: _Juan Núñez_

Ganancias: _47 millones_

Residencia: _Barcelona_

Logros deportivos: _Campeona de España 85-86 y 87 Vencedora en Bruselas y Roland Garros. Finalista en Tampa (Argentina)_

Ropa: _Tejanos y T-shirts_

Reloj: _Ebel_

Color: _azul_

Perfume: _Anaïs-Anaïs_

Comida: _Pasta_

Música: _Maddona y Springsteen_

Estudios: _2º Bup_

Afición: _Coleccionar muñecos de peluche_

Mejor amiga: _Gemma_

Idolo: _Emilio Sánchez Vicario_

Raqueta: _Slazenger_

Ropa tenis: _Reebok_

Jugada preferida: _Dejada_

Mejor golpe: _Revés a dos manos_

1 Ahora estudia con atención los dos textos y escribe unas notas sobre los siguientes temas:
- **a** Victorias mencionadas
- **b** Fecha y lugar de nacimiento; domicilio actual
- **c** Rutina diaria
- **d** Actitud hacia los estudios y otras carreras profesionales
- **e** Carácter
- **f** Opinión sobre la vida que lleva comparada con la de otras chicas
- **g** Detalles familiares
- **h** Infancia
- **i** Intereses y pasatiempos
- **j** Los chicos y el matrimonio futuro

2 Compara tus respuestas al ejercicio **1** con las de tu compañero de clase.

3 Escribe un párrafo en español sobre Arantxa Sánchez, utilizando sólo las notas biográficas (Texto I).

4 Imagina que vas a entrevistar a Arantxa. Escribe cinco preguntas que quieres hacerle y entonces hazlas a tu compañero de clase.

5 Traduce al español el párrafo siguiente:

In the world of tennis, Conchita Martínez was nobody before the 1989 season. But in six months she had become an important figure in the world rankings, and had won the Spanish Championship by beating Arantxa Sánchez Vicario in the final. Arantxa herself has never wanted to do anything except play tennis and even when she was very young, she was not interested in either dolls or clothes, preferring to get out on the local courts with her racket. In a few years, these two stars will have won many world tournaments: there has never been a better time for women's tennis in Spain.

Redacciones
Escribe una redacción sobre uno de los siguientes temas:
- **a** Imagina que eres Pedro Delgado o Arantxa Sánchez Vicario. Escribe una redacción, detallando los triunfos que has obtenido hasta ahora y lo que esperas hacer en el porvenir.
- **b** Eres periodista y has visto una vuelta ciclista o un torneo de tenis que ha ganado una de las dos estrellas estudiadas. Escribe un artículo para tu periódico, describiendo lo que pasó y las cualidades importantes de la que (o del que) ganó.
- **c** Has ganado un concurso y tu premio será la oportunidad de encontrarte con Pedro Delgado o Arantxa Sánchez Vicario. Describe por qué te gustaría encontrarte con la estrella que escogerías.

Desarrollando el tema

1 *Problemas relacionados con el deporte:* la violencia; el <<doping>>; las enormes cantidades de dinero gastadas.

2 *Biografía de varias estrellas del deporte español:* Pedro Delgado; Miguel Induráin; Arantxa Sánchez; Conchita Martínez; Hugo Sánchez; Emilio Butragueño, Severiano Ballesteros, etcétera.

3 *Panorama de uno o varios deportes españoles:* el ciclismo; el tenis; el fútbol (rivalidad del Real Madrid y del Barça); el esquí; el atletismo; el golf.

4 *La Vuelta a España de este año:* un reportaje detallado; las etapas; los ciclistas; los resultados.

5

ENSEÑANZA DE PRIMERA Y SEGUNDA CLASE

La educación es un tema, claro está, que nos afecta a todos los seres humanos sea cual sea nuestra nacionalidad. Aquí pues, refiriéndonos a la enseñanza en España, vamos a examinar primero unas cuestiones más bien universales en el mundo educativo, como lo son las asignaturas que se estudian, la buena o mala motivación del alumno, las relaciones entre alumnos y profesores y la discriminación sexual.

También es evidente que en varios aspectos de su sistema escolar un país se diferencia de otro y por eso queremos que aquí aprendáis un poco sobre la educación española: los diferentes cursos que se ofrecen, las reformas planeadas por el Ministerio de Educación y que ya han entrado en vigor, los Consejos Escolares y finalmente la mayor actividad y participación de los colegiales españoles de enseñanza media (es decir comparados con sus equivalentes ingleses) a raíz de polémicas como la de la selectividad.

Pero antes de todo esto, empecemos como siempre con un poco de repaso y ampliación de lo que ya habréis hecho antes.

Para empezar:

Estudia las preguntas siguientes y prepara unas notas para poder contestarlas y charlar con tu compañero de clase sobre diversos aspectos generales de tu colegio y la educación que recibes allí:

a Describe la situación y el aspecto físico de tu colegio, detallando el tipo de edificios, clases y facilidades que tiene.

b Describe detalladamente un día normal en el colegio – por ejemplo, las horas de tu llegada y salida, las horas y el número de clases que tienes, cuando hay un recreo y cuando se toma el almuerzo.

c ¿Qué asignaturas estudias, y cuál prefieres? ¿Cuáles son las otras asignaturas que ofrece el colegio?

d ¿Cómo son los profesores de tu colegio? Describe a uno de los profesores sin nombrarle – a ver si después tu compañero puede reconocerle.

e ¿Cuántas horas de deberes tienes cada semana? ¿Las consideras excesivas o necesarias?

f ¿Cuáles son, aparte de las clases, las otras actividades populares en tu colegio? ¿Estás en algún equipo deportivo o en otro tipo de club?

g ¿Qué opinas sobre tu colegio en términos generales? ¿Por qué?

h Si tú fueras el director del colegio donde estudias, ¿cambiarías algo?

I TEMAS GENERALES

El sistema de educación español vigente hasta hace poco (en el cual se han producido varias reformas como verás más tarde), empezaba con las etapas <<Maternal>> y <<Preescolar>> hasta los seis años en que comenzaba la parte obligatoria llamada Enseñanza General Básica (EGB). Después de los 14 años, los alumnos podían ir a la Formación Profesional (FP) o a los Institutos Bachillerato donde el curso constaba de tres años y se denominaba Bachillerato Unificado Polivalente (BUP), al final del cual se les daba el título de bachiller. Entonces se realizaba un curso más, el Curso de Orientación Universitaria (COU) que daba acceso a la universidad con tal que se aprobara un examen selectivo al final.

El primer artículo que vas a estudiar alude a estos aspectos del sistema anterior además de las mencionadas reformas. También alude al hecho de que en un colegio español, si no obtienes notas adecuadas a finales del año escolar, estás obligado a repetir el año entero. Nosotros lo hemos elegido, sin embargo, para poder examinar un tema más general: las causas del éxito y del fracaso escolares.

Texto A **1** Antes de leer el texto, busca en el diccionario el sentido de las palabras siguientes:

la pereza	cabalgar	centrarse
zambullirse	el cole	encauzar
apurar	fatídico	fallar
el madrugón	el puchero	ilusionar
una cortapisa	la congoja	repercutir

2 Lee con atención el artículo. ¿Te parece un texto pesimista u optimista en cuanto a la cuestión del fracaso escolar? Justifica tu opinión.

3 Según el autor, ¿en qué se diferencian las actitudes de los alumnos de varias edades? ¿Cómo se puede explicar esta diferencia?

4 Lee otra vez el artículo y entonces haz una lista de todas las razones que, según el autor, explican el peligro del fracaso escolar. Completada la lista, ponlas en orden, empezando con la que consideras más importante.

5 Verifica lo que has escrito con el profesor, y luego justifica el orden que has elegido.

SIETE MILLONES DE ALUMNOS VUELVEN A LAS AULAS

BAJO LA POLEMICA SOBRE LAS CAUSAS DEL FRACASO ESCOLAR

Muchos profesores advierten sobre el peso de estos dos largos meses de vacaciones. Algunos padres lo tienen en cuenta. En todo caso, la vuelta a las aulas es siempre un comienzo difícil, con expectación para unos y pereza para otros. A partir de este próximo viernes, siete millones de niños empiezan las clases del curso 89-90. Un retorno marcado por la polémica no cerrada sobre las causas del fracaso escolar y el horizonte de nuevos campos educativos.

VAYA fastidio!, grita Marcos Iranzo, mientras se zambulle en el agua. Jorge, Ramón y Gabriel, sus amigos, hablan del nuevo curso que comienza. Apuran sus últimos días de vacaciones en el Mediterráneo. Como algo lejano queda el mes, lleno de emociones, que Marcos, Ramón y Gabriel vivieron en la costa oeste americana. Dentro de nada empiezan los madrugones, los horarios estrictos, las clases, la disciplina y las cortapisas a la libertad.

Nuevo rumbo. Todos ellos cabalgan a la grupa de los 16 y 18 años. Forman parte de ese millón cuatrocientos mil alumnos que presumiblemente estudiarán BUP y COU en España durante este curso 1989-90. Muy cerca de los jóvenes, Olga y Marta, de 7 y 10 años, dos niñas rubitas que construyen fortificaciones en la arena, se sienten fascinadas con la vuelta al cole — dos alumnas entre los casi cinco millones de niños que estudiarán EGB este año en España—. A su lado, Ana y Alejandra, de 5 y 4 años, empezarán Preescolar... <<¡Oh, el cole...! Pero allí no hay playa, ni olas, ni helados gordos... Mamá se quedará en casita y... estaremos mucho tiempo sin papá, sin mamá, sin los

hermanos...>> Encogen la nariz. La idea no les seduce.

Como las de Ana y Alejandra, las vidas de casi un millón de niños, en edad Preescolar, tomarán un nuevo rumbo. Para muchos, esta semana de septiembre resultará fatídica. Habrá pucheros, borbotones de lágrimas, congojas en el corazón de las madres y resoluciones decisivas por parte del profesorado para romper con despedidas dramáticas en la puerta de los colegios.

LA PERDIDA DEL HABITO DEL ESTUDIO, LO MAS DURO DEL RETORNO A LOS COLEGIOS

<<Los niños de Maternal y Preescolar lloran muchísimo los primeros días. Pero luego lo superan. En cambio, los niños de los cursos iniciales de EGB comienzan el colegio contentos. Regresan con sus amigos, vuelven a llevar una vida activa y les satisface>>, señala Carmen Oteiza, psicopedagoga.

Dos largos meses. Pero así como en los primeros cursos de EGB los niños aceptan de buen grado la vuelta al curso, a

medida que crecen y pasan a etapas superiores se les hace más cuesta arriba. <<¿Qué es lo más duro para los alumnos?>>, se pregunta el P. Ricardo Sada, sacerdote jesuita. <<Yo diría que en esta dureza de la vuelta a las aulas va todo unido.` Les cuesta centrarse. Han perdido el hábito de estudio, de la disciplina. Se ha producido una relajación en todos los aspectos de su comportamiento y no es fácil volverlos a encauzar de nuevo.>>

Hoy falla la rigidez en la disciplina — según los educadores — porque cada vez existe menos autoridad social y familiar. <<El chico tiene mucha libertad. Y los padres, hoy día, ante un conflicto, tienden a dar la razón a los hijos, en vez de dialogar con el profesor y conocer su punto de vista.>>

El fracaso escolar. Los profesionales de la enseñanza no dudan en calificar de complejo el temido fracaso escolar. ¿Un fracasado escolar es un niño que no aprueba? ¿Quién ha sido el causante? ¿El niño que no ha estudiado? ¿El profesor que no ha logrado seducir al niño con su asignatura? ¿Un ambiente familiar negativo? Creemos sencillamente que se producen un sinfín de concausas, pero la fundamental es una. <<Falla el sistema educativo>>, coinciden al unísono, profesores, psicopedagogos y educadores.

<<Para muchos niños suspendidos, el volver ahora al colegio después de un verano catastrófico, puede suponer un trauma>>, asegura Carmen Oteiza. <<Si repite curso, lo pasa mal. Y, si además de repetir curso, repite profesor, un profesor con el que no se sentía cómodo, puede resultar funesto para el alumno.>>

Psicólogos y pedagogos califican estos años del niño y adolescente de cruciales. <<El ambiente que rodea al niño es fundamental, pero también es de gran importancia que el profesor sepa motivar al alumno. El profesor debe conseguir que su asignatura le ilusione, le encante, le seduzca.>>

El desarrollo de la capacidad intelectual no termina a los 12 o

13 años, sino que se prolonga. Crece con los años, sobre todo cuando trabaja. <<Pero siempre insistimos que el ambiente de la familia es básico. Hay que estimular al niño, despertar su interés. El padre y la madre repercuten. Pero no debemos olvidar que el niño, a los 13, 14, a los 15 años, atraviesa una época de rebeldía. Por eso, a partir de 8.° de EGB es de suma importancia la figura del tutor>>, puntualiza la psicopedagoga Asun Ulzurrun.

Profundos cambios. Dentro de dos años habrá cinco bachilleres. Y desaparecen BUP, COU y FP.

<<Se trata de unificar el sistema educativo sin que sean los buenos o malos de la película — manifiesta Carmen Oteiza—. Con el nuevo sistema tenemos un ciclo obligatorio y gratuito hasta los 16 años. Y el alumno pospone la elección de la profesión. Se pretende lograr de este modo una mayor formación y madurez en el alumnado.>>

Sonrisas y lágrimas. Mientras en esta semana de septiembre, siete millones de niños y adolescentes lloran, se encrespan o ríen, otro millón de jóvenes, los universitarios, se encuentran inmersos en el fragor de los exámenes de septiembre para las asignaturas de repesca, o en el trasiego de expedientes para los trámites de matrícula de sus respectivas facultades o escuelas especiales. El curso para ellos, empezará un mes más tarde, en la primera semana de octubre.

Dispersos, embelesados, a veces disolutos y cambiantes — <<están hechos un auténtico lío>>, matiza la psicopedagoga Oteiza, <<se transforma su mente y se transforma su cuerpo>>—, los bachilleres regresan a las aulas. <<Con un comienzo de curso menos rentable, porque están distraídos, con buen espíritu, porque ven a sus amigos, y con muy poca aptitud para el trabajo — asegura el rector jesuita — así se inicia septiembre. Empezamos refrescando el curso anterior, porque, para despegar con el nuevo curso, hace falta primero calentar motores.

MARIA JOSE VIDAL

Texto B La influencia del clima en el rendimiento escolar

Vas a escuchar un texto grabado donde se habla de otro posible motivo del fracaso escolar. Primero, he aquí un poco de vocabulario que te ayudará a entender lo que vas a escuchar:

tener que ver con	to have an influence on
el rendimiento	performance
la humedad	humidity
deseable	desirable
recalentado	heated
rendir (i)	to perform
implicar	to imply
tener en cuenta	to realise

1 Escucha el texto y luego escribe, no utilizando más de 50 palabras, un resumen en español del argumento principal.

2 Si es verdad lo que se dice aquí, tal vez se podría decir que no hay nada que hacer, puesto que la influencia de que se habla está fuera del control de los seres humanos. ¿Estás de acuerdo, o piensas que se podrían tomar medidas para dar una mejor solución al problema?

3 Escucha otra vez el texto y rellena los espacios en blanco del párrafo que sigue:

En esta época del año por ejemplo el clima _____ el rendimiento escolar y con el trabajo intelectual. Para estudiar mejor, _____ los expertos, son necesarias temperaturas _____ y mayor humedad. Las lluvias también son _____. Los meteorólogos tienen la _____ ideal para conseguir el _____ rendimiento en los exámenes: <<Un estudiante que está en una habitación _____ y con una humedad relativa muy baja, no _____ lo que _____ en una atmósfera con una humedad relativa aproximadamente del 50% ...>>

Texto C

En el pequeño artículo siguiente (pág. 88), se abarca la cuestión de la discriminación sexual en las escuelas, desde el punto de vista femenino y enfrentado por un colectivo feminista que se llama <<A Favor de las Niñas>>.

1 Antes de leer el texto, estudia las dos listas siguientes de palabras españolas y de sus equivalentes en inglés. Tienes que emparejarlas según correspondan. Aunque esto parezca muy difícil a primera vista, y además la lista sea bastante larga, acuérdate de que muchas veces hay palabras inglesas muy parecidas a las españolas, o tal vez palabras españolas que ya conozcas y que tengan una raíz asociada con la palabra que buscas. Por ejemplo:

Dado que conoces el verbo <<hacer>>, no te sorprenderá saber que la palabra <<hacendoso>> se aplica a una persona que hace muchas cosas, o sea en inglés <<hard-working>> o <<industrious>>. Igualmente, la palabra <<luz>> te ayudará a entender el verbo

<<relucir>> (en inglés: <<to shine>>). También, la palabra <<audaz>> se parece mucho al inglés <<audacious>> así que es bastante fácil comprender que quiere decir <<bold>>, o que una <<carabela>> es un tipo de barco que se llama en inglés << caravelle>>.

Siguiendo este procedimiento, y teniendo en cuenta el tema general de la discriminación sexual, seguro que ahora podrás adivinar el sentido de la mayoría de las palabras siguientes:

Blancanieves	to emphasise
recatado	to overturn
La Bella Durmiente	conceited
presumido	a damsel
una escoba	a distaff
propagar	to perish
resaltar	to spread
Pulgarcito	Snow White
justiciero	to promote
una damisela	Tom Thumb
estar abocado a	a test tube
perecer	a broom
una garra	wise
dar un vuelco	to reverse
sabio	Sleeping Beauty
una rueca	a claw
una probeta	a transmitter
una transmisora	demure
promover	(strictly) just
invertir	to be heading for

2 Verifica las respuestas que tienes con el profesor y luego lee con atención el artículo. Después, explica lo que quiere decir la frase: <<Los cuentos infantiles asignan a sus personajes femeninos papeles acordes con las cualidades que la sociedad que los ha inventado y los propaga exige a las mujeres *de bien*, a las niñas que se educan para ser, en su día, mujeres *normales* y respetables.>>

3 Imagina que eres partidario del colectivo <<A Favor de las Niñas>> y que tu compañero de clase está en contra de lo que opinas sobre esta cuestión. Trata de persuadirle a cambiar su opinión machista.

Hacendosa, recatada y limpia

C.S.

Blancanieves es maternal y hacendosa, Cenicienta es dócil y recatada, la Bella Durmiente no gozará de la vida hasta que el príncipe la encuentre y la convierta en su esposa, la casa de la Ratita Presumida reluce como una patena de tanto darle a la escoba... Los cuentos infantiles asignan a sus personajes femeninos papeles acordes con las cualidades que la sociedad que los ha inventado y los propaga exige a las mujeres *de bien*, a las niñas que se educan para ser, en su día, mujeres *normales* y respetables. Para resaltar y reafirmar tales virtudes, los protagonistas masculinos de los cuentos son fuertes como Asterix, valientes como Juan Sin Miedo, audaces como Pulgarcito, justicieros, inteligentes, aventureros... Sin ellos, las reinas, las princesas, las damiselas, las niñas, estarían abocadas a la miseria, la infelicidad y la frustración, a ser comidas por los lobos o a perecer entre las garras de un dragón.

El colectivo feminista A Favor de las Niñas propone a sus compañeros, a los alumnos, a las familias de éstos, que den un vuelco a la tradición y se atrevan a imaginar nuevos cuentos donde haya mujeres sabias que resuelvan los conflictos de su pueblo, muchachas que crucen el mar capitaneando carabelas e incluso madres de familia que descubran en el laboratorio donde trabajan una fórmula mágica (o científica) para curar las enfermedades del mundo y perpetuar la raza humana.

A lo mejor entonces, cuando las heroínas de la fantasía cambien el peine y la rueca por el instrumental de navegación, la espada y la probeta, la escuela empezará a ser igualitaria, a ser transmisora de idénticos valores y esperanzas de futuro profesional para los alumnos de ambos sexos.

El colectivo A Favor de las Niñas pide a los profesores y profesoras que promuevan juegos comunes, actividades deportivas en las que compitan equipos mixtos, actividades manuales en las que se inviertan las funciones tradicionales.

4 Completa el cuadro siguiente:

ADJETIVO	NOMBRE	INFINITIVO
hacendoso		hacer
presumido	la presunción	
acorde		
	la educación	
		respetar
fuerte		
	la aventura	
		proponer
		imaginar
sabio		
		resolver
humano		
	la fantasía	
	el peine	
igualitario		
	el vaor	
		competir
mixto		

5 Traduce al inglés el último párrafo del artículo.

6 Explica a tu compañero de clase cinco ejemplos de <<juegos comunes>>, <<actividades deportivas>> y <<actividades manuales>> que él, en el papel de profesor, pueda promover para que su escuela sea tan igualitaria como lo desea el colectivo <<A Favor de las Niñas>>.

Antes de seguir, busca en el diccionario el sentido de las palabras siguientes:

agredido	una bufanda	un paro general
requerir	aparentar	acaecido
un punto de sutura	huir a la carrera	una escopeta de caza
asestar	un natural	una ráfaga
un bate de béisbol	una cazadora	un perdigón
el aula (f)	una enfermería	delatar
disfrazado	un claustro	apuñalar

Texto D   Ahora la clase va a dividirse en parejas; un alumno de cada pareja tiene que leer con mucha atención el Texto D de la página 91. Mientras tanto el otro va a estudiar las notas siguientes e inventar una historia que contenga todas las palabras escritas:

Alcalá de Henares

profesor de literatura

béisbol

joven en el pasillo

cayó al suelo

30 puntos de sutura

Después de unos diez minutos, el alumno que ha estudiado las notas de arriba va a contar la historia que haya inventado delante de la clase y el profesor.

Luego, este mismo alumno se convierte en periodista para obtener de su compañero de clase los detalles verdaderos del artículo original. Sólo puede dárselos si él hace las preguntas necesarias al otro que fue <<testigo>> del incidente. Al final, sin mirar el artículo original, los dos van a escribir su propia versión del incidente.

Texto E **Un profesor herido**

1 Este texto es un reportaje grabado del mismo incidente. He aquí un poco de vocabulario que te ayudará a comprenderlo:

docente	educational/educative
una muestra	a sign
un(a) corresponsal	correspondent
apodado	nicknamed
un látigo	whip
asestar	to strike
enmascarado	masked

2 Después de escucharlo, compáralo con el Texto D, notando las diferencias, sean errores o detalles adicionales, y complétalas en el siguiente cuadro o en una hoja de papel:

	Texto escrito	*Texto grabado*
Nombre de la víctima		
Edad		
Lugar		
Datos sobre el agresor		
Arma		
Lo que pasó		
Lo que hizo la víctima		
Lo que le pasó al agresor		
Herida		
Tratamiento		
Testigos		

3 Ahora, cuenta toda la historia a tu compañero de clase, utilizando las notas que has escrito pero sin mirar los textos originales.

4 He aquí unas frases que se expresan de otra forma en una y/u otra de las dos versiones de la historia que has estudiado. Leyendo y escuchando los textos otra vez, busca las variantes.

    a la agresión sufrida por un docente del centro
    b tuvo que recibir 30 puntos de sutura
    c los golpes que le propinó un alumno
    d un objeto similar a un bate de béisbol
    e antes de entrar en la clase
    f un joven enmascarado
    g se encuentra ahora ingresado en un centro hospitalario

5 Imagina que eres periodista. Al final del Texto D, se mencionan brevemente otros ejemplos de incidentes violentos en los colegios madrileños. Escoge uno de ellos e inventa un artículo para tu periódico.

Varios hechos violentos, últimamente en centros escolares de Madrid

Un profesor, agredido con un palo en Alcalá

LUZ SÁNCHEZ MELLADO. Alcalá de Henares Eduardo López Ramos, de 50 años, profesor del Centro de Enseñanzas Integradas (CEI) de Alcalá de Henares, sufrió ayer heridas en la cabeza que requirieron 30 puntos de sutura como resultado de los golpes que le asestó un joven con un objeto similar a un bate de béisbol cuando se dirigía al aula donde debía impartir una clase. Este hecho se une a otros brotes de violencia ocurridos últimamente en centros escolares de la Comunidad de Madrid.

El joven, que esperaba al profesor en el pasillo, disfrazado y cubierto con una bufanda, golpeó con fuerza a la víctima, que imparte clases de Lengua y Literatura. El atacante, que aparentaba unos 18 años de edad, huyó a la carrera por los pasillos y los tejados del edificio del CEI, según testigos presenciales.

El profesor, natural de Beas de Segura (Jaén), cayó al suelo semiinconsciente a los primeros golpes y se cubrió la cabeza con las manos. López Ramos ha declarado a la policía que no vio la cara del atacante, pero tres alumnos que presenciaron el hecho dicen que se trata de un chico alto, delgado, de cabello oscuro, vestido con un pantalón vaquero y una cazadora gris.

Tras recibir ayuda de otro profesor del centro, el herido fue trasladado a la enfermería del CEI, donde se le practicó una cura de emergencia.

Paro general

El claustro de profesores del centro ha decidido convocar para hoy un paro general de las clases en protesta por la agresión sufrida por su compañero y por el ambiente de violencia que se respira en los centros de estudios españoles. Los profesores, que realizarán también una manifestación por las calles de Alcalá de Henares, han informado de los hechos mediante un telegrama al ministro de Educación, Javier Solana.

Este suceso se une a otros incidentes violentos acaecidos en centros de enseñanza madrileños. En 1987, un alumno de 16 años disparó con una escopeta de caza en un instituto de Móstoles. El disparo pasó a metro y medio escaso de la cabeza del profesor. Pocos meses después y en la misma localidad, otro alumno disparó una ráfaga de perdigones contra un compañero que le había delatado a la profesora.

El último incidente de este tipo se registró en Alcorcón: un alumno de 15 años fue apuñalado por un compañero de colegio debido a que no le dejaba jugar al fútbol. Unos 300 profesores de Parla se manifestaron el pasado lunes ante el Ayuntamiento para pedir medidas de seguridad, después de que el padre de un alumno intentase agredir a una profesora.

GRAMMAR

Past Participles I

It would be difficult to find a passage of Spanish which did not contain a number of past participles of verbs. The past participle is used with great frequency in the language, either as part of one of the compound tenses which were dealt with in the last chapter (where we emphasised that when used with **haber** the participle never agrees), or on its own as an adjective.

When the past participle is not used with **haber**, it will *always* agree. You may find it used after certain other verbs (to be looked at later in the chapter) or simply on its own, as an adjective describing a noun:

○ El Centro de Enseñanzas Integradas (The Centre for Integrated Studies)
○ Este suceso se une a otros incidentes violentos acaecidos en centros ... (This event is another of several violent incidents [which have] occurred in schools ...)

◇ A few other points concerning past participles will be found in the Grammar Summary on page 244.

Discovery

With a partner, read through or listen to any (or all!) of the following passages, making a note of all examples of past participles that you find. Try to discuss why there is or is not an agreement of the participle in each example that you find.

Texto A   Texto D   Texto E

Práctica

1 Sin mirar el texto original, rellena los espacios en blanco con un participio pasado de la lista de verbos que sigue:

Eduardo López Ramos, profesor del Centro de Enseñanzas _____ sufrió heridas en la cabeza. Este hecho se une a otros brotes de violencia _____ últimamente en centros escolares de Madrid.

El joven, _____ y _____ con una bufanda, golpeó con fuerza a la víctima. López Ramos ha _____ que no vio la cara del atacante, pero parece que se trata de un chico alto delgado, _____ con un pantalón vaquero. El herido fue _____ a la enfermería del CEI.

El claustro de profesores ha _____ convocar un paro general en protesta por la agresión _____ por su compañero. Los profesores han _____ de los hechos al ministro de Educación.

cubrir	integrar
decidir	ocurrir
declarar	sufrir
disfrazar	trasladar
informar	vestir

2 Con un compañero, rellena los espacios en blanco con uno de los participios puestos bajo los artículos siguientes:

Le roban hasta los calcetines a punta de navaja, en Gijón

Gijón, Efe

A las 17 horas del pasado domingo, cuando Julio O.F. caminaba por la calle de Antonio Cacheto, en las cercanías del cuartel de la Policía Municipal, se le acercaron tres jóvenes que, tras enseñarle una navaja de considerables dimensiones, le obligaron a dirigirse hacia un callejón cercano.

Una vez allí, los tres individuos le quitaron 400 pesetas, una hebilla que portaba en el cuello, _____ en 9.000 pesetas, un reloj, _____ en 5.000 pesetas y una cartera de color negro, una vez_____ los documentos personales que le fueron _____ a la víctima.

No contentos con este botín, los atracadores exigieron que les diera los calcetines de deporte, que no fueron _____, y posteriormente se dieron a la fuga, no sin antes amedrentar a Julio O.F. advirtiéndole que, en el caso de que les denunciase, <<le matarían>>. La víctima no denunció el asalto hasta el día de ayer por temor a las represalias.

valorado	**sacados**	**valorada**
devueltos	**valorados**	

Espectacular robo en una tienda de electrodomésticos

Madrid. M.A.

Alrededor de las cinco de la madrugada del _____ domingo, una banda <<de, al menos, ocho o nueve individuos>> desvalijó el establecimiento de electrodomésticos de la cadena <<Expert>> _____ en el número 142 de la calle Toledo, recientemente _____ y, según los propietarios, _____ con los más modernos sistemas de seguridad.

Los ladrones retiraron todos los vehículos _____ en batería frente al establecimiento, con el fin de dejar paso libre a los escaparates. Posteriormente, estrellaron uno de los coches en los que se habían _____ contra el cristal antibala, para acceder a la tienda.

Se calcula que las pérdidas, entre sistemas de seguridad _____ y productos _____ – vídeos, cadenas musicales, televisores y otros electrodomésticos pequeños –, se eleven a más de diez millones de pesetas.

<<Tenemos la certeza – declaró el encargado del establecimiento –de que se trata de una operación perfectamente _____; tardaron menos de un cuarto de hora en desvalijar la tienda. Los sistemas de seguridad ya no son suficientes. Van a ser necesarias las metralletas...>>

estacionados	**situado**	**pasado**
sustraídos	**destrozados**	**equipado**
desplazado	**estudiada**	**inaugurado**

3 En los periódicos y revistas, verás muchos titulares que contienen participios pasados, por ejemplo: <<Identificada la madre de los niños abandonados>>; <<Un español condenado a cadena perpetua>>; <<Un profesor agredido con un palo en Alcalá>>. He aquí dos pequeños artículos cogidos de la Prensa. A ver si puedes inventar para cada uno un titular que contenga por lo menos un participio.

Sabadell. —El equipo de microcirugía de la clínica Santa Fe de Sabadell reimplantó con éxito el pasado lunes el antebrazo derecho a Fernando Pérez López, de cuarenta y ocho años, que sufrió un accidente laboral en su taller particular mientras manipulaba una correa eléctrica, que le amputó el antebrazo. El herido fue trasladado, junto con el miembro seccionado, desde la localidad de Puigcerda, en donde reside, hasta el citado centro, y fue intervenido urgentemente por los doctores Jaime Alaez y Jordi Ramón, quienes en hora y media consiguieron reimplantarle el antebrazo. Aunque habrá que esperar varias semanas para comprobar el resultado, la evolución del enfermo es muy satisfactoria. (Efe.)

Madrid. S.S.

Un joven de veinticuatro años, F.J.V.A., se encuentra ingresado en el Hospital Primero de Octubre con heridas de gravedad, tras arrojarse desde la tercera planta del edificio situado en el número 17 de la calle de General Ricardos, donde, al parecer, estaba robando.

La dueña del piso había avisado a la Policía al comprobar que las cerraduras de la casa no estaban en la posición en que ella solía dejarlas y que la luz del salón estaba encendida. Cuando el delincuente se percató de la presencia policial, saltó por la ventana.

El detenido, que sufre rotura de fémur, portaba en esos momentos 31.225 pesetas, diversas monedas extranjeras, algunas joyas y un estilete. El herido tiene antecedentes por hurto, robo con fuerza, calumnia y atentado a un agente de la autoridad.

II LOS CONSEJOS ESCOLARES

El Consejo Escolar es un órgano de gobierno que existe en todos los colegios o institutos españoles y en el que están representados y participan todos los grupos de personas directamente implicadas en la actividad educativa, es decir principalmente los profesores, los padres y los alumnos. Como se verá en una parte del Texto F, la idea de la participación nació de la Constitución Española de 1978, y entonces fue concretada por La Ley Orgánica del Derecho de la Educación (LODE) de 1985, gracias a la cual llegaron a ser obligatorios dichos Consejos. El Consejo debe reunirse al menos una vez al trimestre, cuando lo convoca el Director del Centro docente, o cuando lo solicita al menos un tercio de sus miembros y tiene que ser renovado a los dos años de haber sido elegido.

Texto F   **1** Analizando los varios artículos y los dos cuadros del Texto F (pág. 95), léelo todo y mira las palabras y definiciones siguientes, buscándolas en el texto para que puedas comprender el contexto en que se usan; verifica con el profesor lo que crees significa cada palabra.

un ciudadano: el habitante de una ciudad

por medio de: mediante

intervenir: tomar parte en

gestionar: administrar

ejecutar: poner por obra una cosa

incidir en: influir en

el seno: la parte interna de una cosa

preceptivamente: obligatoriamente

una atribución: una función

un equipo directivo: un grupo de personas que tienen el fin
   determinado de dirigir una empresa/un colegio, etcétera

la revocación: la acción de anular una cosa

aprobar: consentir en una cosa

el presupuesto: los gastos e ingresos de un organismo público o el
   cálculo anticipado del coste de algo

una directriz: una línea de conducta o mandato que prescribe el
   comportamiento que se ha de seguir

promover: adelantar una cosa

una memoria: un informe

una competencia: una función atribuida a un órgano o una persona

2 Lee la parte (**d**) del Texto F y luego mira las frases inglesas que
siguen y que representan doce de las diecisiete atribuciones
descritas. Delante de cada frase, debes poner el número de la
atribución española de la lista original:

    a To approve budget plans
    b To see to the renewal and maintenance of equipment
    c To elect the headmaster/headmistress
    d To draw up guidelines on school curriculum and activities
    e To be aware of links with other schools
    f To make decisions on pupil admissions
    g To establish links with other educational establishments
    h To have an overview of the school's administration system
    i To resolve discipline problems
    j To report on the general performance of the school
    k To approve school rules
    l To provide a yearly report on school activities and other matters

3 Después de completar el ejercicio **2**, quedarán cinco atribuciones
de la lista original de las cuales no se ha hablado. Búscalas y con tu
compañero de clase, trata de traducirlas al inglés, siguiendo la
forma de las traducciones utilizada arriba.

4 Utilizando los datos proporcionados por el Texto F, escribe un
párrafo en español para explicar lo que es un Consejo Escolar. En él,
debes explicar claramente el significado del cuadro (**e**) de dicho
texto.

LOS CONSEJOS ESCOLARES

A **Constitución Española - Artículo 23.1**: <<Los ciudadanos tienen derecho a participar en los asuntos públicos, directamente o por medio de representantes, libremente elegidos en las elecciones periódicas por sufragio universal>>.

    Artículo 27.7: <<Los profesores, los padres y, en su caso, los alumnos intervendrán en el control y gestión de todos los centros sostenidos por la Administración con fondos públicos en los términos que la ley establezca.>>

B

C Características del Consejo Escolar

Sin pretender ser exhaustivos, se señalan estas características del Consejo Escolar del Centro:

- Está compuesto por representantes de todos los sectores de la comunidad educativa en el número y la proporción reglamentariamente establecidos.
- Sus miembros electivos se renuevan cada dos años.
- Gestiona la vida del Centro decidiendo, ejecutando y controlando.
- Es un órgano con capacidad de propuesta ante la Administración educativa.
- Debe promover las relaciones de colaboración entre los diversos sectores que inciden en la educación.
- En su seno se constituye la comisión económica y cuantas otras se determinen orgánicamente.
- Debe reunirse cuantas veces sea necesario y preceptivamente al comienzo y al final del curso.
- Sus atribuciones, competencias y funciones son múltiples y de suma importancia.

D

Atribuciones del Consejo Escolar

Dada su extensión, se citan de manera resumida las principales atribuciones de los Consejos Escolares, **establecidas en la LODE y reglamentaciones posteriores** que la desarrollan, de los Centros públicos y de los Centros concertados:

Centros públicos

1. Elegir al director y designar al equipo directivo propuesto.
2. Proponer la revocación del nombramiento del director.
3. Decidir sobre la admisión de alumnos.
4. Resolver los conflictos e imponer sanciones en materia de disciplina de alumnos.
5. Aprobar el proyecto de presupuesto del Centro.
6. Aprobar y evaluar la programación general del Centro.
7. Elaborar las directrices para la programación y desarrollo de las actividades escolares complementarias.
8. Establecer los criterios sobre la participación del Centro en actividades culturales, deportivas, recreativas y asistenciales.
9. Establecer las relaciones de colaboración con otros Centros.
10. Aprobar el reglamento de régimen interior del Centro.
11. Promover la renovación de las instalaciones y equipo escolar, así como vigilar su conservación.
12. Supervisar la actividad general del Centro en los aspectos administrativos y docentes.
13. Informar la memoria anual sobre las actividades y situación general del Centro.
14. Conocer la evaluación del rendimiento escolar general del Centro.
15. Conocer las relaciones del Centro con otras instituciones y organismos.
16. Conocer en los Centros de formación profesional las relaciones con los centros de trabajo.
17. Cualquier otra competencia que le sea atribuida en los correspondientes reglamentos orgánicos.

Ley 8/1985, LODE, artículo 42. Real decreto 2376/1985, artículo 64.

E

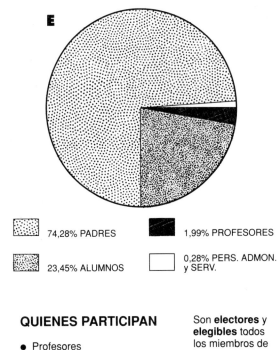

74,28% PADRES   1,99% PROFESORES

23,45% ALUMNOS   0,28% PERS. ADMON. y SERV.

QUIENES PARTICIPAN

- Profesores
- Padres
- Alumnos
- Personal de administración y servicios

Son **electores** y **elegibles** todos los miembros de la comunidad educativa, cada uno en el sector al que pertenece

Texto G   **Las elecciones para los Consejos Escolares**

1 Antes de escuchar este texto, busca en el diccionario el sentido de las palabras siguientes:

unos comicios	matricular	lúdico
hacer cola	una campaña electoral	la competencia
una urna	un cartel	subvencionar
apoyar	designar	un mandato

2 Escucha con atención una o dos veces el texto y luego trata de escribir ocho frases, utilizando en cada una las palabras que se dan aquí abajo:

a hoy _____ dos de diciembre _____ centros públicos

b alumnos _____ hacer cola _____ papeleta _____ urna

c 900 _____ matriculados _____ 15 candidatos

d campaña electoral _____ carteles _____ pedir el voto

e profesores _____ representantes _____ próximos días

f padres _____ por separado

g funciones _____ director _____ admisión de alumnos _____ presupuesto económico

h mandato _____ Consejos _____ dos años

3 Escucha otra vez la cinta; además del corresponsal que habla de la situación en general, se oye a cinco alumnos, sean votantes o candidatos, que expresan su opinión sobre lo que quieren de los Consejos Escolares. Según lo que dicen, completa las frases siguientes:

a El primer alumno dice que él y sus compañeros quieren votar a gente que les apoye en cuanto _____

b La primera chica dice que los alumnos quieren votar para que los puedan _____

c A la segunda chica el Consejo Escolar le parece algo positivo para el instituto porque _____

d El cuarto alumno se presenta como candidato porque cree que

_____

e La última chica dice que quiere que el centro sea _____

Texto H   **1** Empareja las palabras españolas con sus equivalentes ingleses, que en las listas están mezclados. Seguro que podrás adivinar muchas palabras, pensando en otras palabras semejantes (sean en inglés o en español), o quizás buscando en el artículo el contexto en que se utilizan.

un séquito	a complaint
una fanfarria	an ally
un globo	a goal
un contrincante	disgust
de elaboración casera	a freckle
un rotulador	to count on
un aliado	a fanfare
una peca	a brace

una reja	a balloon
una portería	a felt-tip pen
una canasta	an entourage
el asco	an opponent
una queja	to explain in words
confiar en	a ringleader
empujar	a grille
un cabecilla	home-made
verbalizar	to push
un aparato corrector	a basket (in basketball)

La campaña electoral de Vicente y Laura

A los 11 años, aspiran a entrar en el consejo escolar

CRUZ BLANCO, **Madrid**

No necesitan ir acompañados de su familia o de un séquito con fanfarria, globos de colores y *majorettes*. Se bastan solos. Son dos candidatos a consejeros escolares de 11 años. Es la primera vez que se presentan a unas elecciones. Quieren defender los derechos de sus compañeros. Son contrincantes, pero van unidos. Vicente y Laura, alumnos de sexto de EGB del instituto Ramiro de Maeztu de Madrid, han comenzado su campaña.

Vicente Salazar lleva en la mano un abanico de pasquines de elaboración casera en los que entra, tanto el dibujo a lápiz de sonrientes caras infantiles, como la combinación de letras en vivos colores, fruto de consumidos rotuladores. En ellos, el candidato recomienda: "Vota a Vicente, el demente, presidente", o "si quieres comer caliente, vota a Vicente", o "Vicente te quiere ayudar, porque, lo más importante eres tú".

Su compañera, Laura Méndez es más tranquila; con las manos en los bolsillos y sonrisa un tanto maternal, observa cómo su aliado no para ni un momento.

Vicente y Laura quieren arreglar las deficiencas del colegio: "Todo anda mal", dicen. A Laura le preocupa que las ventanas tengan rejas. "Hay rejas por todas partes", afirma. "Ya sé que es para evitar el peligro pero no hacen falta". También desean que el patio esté más limpio, que las paredes de las aulas estén mejor pintadas, que los libros "sean más para niños de nuestra edad, necesitamos más dibujos", que sean reparadas las porterías del campo de fútbol, las canastas de baloncesto y mejoradas las condiciones de la biblioteca y el gimnasio y ..., Vicente sonríe mirando al suelo del comedor. "Ya lo digo en mi campaña: si quieres comer caliente, vota a Vicente. Siempre nos ponen la comida fría", explica el joven candidato, añadiendo un *buahhhh*, representativo del asco que le produce la frialdad culinaria.

Demócrata visceral

Él, al igual que Laura Méndez, cree que, si sale elegido podrá manifestar sus quejas y hacer todo lo que pueda para arreglar las cosas. Aunque, ninguno de los dos confía en conseguir grandes cambios. "Psssst, los alumnos no tienen mucho que opinar en los consejos escolares", dice Vicente. ¿Entonces, por qué te presentas? "Porque hay que intentarlo", contesta en su lugar Laura, convencida de que Vicente saldrá elegido porque le apoyan muchos niños. Y "la gran mayoría le empujó a que se presentara".

Vicente, todo un cabecilla del juego democrático, que no sabe verbalizar lo que es la democracia pero que participa en ella con auténtico convencimiento, tiene un convencimiento casi visceral, y mucho más vehemente que Laura, modosita, de sonrisa tímida interceptada por un aparato corrector en los dientes.

La suerte está echada. Pronto llegará el 30 de noviembre. Ambos aspiran a ser los elegidos. Sólo habrá tres alumnos en el consejo escolar del Ramiro de Maeztu para representar a los compañeros. Los tres estarán mezclados con padres y profesores, unos adultos que posiblemente no entiendan su lenguaje.

El fervor que manifiestan Laura y Vicente, con sus 11 años, por llegar a ser consejeros escolares del Instituto Ramiro de Maeztu contrasta con el escepticismo de sus compañeros de Bachillerato.

En el mismo centro, unos carteles murales llaman a la abstención. "Estamos decepcionados", dice un alumno, "en dos años, los consejos escolares han resuelto muy poco".

Laura y Vicente son realistas, no tienen grandes esperanzas en lo que puedan conseguir y, por lo menos aparentemente, no parecen ser muy distintos a los demás.

Quizá lo único que les distingue de sus compañeros es que no temen encontrarse rodeados de adultos en las reuniones: "a mí no me corta nada hablar delante de los mayores", dice Laura. Les ha estimulado a ser candidatos que éste es el primer año en que pueden participar. ¿O será, simplemente, que ellos, desde niños, están viviendo lo que es la participación democrática y eso les hace responsables desde edades muy tempranas?

- **Hay**: Remember that this word is invariable and translates both the singular "there is", and the plural "there are":
  - ○ Hay rejas por todas partes (There are grilles everywhere)
  - ○ Hay sólo un candidato (There is only one candidate)

  Remember also that when you need to use this expression in different tenses (there will be, there was, there has been, etc.), you simply use the third person singular of the verb **haber** each time:
  - ○ Sólo habrá tres alumnos en el Consejo Escolar (There will only be three pupils on the School Council)
  - ○ Ha habido (hubo) un accidente (There has been [there was] an accident)

---

2 Lee con atención el artículo y después contesta en inglés a las siguientes preguntas:

    a In what ways do Laura and Vicente differ in character and in their approach to the elections they are standing for?

    b How do their election "manifestos" differ? Do they have anything in common in this respect?

    c In what way does the author suggest that their efforts may be in vain?

    d What lies behind the sceptical attitude of other pupils in their school?

    e Explain clearly what is implied in the final sentence of the article.

3 Las siguientes frases son definiciones de palabras que se encuentran en el texto. Busca las palabras definidas:

    a La representación de un objeto, con ayuda de lápiz, pluma, etcétera

    b El que dirige una asamblea, un cuerpo político, un Estado, etcétera

    c Saquillos cosidos a los vestidos

    d Una mancha de color pardo que sale en el cutis

    e Un conjunto de barras de hierro

4 Ahora, escribe una definición en español de cada una de las palabras siguientes:

    un aula   una biblioteca   una queja

    un cabecilla   un aparato corrector

5 Haz una lista de todo el vocabulario utilizado en el texto que se puede aplicar a campañas electorales, sean escolares o políticas.

6 Imagina que quieres presentarte como candidato para el Consejo Escolar de tu instituto. Tienes que prepararte para la campaña electoral:

a Prepara un cartel que va a atraer a los votantes y donde se explica por qué deben votar por ti.

b Haz una lista de cinco cosas que andan mal en tu colegio (por ejemplo, la comida, las relaciones con los profesores) y prepárate a hablar durante 30 segundos sobre cada una, explicando de qué se trata, por qué no anda bien, y lo que harías para cambiar la situación si fueras elegido.

c Con los otros alumnos de la clase tienes ahora que ganar los votos de los demás, enseñándoles tu pancarta y hablando, no más de tres minutos, de por qué deben elegirte.

Una vez completados los discursos, podrá haber un debate general, para hacer preguntas difíciles a tus contrincantes. Por fin, cada alumno va a votar a su favorito. A ver quién gana.

Texto I Este texto, el último que te ofrecemos sobre los Consejos Escolares, es algo más difícil que los otros que has visto hasta ahora. He aquí un poco de vocabulario que te ayudará a comprenderlo:

inadvertida	unnoticed	**una óptica**	a point of view
un aprendiz	an apprentice	**un reto**	a challenge
asignar	to assign	**reclamar**	to demand
oculto	hidden	**un ámbito**	a sphere
superar	to overcome	**desenvolverse**	to develop

Una oportunidad para ser adultos

J. GIMENO SACRISTÁN

Es un debate frecuente el de la importancia de la participación de padres y agentes sociales en la gestión del sistema educativo, pero pasa bastante inadvertida la necesidad urgente de una transformación democrática a otra escala que implique también a los alumnos. Alguien, peyorativamente, dirá incluso que eso es querer politizar las aulas y los centros. Pero politizados negativamente ya lo están.

Las prácticas sociales que se realizan dentro de las instituciones escolares son una auténtica escuela de relaciones sociales, que les transmiten a los alumnos el papel social que como aprendices de ciudadanos se les asigna, el tipo de respeto que han de mantener por las normas sociales que les afectan y el papel que ellos han de tener en el establecimiento de dichas normas.

Las prácticas cotidianas en las escuelas, las relaciones sociales que se practican, los papeles asignados a los alumnos, son un auténtico programa oculto, fuente de muchos aprendizajes, que, aunque no sea explícito y ni siquiera pretendido, sí que es muy eficaz, por el carácter prolongado y profundo de su influencia. La escuela no será un agente estimulante de los valores democráticos si en ella no se practica la participación que conlleva la democracia, pues la única forma de aprenderla consiste en vivirla. El debate fundamental no está en argumentar si los alumnos están o no preparados para participar en el desarrollo de su propia educación, sino en comprender que la oportunidad de aprender ciertas actitudes sociales básicas está en la posibilidad de intervenir en los asuntos que les afectan. En las escuelas, los alumnos establecen sus relaciones sociales como individuos, en las que participan muy intensamente; pero las relaciones sociales de los alumnos existen paralelamente al funcionamiento de unos centros que son gobernados por normas sociales propias de los adultos, de la Administración o de los profesores. Muchas veces, la *vida social* de los alumnos se convierte en una serie de mecanismos de resistencia pasiva ante una dinámica en la que ellos no

tienen nada que ver.

Por todo ello, el comprometer a los alumnos en la gestión de los centros supone también una oportunidad para estimular un nuevo tipo de cultura escolar más cercana a sus inquietudes. Su participación puede llevar sus preocupaciones y su visión de los estilos educativos que practicamos con ellos.

La participación de los alumnos en las elecciones a consejos escolares no debe verse como una participación que sirva únicamente para colaborar en la adopción de medidas de gestión y en problemas de los centros, planteados desde la óptica de los adultos, sino que ha de ser una oportunidad para que los adultos, hasta ahora únicos gestores de la escuela, elaboren un proyecto cultural para una infancia y una juventud que cada vez encuentran más satisfacción a sus inquietudes fuera de los ámbitos escolares. No será fácil.

Habrá que superar los peligros de que a los alumnos se les utilice desde diferentes opciones o de que se les

impida participar en lo que es más suyo: la vida en sus aulas y en su centro. Desde esta óptica, la participación del alumnado en los órganos de un centro es un instrumento de renovación pedagógica, un reto que reclamará comporta-

mientos coherentes en todos los ámbitos en que se desenvuelve el alumnado, empezando por las aulas, por las relaciones entre los profesores y los alumnos.

● **Por todo ello** ...: for the use of the pronoun **ello**, see the Grammar Summary, page 234.
● **Pero**; **sino**; **sino que** ...: for an explanation of these words meaning "but", see the Grammar Summary, page 246.

1 Lee con atención el texto y después estudia las cuatro frases siguientes que resumen las ideas principales del autor. Escribe cada frase de otra manera para explicar claramente su significado.

    a <<Las prácticas sociales que se realizan dentro de las instituciones escolares son una auténtica escuela de relaciones sociales, que les transmiten a los alumnos el papel social que como aprendices de ciudadanos se les asigna.>>

    b <<La escuela no será un agente estimulante de los valores democráticos si en ella no se practica la participación que conlleva la democracia, pues la única forma de aprenderla consiste en vivirla.>>

    c <<Muchas veces, la *vida social* de los alumnos se convierte en una serie de mecanismos de resistencia pasiva ante una dinámica en la que ellos no tienen nada que ver.>>

    d <<La participación de los alumnos en las elecciones a consejos

escolares ... ha de ser una oportunidad para que los adultos ... elaboren un proyecto cultural para una infancia y una juventud que cada vez encuentran más satisfacción a sus inquietudes fuera de los ámbitos escolares.>>

2 Ahora, escribe en inglés, no utilizando más de 100 palabras, un resumen de las ideas principales del texto.

GRAMMAR

Uses of SER and ESTAR Past Participles II

Before taking a final look at past participles – referring specifically to their use after the two verbs **ser** and **estar** – it may be useful to mention the other uses of these two verbs, some of which you will probably already be familiar with, and a full list of which is included in the Grammar Summary on pages 244-45.

◆ It is always easier to remember the very specific uses of **estar**:

◇ It is used always when you are talking of where something is to be found:
○ El Instituto Ramiro de Maeztu **está** en Madrid (The Ramiro de Maeztu School is in Madrid)

◇ It is always used when you are talking or enquiring about someone's state of health:
○ ¿Cómo **estás?/Estoy** muy bien/**Estaba** enfermo (How are you?/I am very well/He was ill)

◇ **Estar** is used with an adjective when the latter shows something temporary:
○ Vicente y Laura **están** muy contentos (Vicente and Laura are very happy)
(N.B. However, you must always use **ser** with the adjective **feliz**)
○ El profesor **estaba** enfadado (The teacher was angry)

◇ **Estar** is always used in the continuous tenses when the verb "to be" is followed by a gerund:
○ Vicente y Laura **están estudiando** en Madrid (Vicente and Laura are studying in Madrid)
○ Cuando yo los vi, **estaban votando** para las elecciones escolares (When I saw them, they were voting in the school elections)

◆ The list of the uses of **ser** can be very long, but the main points to remember are that it is used:
a with an adjective to describe something that is of a permanent nature, or an inherent characteristic of a person or thing
b before an infinitive, noun or pronoun
c in sentences describing ownership, origin and the material from which something is made
d to show nationality and occupation
e with expressions of time, including days, dates and years

A more detailed explanation of the above will be found in the Grammar Summary as mentioned.

A useful general guideline is to remember that if none of the above rules relating to **estar** is applicable in the situation you are dealing with, it is usually a "safe bet" that **ser** will be required.

◆ In the light of the above, the use of **ser** or **estar** with past participles in Spanish can lead to much confusion. In fact, when a participle follows the verb "to be" it is better to forget everything you have ever learned about **ser** and **estar** and to follow these two rules:

◇ **ser** should be used with a past participle when what is being stressed is the *action* implied in the verb.

◇ **estar** is used when the action has already taken place and what is being decribed is the *state* that has resulted from that action.

Notice, for example, the difference in meaning between the following two sentences:
○ Las aulas fueron abiertas sin el permiso del director (The classrooms were opened without the headmaster's permission)
Here, the use of **ser** means that we are thinking of the moment when the classrooms were opened by someone with a key.

○ Cuando yo llegué, las aulas estaban abiertas aunque el director no había dado permiso (When I arrived, the classrooms were open, even though the headmaster had not given his permission)
This time the use of **estar** means that the classrooms were already open, i.e. that someone had opened them some time before my arrival.
There are several examples of this use of both **ser** and

estar in the passages that you have been studying in this chapter:

○ El herido fue trasladado a la enfermería (The wounded man was moved to the sanatorium). This describes the action of actually moving him there.

○ 900 alumnos están matriculados aquí (900 pupils are registered here). This describes the state they are in after being registered, not the actual moment of registration itself.

◇ The vast majority of examples will be those using **estar**. The past participle can also be used after several other verbs, many of which are simply replacing **estar**:

○ Se sienten fascinadas con la vuelta al cole (They feel bewitched by [the idea of] returning to school). This describes the state they are in rather than the moment they become bewitched; "están fascinadas" would be quite correct here.

○ Va todo unido (It is all linked). This describes the state after the action of linking has taken place; again "está todo unido" would also be correct Spanish here.

◇ **sentir** and **ir** are just two of many verbs that can be used in this way. Other common examples are **quedar**, **mostrarse**, **verse** and **encontrarse**.

◆ Active and Passive

Sentences in English which contain the verb "to be" followed by a past participle and an "agent" (see below) are known as passive sentences. Active ones (i.e. those which do not contain this construction) are, of course, more common.

Many sentences can be written in both an active and a passive form to say the same thing. Compare for example:

○ The pupils elected the candidates (Active sentence)

○ The candidates were elected by the pupils (Passive sentence)

In the above passive sentence, the pupils (preceded by the word "by") are what is known as the "agent" of the sentence. Passive sentences do not always have to contain agents (to say "the candidates were elected" makes sense on its own), but in Spanish, when the agent is present, it is introduced by the words **por** or **de**, the latter being preferred after verbs of emotion:

○ Los candidatos fueron elegidos por los alumnos (The candidates were chosen by the pupils)

○ El director será interrogado por los padres (The

headmaster will be questioned by the parents)

○ La profesora era amada de todos sus alumnos (The teacher was loved by all of her pupils)

Discovery

With a friend, read carefully again through the last two passages studied in this chapter (Textos H and I) and make a list of all of the past participles that you can find. You are mainly of course looking for participles that follow **estar**, **ser** or any other verb except **haber**, but you could take this opportunity to consolidate everything you have learnt about participles in the last two chapters by listing every one and then discussing why there is or is not an agreement, and in each case which of the various uses we have outlined is applicable.

Práctica

1 Sin mirar los textos originales, cambia los infinitivos entre paréntesis en participios pasados:

a La polémica sobre el fracaso escolar no está (cerrar).

b Los Consejos Escolares deben quedar (constituir) antes del día 15 de diciembre.

c Los agresores no han (ser) (localizar) por la policía.

d La chica herida fue (atender) de emergencia en la enfermería.

e Los dos candidatos no necesitan ir (acompañar) de seguidores.

f Las ventanas serán (reparar) la semana que viene.

g Las aulas en este instituto están (pintar) de azul.

h Los tres alumnos estarán (mezclar) con profesores y padres.

i Se encontrarán (rodear) de amigos.

j El debate fundamental no está en argumentar si los alumnos están o no (preparar).

2 Escoge uno de los siguientes resúmenes de artículos cogidos de la Prensa y escribe la historia completa, inventando cuanto quieras. Tu historia debe contener al menos ocho participios pasados utilizados en formas diferentes (como adjetivos, después de **ser/estar/ir**, en tiempos compuestos, etcétera).

a una mujer	**b** una profesora
atada a un árbol	pastilla de jabón
rociada con gasolina	condenado a pagar
esposo	obligó al hijo
bingo	padre enfadado

Redacciones

Escribe una redacción en español, utilizando entre 200 y 250 palabras, sobre uno de los siguientes temas:

a <<Un buen colegio es un colegio que se gobierna democráticamente, en el que todos los sectores deben participar, aportando las mejores soluciones.>>

b <<Los efectos de los Consejos Escolares continúan después del instituto.>>

c Imagina que vas a ser candidato en las elecciones escolares de tu instituto. Escribe una carta a la revista escolar que se publica antes de las elecciones para explicar por qué deben votar todos los alumnos, y por qué deben votar por ti.

d ¿Qué opinas de los Consejos Escolares? ¿Te parecen efectivos, o crees que en realidad pueden conseguir y resolver poco?

III LA REFORMA DEL SISTEMA EDUCATIVO

Como explicamos antes, el sistema educativo de España se ha reformado. Desde 1991 los alumnos españoles tienen que ir a la escuela hasta los 16 años (en lugar de los 14 años bajo el sistema anterior). Si quieren seguir estudiando después de finalizada su educación básica, pueden escoger entre el Bachillerato y uno de los nuevos módulos profesionales (que reemplazan la Formación Profesional). Ambos cursos duran dos años. Se ha suprimido el COU, de modo que no habrá curso de preparación especial para la universidad. Este cuadro publicado en 1989, compara el antiguo sistema con el nuevo.

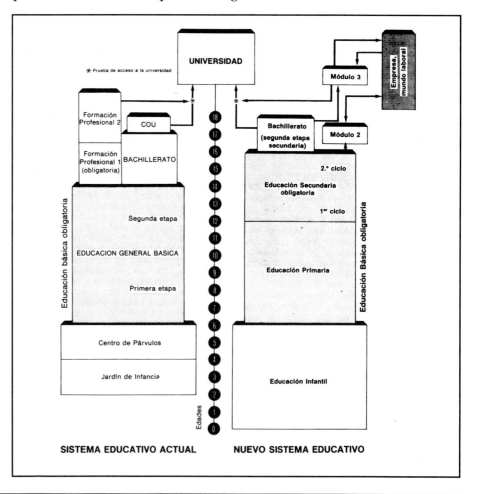

Texto J He aquí un fragmento de un artículo sobre las reformas, que señala la gran diversidad de las materias incorporadas en el nuevo bachillerato. El artículo fue escrito después de la publicación del Libro Blanco para la Reforma del Sistema Educativo, en 1989.

1 Lee el artículo con atención y trata de adivinar por su contexto las siguientes palabras:

constar	bien ... bien	el tronco común
heredero	una modalidad	en su caso
adecuadamente	caber	dibujo técnico
un examen de ingreso	pretender	la gestión

Estudios más flexibles

El nuevo bachillerato constará únicamente de dos años en lugar de los tres que lo componen actualmente y, en vez del carácter unificado y polivalente que tiene el actual, constará de cuatro modalidades: de ciencias humanas y sociales, de ciencias de la naturaleza y de la salud, de tecnología y artístico.

Los futuros bachilleres no tendrán que realizar el curso de orientación universitaria (COU), heredero del primitivo curso preuniversitario (conocido popularmente como el *Preu*), y que "no ha llegado a cumplir adecuadamente ni su papel orientador ni su función de conectar las enseñanzas medias con la Universidad". Para el acceso a la Universidad se mantendrá un examen de ingreso, contra el que las organizaciones estudiantiles vienen pronunciándose desde su implantación a partir de la llamada *ley Esteruelas*.

Para los autores del proyecto oficial de reforma, el actual bachillerato se caracteriza por un "dominio del academicismo, el aprendizaje sólo memorístico y la escasa flexibilidad de los programas". Consideran que, tal y como se concibe, el nuevo bachillerato podrá cumplir esa doble función que tradicionalmente se espera del nivel de enseñanza secundaria en cualquier sistema educativo: la función terminal y la propedéutica, o preparatoria, bien para estudios superiores universitarios, bien para otros, más cortos, de carácter eminentemente profesional.

Y las modificaciones más relevantes que proponen se refieren a "su organización en distintas modalidades, dentro de las cuales caben, a su vez, diferentes opciones". El resultado será un bachillerato mucho más diversificado que el actual.

Tal diversidad pretende garantizarse a través del establecimiento de unas materias "comunes" a todo el bachillerato, otras "propias" de cada modalidad y las estrictamente "optativas".

Las asignaturas que comprenderá el tronco común serán, en principio, las siguientes: lengua y literatura española y, en su caso, lengua y literatura de la comunidad autónoma, idioma extranjero, mundo contemporáneo, filosofía, educación física y religión (voluntaria).

Las asignaturas específicas en el Bachillerato de Tecnología serán las siguientes: matemáticas, física y química, tecnología, filosofía (teoría de la ciencia), dibujo técnico e introducción al diseño. Las materias específicas que se proponen para el Bachillerato de Humanidades y Ciencias Sociales serán las de historia y geografía de España, latín I y latín II o administración y gestión, historia del arte, sociología y psicología, filosofía. Las específicas del Bachillerato de Ciencias Naturales y de la Salud serán matemáticas, física, química, ciencias naturales, filosofía (teoría de la ciencia).

2 a ¿Qué diferencias señala el autor entre el bachillerato actual (1989) y el del futuro?
  b ¿Por qué ya no es adecuado el COU?
  c ¿Por qué critican los autores del proyecto el actual bachillerato?
  d ¿De qué manera va a superar el nuevo bachillerato al actual?

3 Haz una lista de las principales características del nuevo bachillerato, según el artículo. ¿En qué se diferencia del sistema inglés/escocés? ¿En qué se parecen los dos sistemas?

IV MANIFESTACIONES ESTUDIANTILES

En 1986-87 los alumnos de Enseñanza Media y Formación Profesional consiguieron paralizar las escuelas españolas durante varios meses. Millares de alumnos se manifestaron por toda España para protestar contra la selectividad, examen de aptitud que seleccionaba a los estudiantes para ingresar en la universidad, cuyas facultades tenían un número de plazas limitado. El Gobierno tuvo que acceder a algunas de las reivindicaciones de los alumnos después de muchas huelgas, manifestaciones y enfrentamientos – algunos de ellos sangrientos – con la policía. Un aspecto irónico de esta situación era que los miembros del Gobierno que ofrecieron resistencia a las reivindicaciones, como el ministro de Educación, José María Maravall, habían participado en las manifestaciones estudiantiles en su juventud.

El artículo que sigue se escribió antes del acuerdo entre el Gobierno y los estudiantes.

Texto K

1 Antes de leer el artículo busca el sentido de las siguientes palabras en el diccionario:

desencadenar	el asombro	el cupo
la dimisión	los lugareños	superar
centenares	ablandar	la espoleta
la supresión	una casta	planear
antaño	arrancar	una vuelta de tuerca
el alboroto	endurecer	la carrera
protagonizar	la convocatoria	ajeno

Vuelven a la calle

Un nuevo movimiento estudiantil surge en España al calor de las protestas contra la selectividad.

No pretenden cambios radicales, ni desencadenar revoluciones, ni debilitar a dictadores. No defienden propuestas morales que pongan en cuestión la hipocresía de la clase dominante. Por no pedir, no siquiera exigen la dimisión del ministro de turno, en este caso el de Educación. Simplemente quieren un lugar al sol en la Universidad española.

Pero lo quieren con fuerza, como ha quedado demostrado esta semana cuando centenares de miles de adolescentes se han lanzado a las calles para manifestarse contra la selectividad y la posible supresión de los exámenes de septiembre. El éxito de la protesta estudiantil, su espontaneidad, sobre todo en la *España profunda*, ha desencadenado ya la lucha por la paternidad del movimiento. Un movimiento que, como reconocen protagonistas de los de antaño, no tiene nada que ver con las luchas universitarias de los años 60 y 70. De hecho, la Universidad ha guardado esta vez un sepulcral silencio ante el alboroto de los que quieren llegar mañana a ella.

El ministro de Educación, José María Maravall, al valorar la jornada de huelga y manifestaciones, dijo: "Comprendo la dificultad que supone ser joven hoy en día". Los estudiantes de bachillerato y formación profesional protagonizaron el miércoles una protesta, tan general como espontánea, que llegó a todos los rincones del país. En Madrid la manifestación fue menos numerosa de lo que esperaban las autoridades, unos 20.000, según los cálculos más conservadores. Sin embargo, ciudades como Burgos, Teruel, Zamora, Segovia o Albacete veían con asombro las mayores concentraciones que recuerdan los lugareños.

La escuela pública de la *España profunda* respondía a la convocatoria con una intensidad superior a las capitales de tradición estudiantil como Barcelona, Sevilla o Valencia. La movilización, sin embargo, no ha ablandado el corazón de los dirigentes del Ministerio de Educación. La selectividad universitaria — que defienden tanto la Administración como la Universidad — no es negociable, aunque, vino a reconocer Maravall, es muy duro enfrentarse en plena adolescencia a unas pruebas que pueden decidir para toda la vida la pertenencia a una casta superior o inferior.

La selectividad, sin embargo, no la inventaron los socialistas, sino que arranca de la misma dictadura. El examen de selectividad comenzó a celebrarse a partir de la promulgación de la ley 30/1974, de 24 de julio, sobre pruebas de aptitud para acceso a las facultades, escuelas técnicas superiores, colegios universitarios y escuelas universitarias, siendo ministro de Educación y Ciencia Cruz Martínez Esteruelas.

LIMITACIÓN DE PLAZAS

Desde la *ley Esteruelas* se han venido publicando gran cantidad de decretos y órdenes ministeriales con el propósito de aclarar determinados aspectos de la materia, pero que, de hecho, han ido endureciendo los procedimientos de selección anteriores.

Para el actual curso, 1986-1987, el Consejo de Universidades autorizó la limitación de plazas de primer curso en la totalidad de los centros de 10 universidades y sólo parcialmente en otras 17. Únicamente dos de las 29 universidades públicas existentes en España — la de Baleares y la Politécnica de Canarias — no limitaron el acceso.

Otra novedad en el presente curso académico ha sido la devaluación de la convocatoria de septiembre, ya que los centros autorizados para limitar sus plazas pueden cerrar su correspondiente cupo si lo cubren con los aspirantes que superen la prueba de selectividad en junio.

La espoleta que ha disparado la protesta de los estudiantes de enseñanzas medias no ha sido únicamente la selectividad, sino el rumor de la supresión de los exámenes de septiembre. Los estudiantes saben que la selectividad empieza en el bachillerato y que la desaparición de la *segunda oportunidad* que supone septiembre es una carga adicional difícil de aceptar.

Para los alumnos, el fantasma de la supresión de estos exámenes es una realidad que planea sobre sus cabezas y supone una vuelta de tuerca más de un sistema cada día más selectivo. Un obstáculo más en la carrera hacia la Universidad. Una Universidad que, paradójicamente, ha permanecido totalmente ajena a las movilizaciones de los últimos días, algo absolutamente inusual en un país donde la protesta estudiantil se asociaba siempre a las aulas universitarias.

Ésta es, tal vez, una de las grandes novedades de la protesta estudiantil de este año y un reflejo de las corrientes que mueven la protesta.

CARA O CRUZ

La supresión de septiembre es una propuesta defendida por los pedagogos progresistas, que consideran que se debe acabar con las pruebas a cara o cruz que suponen los exámenes tradicionales. Defienden, como alternativa a los exámenes, la evaluación continua, una fórmula que viene de lejos en el sistema educativo español, nada menos que del Libro Blanco de Villar Palasí, editado a comienzos de la década pasada.

Los expertos del Ministerio de Educación barajan la idea, pero no se atreven a aplicarla. Reconocen que si en 16 años los maestros y profesores no han conseguido implantar la evaluación continua, no hay boletín oficial que pueda instaurarlo de la noche a la mañana. Entre otras razones, porque provocaría un aumento espectacular del fracaso escolar, por lo menos en un 15%.

El fenómeno de que la Universidad haya permanecido al margen de la protesta no debe extrañar, según algunos sociólogos. Lo que está en juego, dicen, es el acceso a una determinada casta, en la que los universitarios ya tienen un pie puesto. Una casta que en el futuro contará con más posibilidades de conseguir trabajo — un 14% de desempleo entre universitarios, frente a más del 20% del resto de la población —, mejores remuneraciones y trabajos más satisfactorios, sin olvidar el aspecto de valoración social que esto representa.

2 Haz una lista en español de los puntos principales del artículo hasta << ... las corrientes que mueven la protesta.>> A continuación resume en español el contenido de esta sección del artículo, empleando 150 palabras.

3 Traduce al inglés desde <<La supresión de septiembre>> hasta << ... el aspecto de valoración social que esto representa.>>

4 Explica con tus propias palabras por qué, según el artículo, se manifestaron los estudiantes.

5 ¿Por qué se limita el número de plazas universitarias? ¿Te parece necesaria esta limitación?

Texto L Una manifestación estudiantil

Primera parte
1 Las palabras que siguen se encuentran en el primer fragmento. Escucha la cinta dos veces y coloca las palabras en su propio sitio en el texto que sigue, indicándolas por la letra:

a llamar	**e** Educación	**i** graves
b jóvenes	**f** borde	**j** nos
c llegaran	**g** medios	**k** sino
d principio	**h** asistido	**l** estado

Fue aquélla una manifestación multitudinaria. Los _____ de comunicación calcularon que habían _____ unos doscientos mil estudiantes. Los periodistas que estábamos en la manifestación _____ dividimos por zonas desde el _____, porque mucho antes de que los estudiantes _____ a la calle de Alcalá, donde está el Ministerio de _____, en la misma puerta del Ministerio, se estaban produciendo _____ incidentes. Numerosos grupos de _____ ... pues pertenecientes a ... bueno, a esto que se ha dado en _____ las "tribus urbanas" ¿no?, jóvenes pues que no estudian, ni tienen trabajo, que viven al _____ de ... bueno, o marginados del todo ¿no? ..., pues estos jóvenes habían _____ tirando piedras, no sólo a la policía, _____ a cualquier cosa que se les pusiera por delante.

Segunda parte
2 Escucha el segundo fragmento, sobre Jon Manteca, y contesta a las siguientes preguntas:
    a ¿Por qué se llamaba <<el Cojo>>?
    b ¿Por qué tenía fama?
    c ¿Qué representaba Jon Manteca?
    d ¿Por qué había sido detenido con posterioridad?

Tercera parte
3 ¿Son ciertas o falsas las siguientes afirmaciones? Si son falsas, escribe la versión correcta.
    a La policía no pudo refrenar a los manifestantes más violentos.
    b José María Maravall consintió en reunirse con los estudiantes dentro de poco.

c Cuando vio que los incidentes continuaban, la policía adoptó una estrategia más agresiva.

d Los periodistas llevaban botas de goma.

e Hubo tiros.

f La periodista no pudo recordar otras manifestaciones violentas.

Redacciones

Escribe aproximadamente 250 palabras sobre uno de los siguientes temas:

a ¿Es necesario que la gente se manifieste para conseguir un buen sistema educativo?

b <<La educación universitaria debe ser reservada para una minoría selecta de los más listos; por consiguiente hay que tomar a unos y dejar a otros>>

c Imagina que has asistido a una manifestación estudiantil con un(a) amigo(a) de la misma escuela. Describe un incidente ocurrido durante la manifestación.

d Escribe una entrevista entre un reportero y un(a) manifestante sobre su participación en una manifestación que acaba de terminar.

A Spanish friend of yours who is studying new developments in the English educational system is intrigued by this short article that he has found in an English newspaper. He can understand the gist of the article but he is puzzled by certain expressions underlined here. He asks you to explain these expressions in Spanish, without necessarily giving an exact translation. Send him a list of your explanations.

Teesside CTC with Spanish touch

CHILDREN at Macmillan College, the Teesside city technology college in Stockton, Middlesbrough, go to the lavatory bilingually.

Having raised a hand and asked, in the time-honoured English euphemism, to be excused, they walk down carpeted corridors to doors marked both "toilets" and "servicios". Picturegram people rather than words indicate the sex for which each facility is intended, which suggests a certain caution.

Macmillan — named after Supermac, sometime MP for Stockton, and formally opened by his grandson, Lord Stockton, yesterday – has gone mad about Spanish, the world's third most widely used language, and subjected pupils to the immersion technique.

"Spanish happens wherever you go here." said the principal, Mr. John Paddick - "scientist, Olympic athlete, technologist and imaginative educationist," as it says in the press release. He then led VIPs on a gallop round his new buildings. Next to the dogtrack and overlooking the Tees, this CTC is more inner city than most.

They went first to the *Centro de Actividades Comerciales,* where children wore badges saying Madrid, Cadiz, Cordoba, Barcelona or Sevilla, depending on their tutor group.

In chemistry they were neutralising acids and although no one had translated sodium hydroxide, the date on the board was clearly written as *Noviembre 15.*

In domestic science, they were calling up recipes on a computer (one of 270 in the college), with ingredients in both languages but the method in English.

There was an interesting drawing of *El Pan Ajo,* plus some booze-free sangria.

Macmillan, England's second CTC, admitted its first 190 first year pupils in September. It will eventually accommodate 1,050.

Desarrollando el tema

1 *Las reformas escolares:* el desarrollo de los planes del gobierno; efectos sobre los alumnos y el profesorado; efectos sobre el mundo del trabajo.

2 *La enseñanza universitaria en España:* comparada con la inglesa; los problemas; los cursos; la vida del estudiante; las becas; la importancia para la vida profesional.

3 *El sistema educativo de España – una vista general:* los colegios; los institutos; las universidades; el sistema de exámenes; todo comparado con el sistema inglés.

6

¡SALUD Y SUERTE A TODOS!

Gracias a los avances médicos de este siglo se pueden curar muchas enfermedades que antes mataban a la gente. A pesar de esto no les falta trabajo a los médicos ... Vamos a examinar algunos aspectos de la salud: las razones por las cuales los jóvenes fuman; los ataques cardíacos; una nueva enfermedad incurable como es el SIDA; el problema de las alergias; el caso feliz del trasplante que rescató de la muerte a un muchacho; la higiene alimenticia. Después abordamos el tema de cómo mantener el cuerpo sano. Los hábitos sedentarios de la vida moderna perjudican la salud, por lo que mucha gente dedica quince o veinte minutos diarios al yoga, método oriental para el desarrollo físico y el descanso espiritual del individuo.

I EL TABACO

Texto A

1 La clase va a dividirse en parejas. En cada pareja un alumno lee la carta de Mercedes y hace una lista de los puntos más importantes, mientras que el otro hace lo mismo con la respuesta del médico. Después debes explicar a tu compañero lo que has escrito.

2 Con tu compañero, busca en el texto las palabras que tienen el mismo sentido que las siguientes. Después verifícalas con el profesor.

a un grupo de jóvenes
b conviene
c dañada
d realmente
e razón

f parecidas
g venenosas
h en cuanto a
i creciendo
j sin querer

¿PUEDO FUMAR SIN DAÑAR MI SALUD?

Hace tres meses que he empezado a fumar. Toda la gente de mi pandilla fuma, y casi hasta parece mal que alguien no lo haga. También he comprobado que el tabaco quita el hambre y, desde que empecé, he adelgazado ya un poco, lo que me ha venido muy bien. Por supuesto, mis padres se oponen y dicen que fumar es muy malo. Yo también sé que lo es, pero no podría dejarlo del todo. ¿Sabría decirme cuántos cigarrillos puedo fumar al día sin que mi salud resulte perjudicada?

Mercedes G., 15 años, Cádiz.

Entre las causas por las que fuman las chicas de tu edad, una cuarta parte de ellas afirma que, efectivamente, el tabaco les ayuda a mantenerse delgadas y atractivas.

De hecho, fumar suprime la sensación de hambre y por el mismo motivo es posible aumentar de peso cuando se deja el tabaco. Personalmente considero absurdo combatir los kilos de más con una sustancia venenosa. El pretexto de la figura esbelta no justifica la aspiración del arsénico, cadmio, plomo o alquitrán que lleva el tabaco.

El cuerpo humano es, además, especialmente receptivo a estos venenos. Las sustancias minerales que necesitamos son muy similares a los venenos contenidos en los cigarrillos y la incapacidad del organismo de distinguirlos provoca la acumulación de estas sustancias tóxicas.

Sé muy bien que no tienen sentido las amenazas que tus padres o yo podamos hacerte contra el tabaco o contra tu decisión de fumar.

En lo que se refiere a la cantidad de cigarrillos que uno puede fumar al día sin que le perjudique, está claro que tres son menos peligrosos que veinte.

Si el consumo diario realmente se limita a dos o tres cigarrillos, el riesgo es prácticamente nulo. Ahora bien, cuidado con todos los productos que crean dependencia: la dosis irá aumentando involuntariamente y, muy pronto, te descubrirás fumando el doble o más.

3 Explica en español con tus propias palabras lo que quiere decir el médico con las siguientes frases:

a Personalmente considero absurdo combatir los kilos de más con una sustancia venenosa.

b ... la incapacidad del organismo de distinguirlos provoca la acumulación de estas sustancias tóxicas.

c La dosis irá aumentando involuntariamente y, muy pronto, te descubrirás fumando el doble o más.

Texto B Un psicólogo explica por qué los jóvenes comienzan a fumar

1 Antes de escuchar la cinta busca en el diccionario el sentido de las siguientes palabras:

un rito	sustituir	una ley
una travesía	envergadura	pasajero
un pitillo	el hachís	habituarse
una etapa	lógicamente	estar al día

2 Escucha la cinta dos veces y apunta las razones principales por las cuales, según el psicólogo, los jóvenes fuman. Después compáralas con las razones que se desprenden de la carta de Mercedes y la respuesta del médico. Pon una equis donde los dos textos coinciden en dar la misma razón.

a El fumar ayuda a las chicas a adelgazar. ☐

b Los jóvenes no hacen caso de las prohibiciones de sus padres. ☐

c A los jóvenes no les gusta quedarse atrás del grupo. ☐

d Los cigarrillos les dan un aspecto serio. ☐

e El cigarrillo es una especie de droga. ☐

3 Escucha la cinta otra vez y, a continuación, completa las siguientes frases:

a Pues yo creo que en el comienzo es por un rito que consiste en la travesía _____ .

b ¿El hecho de que en casa prohiben a los chicos el fumar, aumenta el deseo de_____ ?

c Toda prohibición _____ .

d Hay una transición difícil de _____ .

e El chico que se da con el hachís, lo hace simplemente para no _____ .

II DOS ENFERMEDADES MODERNAS

Texto C

Cómo conseguir provocarse un infarto de miocardio

1 Mantenga una actitud hostil ante todo y ante todos. Desconfíe. Ante la menor dificultad monte en cólera y, si no puede, mejor aún, tráguese la ira y exprésela a través del cinismo y la suspicacia. El ceño fruncido, las mandíbulas tensas, los gestos bruscos, los gritos intempestivos y los golpes en la mesa indicarán que va usted por el buen camino para conseguirse una crisis coronaria a corto plazo.

2 Nada hay en el mundo más importante que su trabajo y es usted el único que, realmente, lo sabe hacer como se debe. Todo lo que no sea su trabajo es puro aburrimiento o tontería. Por lo tanto, cuando se marche de él siga pensando en sus problemas laborales y procure no distraerse de ellos ni cuando hace el amor con su esposa.

3 Siempre le falta el tiempo y no puede perder un segundo: tiene usted muchísimas cosas que hacer, todas a una. No soporte que alguien se retrase en una cita, ni se permita usted demorarse ni un segundo: eso no es serio. Tampoco pierda el tiempo en estupideces como gozar de una buena comida o de una buena conversación que no sea de negocios y, por lo tanto, que no conduzca a nada práctico.

---

1 Empareja estas palabras, sacadas del artículo, con su equivalente inglés:

un infarto de miocardio	jaw
desconfiar	untimely
la cólera	to be late
tragar	a heart attack
el ceño fruncido	in the short term
la mandíbula	to mistrust
intempestivo	to forget about
a corto plazo	anger
la tontería	an appointment
distraerse de	stupidity
retrasarse	to waste time
una cita	to swallow
demorarse	frowning

2 Haz una lista, con tus propias palabras, de las principales maneras de tener un infarto de miocardio.

3 ¿Cuáles de los siguientes adjetivos te parecen adecuados para una persona que ha sufrido un infarto de miocardio?

cariñoso	colérico	confiado
egoísta	humilde	impaciente
nervioso	puntual	relajado
serio	sosegado	sumiso

4 El autor del artículo emplea un estilo irónico para señalar al lector diversos modos de provocarse un ataque. Por ejemplo: <<Siempre le falta el tiempo y no puede perder un segundo>>. Busca más ejemplos de este estilo y coméntalos con tu compañero. Luego tienes que aconsejar al lector, esta vez sin ironía, cómo puede evitar esta enfermedad, completando la frase <<Si no quiere sufrir un ataque cardíaco, ...>> con cinco posibilidades.
Por ejemplo:
Si no quiere sufrir un ataque cardíaco, no se enfade demasiado.

Texto D **1** Lee las cuatro entrevistas y con un compañero busca las frases españolas que tengan, más o menos, el mismo sentido que las frases siguientes. Después verifícalas con el profesor.
  a Ahora los jóvenes comenzamos las nuevas relaciones con más seriedad.
  b La gente se emociona demasiado.
  c A causa del SIDA la gente está regresando a viejas normas de conducta.
  d Es poco probable que me afecte.
  e Los periódicos han exagerado mucho el problema.

2 Busca tres frases que comuniquen la idea de que se haya exagerado el problema del SIDA.

ENCUESTA CHICA

Afortunadamente, los más jóvenes no son un colectivo muy castigado por esta horrible enfermedad. Pero su despertar a la vida y al sexo necesariamente les confronta con ella. Hemos querido saber en qué medida les afecta en sus relaciones.

MARIBEL

17 años

Pues sí, la verdad es que el SIDA está cambiando muchas cosas. **La gente ya no se lanza tan alegremente como antes.** Aunque muy rara vez hablamos abiertamente de ello, yo creo que en todos nosotros existe un temor latente que dificulta las relaciones. Yo particularmente **sería incapaz de hacer el amor con un chico sin conocerle bien.** Y lo peor del caso es que nunca puedes tener seguridad absoluta, porque no vas a pedirle que se haga la prueba sólo porque tú tienes miedo. En fin, **espero que pronto se encuentre la vacuna y pase esta pesadilla.**

ALVARO

15 años

No, no me afecta demasiado. Las últimas cifras andan en torno a los dos mil o tres mil afectados en nuestro país, casi todos drogadictos y homosexuales. **La probabilidad de que me toque es realmente mínima** y no me apetece comerme el tarro. Si vas por la vida con miedo, no te enteras de qué va la película. Cuántas personas mueren todos los días por accidente de tráfico... ¿y por eso vamos a dejar de ir en coche? Sinceramente creo que **el tema del SIDA lo habéis hinchado mucho los periodistas,** porque seguramente no tendríais otras noticias interesantes.

¿HASTA QUE PUNTO TE AFECTA EL SIDA?

JORGE

19 años

El tema del SIDA se ha desbordado. Igual que pasó en Estados Unidos, ahora aquí el **SIDA nos está haciendo volver a una moralidad trasnochada.** Algunas tías se han cerrado en banda y con el pretexto del SIDA no hay forma de pasar un buen rato con ellas. Muchas creen incluso que un simple beso puede ser causa de contagio, cuando está superdemostrado que no es así. Creo que el problema radica en que los jóvenes, en general, no nos hemos informado bien y por eso **se están sacando las cosas de quicio.**

ESTRELLA

16 años

La verdad es que de momento **no es un tema que me preocupe.** No tengo relaciones con ningún chico ni pienso tenerlas en un futuro próximo. Cuando llegue el momento, ya me informaré y tomaré las medidas oportunas para no contagiarme. En mi cole hay muchas chicas que utilizan **el tema del SIDA como pretexto para hablar de sexo.** Yo tengo cosas más importantes en las que pensar y, desde luego, no le tengo ningún miedo. Esta enfermedad afecta principalmente a los drogadictos y a las personas viciosas.

3 Decide con un compañero cuál de los cuatro jóvenes tiene la reacción más sensata hacia el SIDA y cuál expone las razones más superficiales. Cada pareja tiene que inventar una frase que resuma la actitud de los dos chicos que ha escogido y leerla en voz alta delante de la clase. La clase tiene que decidir qué frases resumen las actitudes con más acierto.

4 Escribe tu reacción personal al SIDA, empleando el mismo número de palabras, aproximadamente, que uno de los jóvenes. Usa algunas de las frases que emplean ellos para presentar sus opiniones. Por ejemplo, <<La verdad es que ...>>, <<Muchos creen que ...>>, etcétera.

III LAS ALERGIAS

Texto E

PREVENIR LA ALERGIA DESDE LA INFANCIA

En España se calcula que hay unos seis millones de personas afectadas por la alergia, y la cifra va en aumento de año en año, porque resulta que esta enfermedad tiene un alto componente hereditario.

Es a esas parejas en las que los dos miembros (o uno de ellos) están <<tocados>> por la alergia a quienes van dirigidas las siguientes recomendaciones, todas ellas de carácter preventivo y tendentes a evitar que su hijo se convierta en <<otro>> alérgico más:

1. Los padres alérgicos deben saber que existen muchas probabilidades de que su niño también lo sea. En consecuencia, la mujer gestante debe evitar alimentos muy alergénicos, como huevos, frutos secos, etc.

2. Si el niño ya ha nacido, lo ideal es darle el pecho durante al menos los primeros seis meses.

3. Si el niño es alérgico a un alimento, suprimirlo de la dieta.

4. Consumir preferentemente productos frescos y naturales.

5. El contagio viene muchas veces de fuera. Por tanto, el niño debe pasar en casa el mayor tiempo posible durante los primeros meses de vida.

6. Eliminar del hogar los humos y los <<ambientadores>> tóxicos.

7. Cuando el niño tiene dos años, que beba mucha agua.

8. La habitación del niño alérgico debe ser pobre en <<trapos>> (moquetas, cortinas, telas) y bien ventilada y soleada, orientada al sur si es posible). Prescindir de perros y gatos en casa, y también de los humidificadores, ya que favorecen el crecimiento de hongos y ácaros.

9. En primavera, no salir a la calle los días de mucho viento, no ir al campo, viajar en coche con las ventanas del coche bajadas, lavarse a menudo la nariz ...

10. El frío del ambiente o de las bebidas refrescantes y helados puede favorecer los fenómenos alérgicos.

1 Explica con tus propias palabras el sentido de las frases siguientes:
   a un alto componente hereditario
   b la mujer gestante
   c darle el pecho
   d que beba mucha agua
   e prescindir de perros
   f favorecer los fenómenos alérgicos

2 De las diez recomendaciones dadas aquí ¿cuáles, a tu parecer, son las cinco más importantes? Justifica tu opinión.

3 Eres médico y una de tus pacientes alérgicas está encinta. Ella te pide consejos sobre cómo reducir el riesgo de que su niño sufra también de una alergia. Usando el imperativo del verbo, escribe seis recomendaciones. Por ejemplo:

○ No coma frutos secos durante su preñez.

Texto F   ¿Se curan las alergias?

1 Vas a escuchar una cinta en que el doctor Roberto Pelta Fernández habla de las posibilidades de curar las alergias. Antes de escucharla busca en el diccionario el sentido de las siguientes palabras:

aminorarse	previa consulta	el médico general
la vacuna	en base a	enfrentarse con
un extracto	plantear	una remisión
una tasa	una prueba	la dosis

2 ¿Son falsas o verdaderas las siguientes declaraciones, según el doctor Pelta? Si son falsas, escribe la respuesta verdadera.

a Hay muy pocos casos de asma infantil en España.

b Un 10% de los casos de asma infantil no pueden curarse.

c Sólo los remedios naturales son eficaces.

d Las personas alérgicas suelen ir directamente al especialista sin consultar antes al médico de cabecera.

e Para el mayor resultado hay que dar la vacuna al paciente sólo una vez.

3 Escucha la cinta dos veces. A continuación rellena los espacios en blanco en las frases siguientes:

a pues en el caso, _____, del asma infantil

b lleva asociado una _____ de problemas

c se pueden _____ tasas de curación

d en este tema de las alergias lo _____ es que ...

e tienen un _____ importante de éxitos

Texto G **1** Después de leer el texto intenta explicar lo que significan las palabras o frases siguientes. Luego verifica tus definiciones con el profesor.

a a temporadas
b aislado
c se manifestara
d se asustaron
e a los pocos días

f he sabido que
g divirtiéndonos
h clases particulares
i en broma
j recuperando

EN PRIMERA PERSONA

He sido el protagonista de una película de médicos que ya quiero olvidar

Yo tenía entonces ocho años. Me acuerdo muy bien de cuando me puse malo, pero no puedo recordar otras cosas que me han pasado después. Ya sé que he tenido una especie de cáncer en la sangre que se llama leucemia y que me podía haber muerto. Pero eso lo sé ahora, cuando lo veo todo como si no me hubiera ocurrido a mí.

He pasado muchas semanas en el hospital y me han hecho numerosos análisis y pruebas. A temporadas, he tenido que estar aislado en una habitación estéril, porque no podía coger ninguna infección. Con los tratamientos que me ponían para curarme he perdido varias veces el pelo; también dejé de crecer o, al menos, iba más retrasado que los niños de mi edad. Aunque yo siempre creí que me iba a curar, ahora sé que mis padres temieron a veces por mi vida.

Antes de que se manifestara la enfermedad, lo primero que noté es que me cansaba fácilmente. Les pedí a mis padres que me trajeran la cartera a la vuelta del colegio. Ellos pensaban que era envidia de mi hermano Víctor, al que por ser más pequeño se la traían. Pero cuando realmente se asustaron fue un día que me vieron unos puntitos de color rojo claro en los hombros y en el cuello. A los pocos días me salieron alrededor de los ojos y me hicieron un análisis de sangre. Al recibir los resultados, me extrañó que, siendo yo el enfermo, el médico no me quisiera ver y no me dejara entrar en su despacho. Luego he sabido que entonces les dijo a mis padres que tenía leucemia.

Sin darme tiempo a enterarme de nada, empecé a sentirme como si fuera el protagonista de una película de médicos. Estuve más de un mes en el hospital Clínico de Madrid, en una habitación aislada, inyectándome por la vena lo que se llaman ciclos de remisión. Hicieron falta tres para curarme. Durante este tiempo las enfermeras y los médicos me trataron muy bien, y cada uno de mis compañeros de clase me envió una carta para darme ánimos.

Cuando salí del hospital y volví a casa todo me parecía más bonito. La casa parecía recién pintada, llena de luz y más grande; la hierba y los árboles, más verdes. Mis padres dicen que fue el día más feliz de su vida. Como se me había caído el pelo, llevaba una gorra; sólo me la quitaba dentro de casa y en el jardín. Cada poco, los médicos me hacían *una médula* (un análisis de médula ósea) para ver si la curación era definitiva. No lo fue, porque al año y medio se descubrió de nuevo que volvía a tener leucemia. Yo otra vez tuve que pasar temporadas en el hospital.

Cuando me enteré que me tenían que hacer un trasplante le dije a mi padre, llorando, que nunca permitiera que me hicieran eso a mí. Pero ahora me doy cuenta que ha sido lo mejor. Para trasplantarme nos fuimos toda la familia a vivir a Barcelona, a un piso cercano al hospital Clínico. La primera semana fue como de vacaciones, viendo la ciudad y divirtiéndonos. Después me hicieron el trasplante. Durante los cuatro meses que pasamos en Barcelona, mi padre estuvo sin trabajar y mis hermanos recibieron clases particulares. Aunque mi familia ha sido en todo momento optimista, seguramente lo ha pasado peor que yo. Mi hermano Víctor ha llorado mucho, pero no por él, aunque también le hicieron daño al sacarle la médula, sino por mí. A veces, en broma, me dice: "Me debes una médula".

En los cuatro años que han pasado desde el trasplante me he ido recuperando poco a poco. En el último año he crecido bastante, aunque creo que me voy a quedar un poco más bajo de lo que hubiera sido. He tenido mucho apoyo de mi familia y de mis amigos, y esto me ha hecho más sociable y menos tímido. Mi vida es ahora normal y los momentos malos que he pasado parecen sacados de una película que quiero olvidar. ∎

2 Haz una lista de los hechos principales de la historia de la enfermedad de José Angel. A continuación, haz un resumen en español de esta historia *en tercera persona*, empleando 150 palabras. Puedes comenzar así:

> <<José Ángel Sebastián se acordaba de aquella experiencia como si fuera una pesadilla ...>

GRAMMAR

The Subjunctive

◆ The subjunctive, like the indicative and the imperative, is a special form of the verb (known as a mood), *and it is not a tense*. The subjunctive exists in English, but largely in such set phrases as "If I *were* you", and it is gradually disappearing from the language. In French the subjunctive is still alive but its use is confined to the present and perfect tenses. In Spanish the subjunctive, far from being moribund, is alive and vigorous. It is used in four forms – present, perfect, imperfect and pluperfect – and if anything, its use is on the increase. The least educated Spaniard will use all the forms of the subjunctive as regularly as a university professor.

To master its usage you have to be familiar with and practise the ways in which the subjunctive is formed. You will remember the use of the present tense of the subjunctive to form imperatives, as seen in Chapter 3. A full account of the formation of the subjunctive, which includes guidance on the choice of the correct form of the subjunctive to use in different circumstances, is given in the Grammar Summary on pages 243-44.

◇ The subjunctive is used
  a in subordinate clauses (i.e. clauses beginning with **que**) and
  b in main clauses.
  Subordinate clauses are usually preceded by another clause containing the main verb of the sentence. When the subjunctive is used the subject of each clause is different. In main clauses the subjunctive stands on its own (this is dealt with on page 196).

◇ Rather than implying any additional meaning, the subjunctive simply replaces tenses which you might expect to use. For example, you might expect to use the future tense when translating the second verb in the sentence "I am pleased you will be there". Instead, you use a subjunctive, **Me alegro de que estés allí**. The meaning is still a future one, as in English, but the subjunctive form has to be used when, as in this case, the preceding verb is one of "emotion".

◇ The indicative is used for statements of fact, i.e. actions which have actually taken place; the subjunctive, by contrast, is frequently used when the action has not yet taken place, or may not or will not take place. *Uncertainty, unreality or doubt* are often associated with the subjunctive: the meaning might, for example, be untrue, unlikely, possible, impossible, doubtful, "necessary" (but not yet fulfilled).

◆ Uses of the subjunctive in subordinate clauses.

1 After verbs and expressions of "influence", like those of wanting, forbidding, preventing, ordering, causing, requesting, allowing, necessity. Among these are: **querer, prohibir, impedir, decir** (in the sense of ordering), **mandar, hacer, pedir, permitir, es necesario que, hace falta que**.

For example:
○ No quiero que *fumes* en mi casa (I don't want you to smoke in my house)
○ ... le dije a mi padre que nunca *permitiera* que me *hiciesen* eso a mí (... I told my father never to allow them to do that to me)
○ Cuando enfermas es necesario que *vayas* a ver el médico (When you fall ill you have to go to see the doctor)

2 After verbs and expressions of "emotion", such as those of surprise, hope, regret, pleasure, fear, evaluation. Among these are: **sorprender, sentir, es una lástima que, alegrarse de, temer, tener miedo de, sería mejor que, es importante que**.

For example:
○ Me alegro que te *hayas repuesto* tan rápido de tu enfermedad (I'm pleased you got over your illness so quickly)
○ Tenía miedo de que el médico *le mandara/ase* al hospital (He was afraid the doctor would send him to hospital)
○ Espero que pronto *se encuentre* la vacuna y pase esa pesadilla (I hope they'll soon discover the vaccine and that nightmare will be over)
○ Es importante que *practiques* el yoga antes de desayunar (It's important for you to practise yoga before breakfast)

3 After verbs and expressions of possibility and

probability, such as **es probable que, es posible que, puede que.**

For example:
- La probabilidad de que me *toque* es realmente mínima (The chances that it will affect me are in fact negligible)
- Si no dejas de beber es posible que tu mujer te *abandone* (If you don't stop drinking your wife may leave you)

4 After a verb or expression which denies a fact or states a doubt. In this category are verbs and expressions like **negar, no es cierto que, no creo que, no es que, no es porque, no parece que, dudar.**

For example:
- No creo que los españoles *se interesen* tanto por su salud como los británicos (I don't think the Spanish are as interested in their health as the British)
- Si dejo de fumar no es porque tú me lo *digas* (If I'm giving up smoking it's not because you're telling me to)

5 After an indefinite or negative "antecedent". When a sentence contains a relative pronoun (**que, quien, el cual, donde,** etc.) the word it refers to is called the antecedent. In Spanish, if the antecedent is indefinite or negative the verb takes the subjunctive.

For example:
- No conozco a nadie que *sepa* qué enfermedad tiene (I don't know anyone who knows what illness he's suffering from)
- Tampoco pierde el tiempo en estupideces como es gozar de una buena comida o una buena conversación que no *sea* de negocios. (He doesn't waste time either on nonsense like enjoying a good meal or a good conversation which is not about business)

By contrast, a *definite* antecedent (one which is "known") takes the indicative.

For example:
- Con los tratamientos que me *ponían* para curarme he perdido varias veces el pelo (With the treatments they gave me, I lost my hair several times)

6 When conjunctions such as **cuando, hasta que, mientras, en cuanto, antes de que,** indicate a future action.

For example:
- Cuando *llegue* el momento, ya me informaré (When the moment comes, I'll find out)
- Antes que se *manifestara* la enfermedad, lo primero que noté es que me cansaba fácilmente (Before the illness became evident the first thing I noticed was that I got tired easily)

By contrast, when the action referred to is a habitual, and not a future, one, the indicative must be used.

For example:
- Cuando *voy* al hospital, siempre me dicen mentiras (When [i.e. every time] I go to the hospital they always tell me lies)

7 After certain other conjunctions the subjunctive must be used, for example: **para que, sin que, con tal que, a condición de que, como si.**

For example:
- ¿Sabría decirme cuántos cigarrillos puedo fumar al día sin que mi salud *resulte* perjudicada? (Can you tell me how many cigarettes I can smoke a day without my health being affected?)
- El jefe me dio unos días más para que *pudiera* recobrar la salud (My boss gave me a few more days so that I could recover my health)

◆ Remember that when the subject of each clause is the same, certain conjunctions, e.g. **para, sin** are followed directly by the infinitive.
For example:
- No tengo bastante dinero para ir al cine.

● The English construction verb + direct object + infinitive, as in "They want her to come", is often rendered in Spanish by main clause + que + subjunctive verb: **Quieren que (ella) venga.**

For example:
- Les pedí a mis padres que me *trajeran* la cartera a la vuelta del colegio. (I asked my parents to carry my schoolbag on the way back from school)

Discovery
With a companion, find ten examples of the use of the subjunctive in the passages you have read in this chapter and discuss why each verb is in the subjunctive. Check your answers with your teacher.

Práctica
1 Pon los siguientes imperativos en forma negativa:

ven	mirad	di
cállate	escríbele	cómelo
hacedlo	démelo	vete
sal		

2 Pon los verbos entre paréntesis en la forma correcta del subjuntivo:
  a No es necesario que Juan (buscar) al médico.
  b El enfermo pidió a sus amigos que (venir) al día siguiente.
  c Tienes que practicar el yoga todos los días para que tu salud (mejorar).
  d No creo que las enfermeras (ponerse) en huelga.
  e Fue una lástima que su mujer no (estar) con él cuando murió.

f Siento que mi madre no (poder) verte ayer.

g No conocía a nadie que (vivir) en Santiago.

h Busco alguien que me (ayudar) con mis deberes.

i ¿Quiere que le (decir) la verdad?

j En cuanto le (ver) avísame.

3 Completa las frases siguientes:

a Después de un ataque cardíaco es importante que los pacientes _____

b El médico esperaba que _____

c ¿Por qué no es posible que los fumadores _____?

d Antes de que _____ ella había salido del hospital.

e No me extraña que los que sufren del SIDA _____

f Cuando _____ trae mis píldoras.

4 En los tres ejercicios que siguen tú y tu compañero tenéis que inventar frases que contengan los verbos o expresiones siguientes, con un verbo en subjuntivo: **querer, prohibir, pedir, es necesario, esperar, alegrarse de, tener miedo de, sería mejor, es posible, no creo, cuando, para que, con tal que, antes de que, como si.** Después verificad las frases con el profesor.

a Has cogido la gripe y tienes que quedarte en casa. Te han invitado a una fiesta pero tu madre no quiere que salgas, y te da algunas razones. Inventa cinco frases que expresen tus sentimientos y los de tu madre.

Por ejemplo:

○ Si sales, cuando venga el médico te va a reñir (If you go out the doctor will tell you off when he comes)

b Tu hermana se ha roto la pierna y está en el hospital. La visitas solo y llevas los saludos de sus parientes y sus amigos. Inventa cinco frases que expresen:

(i) las intenciones o los sentimientos de éstos

(ii) las contestaciones de tu hermana.

Por ejemplo:

○ **(i)** Tu novio dice que es posible que te visite mañana (Your boyfriend says that he might visit you tomorrow)

○ **(ii)** No quiero que me vea así (I don't want him to see me like this)

c Estás hablando con unos amigos del fenómeno del SIDA. Inventa cinco frases que expresen tu actitud y la de tus amigos hacia esta terrible enfermedad.

Por ejemplo:

○ Tengo miedo de que millones de personas mueran del SIDA antes de que descubran un remedio (I'm afraid that millions of people will die of AIDS before they discover a cure)

V LA HIGIENE

Texto H

Escribe un corto anuncio como éste que avise contra una de las siguientes amenazas a la salud del individuo, utilizando por lo menos *cuatro* imperativos:

a El fumar

b El SIDA

c El alcohol

Por ejemplo:

○ No beba más de dos vasos de vino al día.

Texto I **La salmonelosis**

Primera parte

1 Escucha la cinta dos veces y toma algunos apuntes sobre:
   a la intención de la campaña
   b la gente a la que se dirige
   c por qué inician la campaña en verano

2 Haz un resumen, con tus propias palabras, de lo que dice Don Pedro Sabando Suárez.

3 Las palabras que siguen se encuentran en la primera parte de la secuencia. Colócalas en el sitio correcto, indicándolas por la letra. Después escucha la cinta otra vez y verifica las sustituciones:

a aconsejan	**d** cuarteles	**g** mentalización
b campaña	**e** huevos	**h** veraniego
c Consejería	**f** juveniles	

El calor _____ favorece las intoxicaciones alimentarias, sobre todo por salmonelosis, por lo que la _____ de Salud ha iniciado una campaña de _____ en los campamentos _____, las residencias de ancianos y en los _____. Las cartas enviadas _____ extremar las medidas de higiene y evitar los platos con _____ crudos para no contagiar la salmonelosis. El consejero Pedro Sabando ha explicado esta _____ a Orlando Novo.

Segunda parte

Contesta en inglés a las siguientes preguntas:
   a Who reported the Ritz Hotel?
   b What did the council do?
   c What was the result of the council's action?
   d When do we have to take particular care with food?
   e Explain what is meant by the "cadena del frío".
   f Which foods are the most risky from the point of view of hygiene?

VI EL YOGA

Texto J   **1** Antes de leer el texto busca en el diccionario el sentido de las siguientes palabras:

estresado	templado	un cálculo biliar
contonearse	la vejiga	un sorbo
oxigenación	cervical	elegir
un pilar	someter	las conservas
habituarse (a)	quebrantar	la harina
el sedentarismo	la búsqueda	la cocción
una tabla	una glándula	la grasa
el desperezamiento	indebido	ingerir
estirarse	imparablemente	deslizarse

EN FORMA

OBJETIVO: SALUD, TONO, ENERGIA

YOGA

POR MARTA RIOPEREZ

LA LLAVE DEL EQUILIBRIO

Ni gimnasia ni religión ni psicoterapia, aun-que tiene parte de cada una de ellas. Mientras el estresado Occidente se contonea al ritmo de stretching, jogging o tango, Oriente propone el yoga como un método para el desarrollo físico, mental y espiritual. ¿El objetivo? Conseguir un matrimonio perfecto entre el alma y la materia.

CUERPO Y MENTE

Acabar con las causas de la mala salud, de la oxigenación deficiente, de la eliminación defectuosa de las toxinas perniciosas. El yoga, ya se sabe, es todo eso, pero, además, su práctica aumenta la capacidad mental, agudiza los sentidos, amplía el horizonte intelectual... El origen del yoga se centra en la India, hace más de seis mil años, aunque hasta el año 200 a.C. no se conoce el primer escrito sobre el tema. Hoy lo practican millones de personas.

¿Qué diferencia hay entre los ejercicios del yoga y los ejercicios gimnásticos? El objeto de las *asanas* (posturas) del yoga no es sólo el desarrollo superficial de los músculos, sino normalizar las funciones del organismo y de la mente. Una respiración adecuada mientras se realizan los ejercicios, unida a técnicas de relajación y una dieta conveniente, son sus pilares.

LA ACTITUD

Observa a un animal: nunca hará un movimiento que no sea armónico. Todos los gestos *naturales* son libres y armoniosos, y esto es lo que pretende el yoga. Porque aunque las posturas pueden parecer, en un principio, difíciles y complicadas, su práctica demuestra lo contrario. Eso sí, hay que saber elegir las más adecuadas para cada uno y practicarlas día tras día hasta habituarse a ellas. La mejor hora para ejercitar el yoga es por la mañana, antes de desayunar, ya que es importante hacerlo con el estómago vacío. Otro detalle: la regularidad – los olvidos terminan casi siempre en el sedentarismo. Una de las primeras normas del yoga es dormir en cama dura, con una tabla bajo el colchón. Jamás hay que *saltar* del lecho, aunque se tenga mucha prisa, porque eso produce un choque en el sistema nervioso. Por el contrario, es conveniente un desperezamiento lento y completo, como el de un gato estirándose al sol. A continuación, lo ideal es tomar un vaso de agua templada. Así, con la vejiga y, si es posible, el vientre vacío, con poca ropa y descalza, puedes comenzar los ejercicios. Las primeras actividades se centran en los ojos y el cuello para combatir el cansancio ocular y la tensión y rigidez cervical.

AL EQUILIBRIO POR LA RELAJACION

<<Ya no puedo más>>, <<tengo los nervios a mil>>. ¡Cuántas veces repetimos esas frases! Según el yoga, estas tensiones neuromusculares rara vez se deben a enfermedades de los nervios o los músculos; son reacciones del cuerpo a las impresiones de la mente. Se originan en pensamientos, conscientes e inconscientes, dictados en su mayor parte por el miedo. Los agentes a los que estamos sometidos en una sociedad estresante provocan una tensión mental que es resultado de estados puramente físicos, mientras que la tensión corporal es consecuencia de preocupaciones emocionales. Un círculo vicioso que resulta difícil quebrantar. El yoga propone la búsqueda de una solución en el propio individuo. Una postura fundamental en la relajación

LO MAS PRUDENTE ES COMENZAR POR LAS POSTURAS MAS SENCILLAS Y, A MEDIDA QUE LOS MUSCULOS SE HACEN MAS ELASTICOS, ATREVERSE CON LAS MAS DIFICILES. TE ASOMBRARA VER LO QUE TU CUERPO PUEDE HACER EN POCO TIEMPO.

es la llamada Parada de Cabeza Completa, que consiste en ponerse cabeza abajo. Para ella existe una explicación física: esta postura produce ciertos efectos en las glándulas pituitaria y pineal, sitas en la cabeza. Al poner ésta hacia abajo, fluye una mayor cantidad de sangre en esta dirección, con lo cual se transporta más energía a dichas glándulas.

Y ¿QUE COMER?

Hoy los principales enemigos de la nutrición son los excesos en el comer y la ingestión de alimentos indebidos. El resultado es que algunas enfermedades, sobre todo las de tipo degenerativo, avanzan imparablemente. Está más que probada la incidencia que existe entre una dieta defectuosa y la debilidad mental, los cálculos biliares, las enfermedades cardiacas o el cáncer.

Principios básicos:
● No beber *nunca* agua fría.
● Beber mucha agua y en pequeños sorbos.
● Alcohol, té, café, cacao y el chocolate están proscritos.
● La leche es un alimento, no una bebida. Ha de tomarse en pequeños sorbos para no indigestarse.
● Escoger los alimentos que van bien al organismo con el cuidado que se elige la ropa.
● Evita los alimentos *desvitalizados*, como las conservas, la harina y el azúcar refinado.
● Cocer los vegetales en poca agua y no tirar ésta tras la cocción. (El agua de las patatas, por ejemplo, es muy buena porque regula la tasa de alcalinidad del cuerpo).
● Huir de los alimentos fritos y de las grasas saturadas, como la manteca, la margarina, los huevos, la mantequilla y los derivados de la leche. A todo ello se añaden unas recomendaciones de carácter espiritual. Hay que comer con gusto y en compañía placentera. El alimento que se ingiere en un momento de cólera o nerviosismo produce un estado tóxico en el organismo. Procura, por tanto, que la hora de la comida se deslice armoniosa. Comunicar noticias desagradables antes de comer no sólo transforma la digestión, sino también todo el organismo. ☐

● *Exclamatives:* Notice that when the writer of the passage exclaims **¡Cuántas veces repetimos estas frases!**, the exclamative **¡cuántas!** agrees in number and gender with the following noun and that it has to bear an accent. Read through the account of exclamatives in the Grammar Summary on page 235.

---

2 Indica las palabras o frases del texto que corresponden a las siguientes definiciones:
  a saco rectangular de tamaño apropiado para dormir
  b pequeño mamífero doméstico
  c después
  d región del cuerpo que corresponde al abdomen
  e situado
  f prohibido
  g que da placer

3 Contesta a las siguientes preguntas:
  a ¿Por qué le parece superior a la autora la actitud oriental hacia el ejercicio?
  b ¿Cuáles son las ventajas físicas del yoga, según la autora? ¿Y las espirituales?
  c ¿En qué sentido se parece el buen practicante del yoga a un animal?
  d ¿Qué sucede si se olvida practicar el yoga con regularidad?
  e ¿Cómo se ha de levantar de la cama?
  f Describe con tus propias palabras el origen del círculo vicioso de que escribe la autora.
  g ¿Por qué es beneficioso el ponerse cabeza abajo?
  h ¿Por qué es dañino ponerse nervioso cuando se come?

VII LO QUE PIENSA MIGUELITO

Texto K

■ HISTORIAS DE MIGUELITO

Romeu

1 Lee dos veces la historieta de Miguelito y, con un compañero, trata de adivinar cuáles son los equivalentes de las siguientes frases. Verifica tus definiciones con el profesor.

    a al que le corresponde

    b una chupada

    c siguiendo una dieta

    d te trae sin cuidado

    e ¡qué monótona sería la vida!

2 Inventa seis frases que representen las actitudes de Miguelito o Carlota. Cada frase debe tener un presente del subjuntivo. Por ejemplo:

○ Es probable que Miguelito no tome en serio las quejas de su abuela.

3 Cuando hayas terminado el ejercicio **2**, pon las mismas frases en el tiempo del pasado. Por ejemplo:

○ Era probable que Miguelito no tomara/ase en serio las quejas de su abuela.

Redacciones

Escribe una redacción en español de aproximadamente 250 palabras sobre uno de los siguientes temas:

    a El estrés, obsesión de nuestro tiempo.

    b ¿Cuáles son los beneficios de los ejercicios físicos?

    c <<Se debe castigar severamente a los médicos que cometen errores.>> ¿Estás de acuerdo?

    d El SIDA, peste moderna.

Traduce al español:

"Don't light another cigarette, please. Why don't you care about your health? I hope you'll realise the harm you're doing to it one of these days."

"Well, I don't think it's any business of yours. You don't want me to be an adult. When I leave home next year I'll be able to do whatever I like. You won't be able to prevent me from smoking then, will you? It would be better for you to keep quiet now so we can all live in peace until I go."

Desarrollando el tema

1 *Las enfermedades físicas:* las enfermedades genéticas; las alergias; el SIDA; el alcoholismo en España; el tabaquismo; los efectos de la droga; problemas de la droga en España; la ceguera — el trabajo de la ONCE.

2 *Las enfermedades mentales:* la locura; el estrés; la senilidad.

3 *Los problemas éticos:* el dabate sobre el aborto en España; el uso de los fetos para la investigación; la fecundación *in vitro*; la eutanasia.

4 *Los ejercicios físicos:* los beneficios del ejercicio; el yoga; el jogging; los deportes; las lesiones que resultan de los deportes.

5 *La comida:* la dieta ideal; ¿cuáles son las diferencias entre las dietas española e inglesa?; la higiene en la preparación de la comida; los peligros de los aditivos químicos; la comida naturista; el vegetarianismo; el problema mundial de la desnutrición.

6 *El futuro:* los avances médicos; los nuevos medicamentos; el uso de la nueva tecnología para las operaciones quirúrgicas; los trasplantes.

7

HACIA EL SIGLO VEINTIUNO

La crisis del medio ambiente, surgida a finales del siglo veinte, nos afecta a todos. Estamos gastando los recursos básicos de nuestro planeta tan rápidamente que, si no tomamos medidas urgentes para solucionar los múltiples problemas que resultan de este desgaste, la tierra perderá su equilibrio natural: muchas regiones se convertirán en desiertos; los mares llegarán a ser vertederos, llenos de residuos nucleares; la atmósfera irá calentándose debido al <<efecto invernadero>>, y la capa de ozono desaparecerá, con consecuencias muy graves para la salud. ¿Han reaccionado los gobiernos del mundo ante estos problemas con la urgencia suficiente? Es seguro que han comenzado a tomar medidas contra la contaminación mundial, pero estas medidas todavía no bastan, según los científicos y los ecologistas.

En este capítulo vas a leer dos artículos sobre los daños que estamos causando a nuestro planeta y otros dos que demuestran los esfuerzos del ser humano para proteger su medio ambiente.

I EL EXXON VALDEZ

En marzo de 1989 el petrolero, El Exxon Valdez, embarrancó frente a las costas del golfo de Alaska y vertió al mar el contenido de 240.000 barriles de crudo que transportaba. La "marea negra" provocada por el siniestro costó la vida a miles de aves, peces y focas.

 Texto A **El capitán del petrolero es acusado**

1 Antes de escuchar el texto busca el sentido de las palabras siguientes:

mandar	la detención	el timón
el petrolero	encallar	habilitado
una marea	un arrecife	un buque
el fiscal	un camarote	

2 Coloca los datos siguientes en el orden en que ocurren en la cinta:
  a Los guardacostas encontraron a Hazelwood dormido en su camarote.
  b Los fiscales pidieron su detención a las autoridades de Nueva York.
  c El Exxon Valdez encalló un arrecife hace ocho días.
  d Hazelwood fue acusado de negligencia criminal.
  e El tercer oficial tuvo el mando del buque.

Texto B

El mal tiempo impide limpiar en Alaska una 'marea negra' de 250 kilómetros cuadrados

JOHN LICHFIELD, Valdez (Alaska)

Un temporal de vientos de velocidades _____ a los 100 kilómetros por hora en la zona del estrecho del Príncipe William (Alaska) dificultaba ayer las _____ de limpieza de una *marea negra* que ocupa más de 250 kilómetros cuadrados de extensión, considerada la más grave en la historia de Estados Unidos. La enorme mancha de petróleo, _____ por el viento, amenaza el estrecho y las costas del golfo de Alaska y podría no desaparecer en varios meses, con el consiguiente peligro para la fauna marina de la zona. La *marea negra* fue _____ el viernes por el petrolero *Exxon Valdez* al chocar contra un arrecife.

El presidente de los Estados Unidos, George Bush, que ha descrito la marea negra como "tremendamente preocupante", ha ordenado que se _____ a Alaska para inspeccionar las operaciones de limpieza de la *marea negra* el secretario de Transportes, Samuel Skinner; el responsable de la Agencia de Protección del Medio Ambiente, William Reilly, y el comandante de la Guardia Costera Paul Yost. Estos funcionarios deberán permanecer en Alaska hasta que concluyan todas las tareas de limpieza. Bush _____ que lo primordial es descontaminar la zona y proteger un área de alto valor ecológico.

Algunos _____ calculan que se han vertido al mar unos 240.000 barriles de crudo (38 millones de litros).

La mancha de petróleo cubre unos 250 kilómetros cuadrados y avanza lentamente hacia el golfo de Alaska, mientras que el temporal de viento y el oleaje han destruido las boyas flotantes _____ para contener la *marea negra*, que habían sido colocadas alrededor del petrolero siniestrado. Los fuertes vientos han impedido asimismo que los aviones _____ productos químicos de limpieza sobre la zona afectada. Los efectivos que trabajan en las operaciones de limpieza intentan conducir la mancha de petróleo hacia las _____ próximas para reducir el peligro para la vida animal.

El *Exxon Valdez*, que chocó el viernes contra un arrecife cuando era mandado por un oficial inexperto, se encontraba ayer en una situación más estable, según Frank Iarossi, presidente de la compañía Exxon, _____ del buque. Iarossi reconoció que su empresa se encontraba "desbordada" por la magnitud.

El capitán del buque siniestrado, Joseph Hazelwood, ha _____ relevado del mando y se ha abierto una investigación para conocer el estado en que se encontraba en el momento del accidente. Hazelwood fue procesado en dos ocasiones _____ conducir bebido en los últimos cinco años y se le había retirado el carné de conducir _____ este tiempo en tres ocasiones. Los problemas de Hazelwood con la bebida fueron confirmados por el presidente de la Exxon. Cuando se produjo el siniestro, el capitán se hallaba en su camarote y había _____ el mando del buque a un oficial que no tenía la suficiente experiencia.

1 Rellena los espacios en blanco con las palabras siguientes. Sólo puedes usar cada palabra de la lista una vez, pero, ¡ten cuidado!, no se necesitan todas las palabras:

agregó	calamidad	dejado
desplacen	durante	extendida
gaviotas	islas	mar
observadores	peces	por
propietaria	provocada	sido
superiores	tareas	utilizadas
viertan		

2 Indica las palabras o frases del texto que corresponden a las siguientes definiciones:

    a porción de mar entre dos tierras próximas

    b la cosa fundamental

    c movimiento ondulatorio del mar

    d que ha sufrido un infortunio o desgracia

    e habitación de un barco

3 Haz un resumen del texto en 100 palabras.

II HACIA EL SIGLO VEINTIUNO

Texto C

1 Antes de leer el texto, busca en el diccionario el sentido de las palabras siguientes:

la melena	asomar	arrasar
asignar	un incremento	residuos químicos
la fachada	la contaminación	gases de escape
un hueco	amenazar	basuras
flanquear	cobijar	un agujero
una fosa	la selva	un manto protector
enfundado	el anhídrido carbónico	perjudicial
un patrón	talar	encargarse de

HACIA EL SIGLO XXI

Mariana se coloca la máscara de gas sobre la cabeza y esconde su melena dentro de ella. No podrá volverse a lavar el pelo hasta la próxima vez que le asignen agua para ello. Una bofetada de calor la asalta al abrir la puerta. Va caminando al colegio y, a su paso, no deja más que desnudas fachadas. Hace tiempo que nadie ha visto un gorrión y los huecos de los árboles, que antes flanqueaban las aceras, son ahora fosas de arena estéril. Mariana no puede reconocer a sus amigos en la puerta del cole: todos enfundados en sus trajes protectores, parecen repeticiones de un mismo patrón. Y es que asomar un poco de piel desnuda supondría un cáncer inmediato, provocado por los rayos ultravioleta...

Árido, yermo, muerto: un aspecto cada vez más familiar en nuestro entorno.

El planeta Tierra se aproxima a la catástrofe

Esta escena puede ser sólo un párrafo tremendista de cualquier novela de ciencia-ficción. Sin embargo, no pocos creen que algo parecido será realidad dentro de cierto tiempo. Científicos y meteorólogos temen que hacia el año 2050 se producirán enormes inundaciones, incrementos desorbitados de las temperaturas, contaminaciones insufribles y una desertización general que impida el desarrollo de la vida.

LA VEGETACION, MORIBUNDA

Cada minuto nacen en nuestro planeta 150 bebés, es decir, 220.000 al día o cerca de 80 millones al año. Todos dispuestos a vivir cómodamente en nuestro mundo. Pero la superficie destinada a cultivos y pastos es muy limitada. Por eso se explota el suelo de forma cada vez más intensiva a través de monocultivos. De las más de 350.000 especies de plantas que existen en la Tierra y de las que, según opinión de los especialistas, más de 20.000 serían comestibles, el hombre emplea sólo unas 30 para cubrir sus necesidades básicas. Fertilizantes especiales y herbicidas fomentan el crecimiento de estas pocas, mientras el resto están condenadas a la extinción. **Para el año 2050 pueden desaparecer las 25.000 especies de plantas que hoy están amenazadas.**

VENENO QUIMICO EN EL SUELO

La explotación intensiva del suelo también tiene otras consecuencias: los monocultivos o las plantaciones de árboles para el uso industrial ya no ofrecen protección a muchos seres. Según las estadísticas, el incremento vertiginoso de la población humana ha corrido en paralelo al número de especies animales desaparecidas. Y todo porque se rompe la cadena de la vida: si se infectan pequeños insectos, éstos a su vez servirán de alimento – e infectarán – a animales mayores, y éstos a otros... hasta convertirse en una cadena letal sin fin. **En el 2050, campos y bosques serán territorios desiertos en los que se cobijarán muy pocos animales.**

LA DESTRUCCION DE LA SELVA

En países de Asia, Africa y América del Sur se conservan las últimas selvas del planeta. En ellas se produce el intercambio de anhídrico carbónico por oxígeno, vital para todos los pulmones. Pero día a día se talan inmensas superficies madereras para ganar zonas de cultivo o por el simple interés comercial de obtener maderas exóticas para muebles. En muchas ocasiones – y esto lo conocemos también en España –, bosques que albergan una riquísima fauna o flora son incendiados por los pobladores de la región: la madera servirá luego como fuente de ingresos (no se quema del todo) y sobre las superficies arrasadas se iniciarán monocultivos. Pero la selva virgen es un sistema complejo de vida y muerte aceleradas, y el equilibrio sólo puede mantenerse con el nacimiento y la putrefacción constante de plantas y animales. Que las selvas desaparezcan – porque en sus países de origen no se les concede importancia y porque los más desarrollados tampoco hacen nada por su conservación – puede suponer el difícil problema de acabar con nuestra principal fuente de oxígeno. **Para el año 2050 puede que no queden ya extensiones selváticas.**

GASES MORTALES

Residuos químicos de las industrias, gases de escape de automóviles, instalaciones de calefacción, combustión de basuras domésticas ... un sinfín de sustancias tóxicas que contaminan la atmósfera. Todas son muy peligrosas para las distintas formas de vida, pero lo que más notoriamente cambiará por la contaminación del aire será la temperatura. Ya se ha detectado la presencia de un enorme agujero en la capa de ozono que rodea la Tierra a una altura de 15 a 20 kilómetros. Las moléculas de ozono, compuestas por tres partículas de oxígeno, desempeñan la importantísima función de filtrar la radiación ultravioleta procedente del Sol. Sin esta protección, los seres vivos estaríamos expuestos a su poder destructivo, capaz de provocar las más peligrosas enfermedades.

Los hidrocarburos fluorados son los causantes de la destrucción del ozono y las autoridades competentes no están tomando las medidas necesarias para evitar que las industrias sigan despidiendo indiscriminadamente gases que destruyen este manto protector sin el que no habría vida. **En el 2050 habrá más de 40 millones de pacientes con cánceres cutáneos.**

ATRAPADOS EN EL INVERNADERO

A una distancia menor de la Tierra, el ozono es perjudicial: en combinación con otros gases que cada día enviamos a la atmósfera, forma una densa capa que envuelve al globo terrestre. Allí se acumulan grandes cantidades de anhídrido carbónico procedente de la combustión de gas natural, petróleo o madera. Las plantas se encargan del complejo proceso químico de transformación por el que el anhídrido carbónico se convierte en oxígeno. Pero al destruirse grandes extensiones de selva, se deja de producir este oxígeno y se deja de limpiar la atmósfera. La situación se agrava aun más debido a que cada vez se producen mayores cantidades de anhídrido carbónico y éste no se destruye de ningún modo. Por otro lado, la capa gaseosa que nos envuelve se hace cada vez más densa y es capaz de retener el calor irradiado desde la Tierra. Esta campana gaseosa da lugar al efecto invernadero, con un calentamiento progresivo de la superficie terrestre. **Se calcula que hacia el año 2050 se habrá producido un dramático aumento de la temperatura media en cuatro grados centígrados.**

Insecticidas y pesticidas interrumpen el ciclo vital.

2 Lee el artículo con atención y responde a las preguntas:

a ¿Por qué no puede Mariana lavarse el pelo?

b ¿Qué ocurriría si la piel de Mariana estuviese expuesta al aire?

c Da tres razones por las cuales se destruyen los bosques.

d ¿Cómo se mantiene el equilibrio en la selva?

e ¿Por qué necesita el hombre la selva?

f ¿Cuál es el efecto más importante de la contaminación del aire?

g ¿A qué distancia está la capa de ozono?

h ¿Qué función desempeña la capa de ozono?

i ¿Qué pasaría si no existiera la capa de ozono?

j ¿Qué ocurre cuando el ozono se mezcla con otros gases?

k ¿De dónde vienen las cantidades de anhídrido carbónico que se acumulan en la atmósfera?

l ¿Qué papel desempeñan las plantas en la transformación del anhídrido carbónico?

m ¿Por qué se está calentando la superficie terrestre?

3 Lee otra vez el artículo y busca cómo se dice en español:

a a blast of heat

b science fiction

c the earth's surface

d a source of income

e household rubbish

f to play an important part in

g the appropriate authorities

h to take steps

4 A ver si puedes completar el cuadro siguiente:

Verbo	Sustantivo	Adjetivo
calentar		
	crecimiento	
comer		
		escondido
	protección	
		difícil
despedir		
		peligroso
	temor	
nacer		

El siguiente dibujo, publicado en los años setenta, critica de manera divertida la actitud de las autoridades españolas hacia los problemas ambientales:

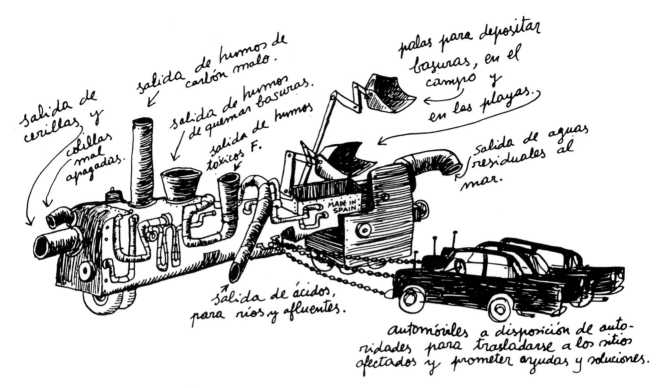

salida de cerillas, y colillas mal apagadas.

salida de humos de carbón malo.

salida de humos de quemar basuras.

salida de humos tóxicos F.

palas para depositar basuras, en el campo y en las playas.

salida de aguas residuales al mar.

salida de ácidos, para ríos y afluentes.

automóviles a disposición de autoridades para trasladarse a los sitios afectados y prometer ayudas y soluciones.

MÁQUINA PARA DESTRUIR LA NATURALEZA

Con un compañero:

a Escribe cinco frases que describan cinco maneras de destruir el medio ambiente con el uso de esta máquina.

b Comenta la opinión que tiene el dibujante de la eficacia de las autoridades españolas en caso de que suceda un desastre ecológico.

Verifica tus respuestas con el profesor.

GRAMMAR

Uses of "se"

When you read, hear or speak a lot of Spanish, you cannot fail to notice the number of times that the word **se** is used. The many uses of **se** can be categorised in two particular ways:

◆ *In a reflexive verb.* As outlined in Chapter 1, this might be:

◇ a verb that is normally or always reflexive, but where the translation does not include the literal meaning.

For example:

○ Mariana se lava antes de ir a la escuela (Mariana washes before going to school)

○ La situación se agrava aún más ... (the situation is getting even worse ...)

◇ a verb that is normally not reflexive but which becomes so with the addition of **se**. In this case the translation includes the reflexive meaning.

For example:

○ Mariana no se reconoce cuando lleva la máscara de gas (Mariana doesn't recognise herself when she wears her gasmask).

◇ For the use of **se** with parts of the body and clothing see Grammar Summary on page 233.

◆ *In passive sentences,* where a verb not normally reflexive is made so to translate a passive idea.

For example:

○ En la selva se talan muchos árboles por el simple interés comercial (In the forest many trees are cut down for purely commercial reasons)

○ Cada día se producen mayores cantidades de gases tóxicos (Every day greater quantities of poisonous gases are produced)

◇ Such sentences may have a truly passive meaning or may be translated by words like "one", "they", "people". In this sense **se** is the exact equivalent of the French *on*.

For example:

○ Se dice que no habrá árboles en el siglo veintiuno (It is said/they say that there will be no trees in the twenty-first century)

Discovery

A good number of examples of the use of **se** are to be found in the reading passages studied so far. Find ten examples of **se** in the passages and try to fit them into each of the categories mentioned above.

Práctica

Inventa diez frases sobre el estado presente o futuro de nuestro planeta basadas en el artículo <<*Hacia el siglo veintiuno*>>, utilizando **se** con los verbos siguientes.

destruir	decir	quemar
encontrar	acumular	encargar
calcular	convertir	ver
hacer		

III CERNÍCALOS

Los textos D y E nos muestran cómo las acciones de una agencia de medio ambiente pudieron salvar a 40 parejas de cernícalos ("kestrels"), especie que está en peligro de extinción en España.

Texto D

El triunfo del pertinaz cernícalo

Una iglesia barroca se convertirá en nido para 40 parejas de una especie protegida

JORGE A. RODRÍGUEZ, Madrid

El cernícalo primilla es un rapaz de costumbres. Unas 40 parejas de esta especie son tan pertinaces que anidan en una iglesia barroca semiderruida de Perales del Río, pedanía de Getafe. Los cernícalos han visto cómo se caía a pedazos y cómo se erigía a su alrededor una moderna urbanización. Las autoridades pensaron derruir del todo la vieja iglesia y construir un centro cultural, pero han terminado dando la razón a las aves. Convertirán la iglesia en una pajarera permanente para que aniden los cernícalos, especie protegida.

El *Falco naumanni*, es decir, el cernícalo primilla, es un ave falconiforme de pequeño tamaño caracterizada por su costumbre de cernerse. En pocas palabras, que se parece a un halcón y que es capaz de pararse en el aire. Esta especie está en peligro de extinción. ¿Qué está acabando con ella? Fácil. Los insecticidas. Comen insectos fumigados y mueren.

La regresión de la especie parece imparable. En los años 60 había bichos de éstos en casi el 80% de los pueblos de Madrid. En 1973, Francisco Bernís, catedrático de la Universidad Complutense, constató que tan sólo en ocho de los 60 pueblos que visitó había alguna pareja de cernícalos.

Da la casualidad que el núcleo que anida en la iglesia sin techo de Perales es uno de los más numerosos de la Comunidad de Madrid y casi de España. "Reconstruir la iglesia, en la que hay también varios nidos de cigüeñas, y dejarla para siempre como un gran nido y enclave ornitológico, donde poder observar a los pájaros sin molestarlos, es una oportunidad única para parar la regresión de esta especie", asegura Luis Maestre, director de la Agencia de Medio Ambiente (AMA), de quien partió la idea.

Escuela taller

Manos a la obra. Una escuela taller de arqueología del Ayuntamiento de Getafe se encargará de la tarea de reconstrucción. En el suelo se sembrarán distintas especies de plantas y se construirá un pequeño observatorio para poder vigilar a las aves sin incordiarlas. Maestre ha conseguido convencer a los vecinos para que el centro cultural que se iba a crear en la iglesia se traslade a otro punto, "donde las obras requerirán menos inversión".

"Por ahora no se puede hacer nada", dice Maestre. Los cernícalos están en pleno apareamiento y comenzar las tareas de reconstrucción y habilitación podría perjudicar el rito reproductor de esta especie ahora tan escasa.

En verano, cuando estas aves de alas largas y puntiagudas, con franjas en el dorso en forma de uve, emigren hacia África se podrán realizar todos los trabajos.

● *Interrogatives:* The Spanish word for English "what?" is often **¿qué?**, as in **¿Qué está acabando con ella?** Read through the account of interrogation in the Grammar Summary on page 235.

---

1 Empareja estas palabras, sacadas del artículo, con su equivalente inglés:

pertinaz	investment
la urbanización	to sow
derruir	stork
anidar	to demolish
cernerse	persistent
el halcón	rare
imparable	to bother
la cigüeña	housing estate
sembrar	to hover
incordiar	hawk
la inversión	unstoppable
escasa	to nest

2 Contesta en inglés a las siguientes preguntas:
  a Why have the authorities changed their plan to turn the church into a cultural centre?
  b Why are the kestrels dying?
  c How are they going to stop the kestrels from dying out?
  d How has Luis Maestre persuaded the local people to move the cultural centre to another location?
  e Why is it not possible for the rebuilding work to begin straight away?

3 Explica en español el sentido de las frases siguientes:
  a un rapaz de costumbres
  b las autoridades han terminado dando la razón a las aves
  c la regresión de la especie parece imparable
  d da la casualidad
  e manos a la obra
  f donde las obras requerirán menos inversión

Texto E Cernícalos

4 Escucha la cinta dos veces e indica con una equis en la casilla apropiada si se hacen estas afirmaciones en el artículo, en el texto grabado, o en los dos.

	Artículo	Texto grabado
a Kestrels are an endangered species.	☐	☐
b They are being poisoned as a result of eating insects.	☐	☐
c They are nesting in a Baroque church.	☐	☐
d The church was going to be turned into a cultural centre.	☐	☐

e An observatory is to be built so that the birds can be watched.

☐   ☐

f It is the nesting season so nothing can be done for the moment.

☐   ☐

g In summer the birds go to Africa.

☐   ☐

5 Imagina que eres el director de la Agencia de Medio Ambiente. Tienes que dar un informe a los concejales de Perales del Río para convencerles que sería preferible convertir la iglesia en una pajarera antes que derruirla y construir un centro cultural. Basando tu argumento en los datos del artículo y de la cinta, escribe cinco puntos que apoyen tu punto de vista. Utiliza una construcción con **se** al menos tres veces.

IV ANCHURAS, UN BLANCO DIFÍCIL

Textos F y G Ahora vas a leer un artículo en inglés que describe un problema de medio ambiente que afecta a un pueblo de La Mancha. A continuación hay otro artículo sobre el mismo asunto, escrito en español, que se comprenderá más fácilmente con la ayuda del artículo inglés. Lee los dos artículos y haz los ejercicios de la página 138.

Spain hears strain of a new Quixote

JOHN HOOPER in Anchuras reports on a village fighting for survival.

VILLAGERS in Don Quixote's homeland of La Mancha are set to charge the windmills of the monarchy, the Government and the armed forces in an attempt to block the siting of a bombing range between a national wildlife park and a nuclear reactor site.

Anchuras, set amid the Toledo hills, 100 miles southwest of Madrid, is the kind of tranquil, dusty little *pueblo* that illustrates the pages of Spanish schoolbooks. By early afternoon, farmworkers and craftsmen driven from their work by the savage heat have formed a huddle under a tree by the road that skirts the village.

All that is needed to round off its Cervantine air is a mayor who looks as if he has stepped from the seventeenth century. With his tightly curled hair, dark complexion and black beard and moustache, Santiago Martin, the 25-year-old son of a tenant farmer, fits the role to a tee.

Like most of the 517 inhabitants of Anchuras, he lives by the land. It cannot support cattle, but it serves for sheep and goats. Cork trees and olive groves are sprinkled among the wheatfields. There are pine woods and, in autumn, when edible fungi known locally as *niscalos* spring up, they are picked by the villagers. In three or four weeks they earn as much by sending the *niscalos* for sale in Barcelona as they do in the rest of the year.

On 20 July, in an episode worthy of a Don Camillo novel, the mayor arrived at the offices of the province's civil governor to be told that a military helicopter was standing by to take him to Madrid. Less than an hour later, Martin was being ushered into the presence of Defence Minister Narcis Serra.

Serra informed him that a diamond-shaped area of just over two-and-a-half square miles to the west of the village had been selected to become the next bombing range for the air force. The decision had been taken at a meeting of the National Defence Committee presided over by the King. It was final.

'After I came out of the Minister's office, as I was going back to the village, I gradually took in what we had coming to us,' says the mayor. 'I looked at the houses and I thought that Anchuras would never be the same. I got in a foul mood.'

Martin has spurred the villagers into a campaign which has turned a local controversy into a national debate.

Vecinos de Anchuras colocan una pancarta en una calle del pueblo.

ÁNGEL AGUADO

Anchuras, un blanco difícil

Vecinos, partidos políticos y grupos ecologistas incrementan su lucha contra el polígono de tiro

MARIFÉ MORENO, Madrid

Algo más que los hábitos se han trastocado en las gentes de Anchuras desde que hace un año el Gobierno decidió declarar el término municipal como zona de interés para la defensa y proyectar un polígono de tiro en la pequeña localidad manchega. Se han cavado zanjas para impedir el paso de los militares, a quienes se les ha increpado y conminado, la pasada semana, a abandonar la zona con sentadas ante sus vehículos y otras acciones de presión. Los vecinos han vigilado en los últimos dos meses los escasos movimientos del destacamento fuera del recinto militar de El Cijaral.

El *acoso* popular crece día a día. Los ancianos recuerdan los tiempos de la guerra civil, "por si hubiera que luchar como entonces", y los jóvenes, aferrados a una tierra deprimida que no obstante les ha permitido *pasar* de la lista de parados, están dispuestos "a todo" por un paisaje que es tan suyo como el aire que respiran. "Anchuras es la Amazonia de España", dice una pancarta colgada entre dos encinas a la entrada del pueblo, en respuesta a las alusiones del ministro de Defensa, Narcís Serra, sobre el escaso valor ecológico del lugar. Esta versión del ecosistema de Anchuras se halla reflejada en dos únicos informes oficiales de cuatro folios, frente a decenas de documentos que afirman lo contrario.

Anchuras, a unos 20 kilómetros del parque natural de Cabañeros, a cuatro de la reserva de caza del Cíjara y a 30 de la central nuclear de Valdecaballeros, se extiende en la ladera de la sierra de la Hiruela, entre cotos de caza de jaras, encinas y alcornoques, limpio, blanco y cuidado por sus poco más de 500 habitantes.

Monterías de los 'señoritos'

La vida transcurre tranquila, pendientes de la cosecha de cereales, los otoñales níscalos y las monterías de los *señoritos*, a quienes alquilan los perros. "Ahora que entramos en Europa, para esto se acuerdan de nosotros. Nos quieren traer el demonio", afirma José, un jubilado que forma parte del retén de vecinos que vigila día y noche, como si de una guerrilla se tratase, la finca *El Rosalejo*, vía de acceso a la dehesa de El Cijaral; esta última, la única posesión militar en la zona.

Javier Moro es uno de los cuatro propietarios de *El Rosalejo*, 2.700 hectáreas de terreno *pintado* en el mapa como futuro campo de tiro. El litigio de la familia Moro con los arrendatarios de la finca desde 1940, no ha impedido que Defensa negocie con los propietarios la permuta de estas tierras por otras de extensión muy superior en Cabañeros.

Muchos son los que creen que ya existe un principio de acuerdo entre ambos. "No sólo tenemos insectos", "Queremos labradores, no aviadores", dicen dos pancartas, y remata otra: "Queremos cabras y no cabrones". Los grupos ecologistas han cambiado la larga e infructuosa lucha contra la contrucción del pantano de Riaño por la de Anchuras.

Alicia es la dueña del único restaurante de Minas de Santa Quiteria, a unos 15 kilómetros de Anchuras, donde hay un teléfono para los 100 habitantes. Partidaria del polígono, lo proclama sin ningún recato. El destacamento ha acudido de forma regular allí a almorzar. Varios vecinos han dejado de jugar la partida en el café, y otros no lo hacen por temor a represalias en los recados telefónicos.

Santiago Martín, alcalde de Anchuras, y Rafael Galán, un párroco ciertamente inusual, encabezan la lucha. Martín no ha olvidado su única charla con el ministro de Defensa. "Serra no puede convencerme ni a mí ni a nadie de la necesidad de un polígono de tiro".

1 Haz un resumen en español, usando unas 100 palabras, de los siguientes aspectos del artículo inglés. Puedes usar, claro está, palabras y frases sacadas del artículo español.
    a la situación de Anchuras
    b las plantas y animales de la zona
    c el enfrentamiento entre Santiago Martín y Narcís Serra

2 Traduce al inglés el primer párrafo del artículo español.

3 Haz algunas notas sobre los siguientes puntos del artículo español:
    a la relación entre los militares y los lugareños
    b el valor ecológico de la zona
    c las negociaciones entre Javier Moro y el Ministerio de Defensa
    d el punto de vista de Alicia

4 Completa las frases siguientes, basadas en el texto español, utilizando el subjuntivo. Después comenta por qué se utiliza la forma subjuntiva en estas frases, y verifica tus razones con el profesor.
    a A los habitantes de Anchuras les era importante que no (pasar) los militares.
    b Era como si (vivir) otra vez la guerra civil.
    c Narcís Serra no creía que el lugar (tener) valor ecológico.
    d Es posible que el Gobierno (acordarse) de Anchuras porque ahora entra España en Europa.
    e Javier Moro quiere que Defensa (comprar) sus tierras.
    f Los ecologistas no podían impedir que (construir) el pantano de Riaño.
    g Muchos vecinos temen que Anchuras (perder) la lucha contra el Gobierno.
    h Según Santiago Martín, no era necesario que Defensa (poner) el polígano en Anchuras.

5 Imagina que eres el alcalde de Anchuras, Santiago Martín. A consecuencia de tu campaña, el ministro de Defensa te ha invitado a hablar con él otra vez sobre el polígono de tiro. Basándote en notas tomadas de los dos artículos, explica a tu compañero, que desempeñará el papel del ministro, tres razones por las cuales el polígono de tiro no debe estar situado en la zona. A ver si tu compañero puede dar una respuesta a las razones que hayas dado. Dos o tres alumnos leerán sus declaraciones y respuestas delante de la clase.

Redacciones

Escribe una redacción en español de aproximadamente 250 palabras sobre uno de los siguientes temas:

a ¿Cómo podemos proteger las especies de animales que están en peligro de extinción?

b ¿Exageran los científicos los peligros del <<efecto invernadero>>?

c ¿Para qué conservar la selva virgen?

d Imagina que eres miembro de una organización ecologista en el año 2050. Tienes que sobrevolar Europa *o* Sudamérica para hacer un informe sobre la destrucción de la naturaleza. Escribe una carta a un amigo español, en la que describes lo que has visto.

e <<La polución, efecto inevitable de la sociedad moderna.>>

Traduce al español:

"Look at what they say in this article! Life's going to get worse and worse in the twenty-first century. The forests will be cut down ... the land will turn into desert ... we'll all be forced to wear gas-masks and protective clothing because of the pollution of the earth's atmosphere, and so on."

"Don't believe a word of it! People read too much science fiction nowadays and they always imagine the worst. In fact, just the opposite is happening. The countryside and the sea are being cleaned up and every day new trees are planted. And the atmosphere certainly wasn't getting warmer last winter, I can tell you!"

Reporting task

A Spanish friend who is staying with you has seen this newspaper article about an oil spillage on the river Mersey. He is a member of the Spanish ecological movement and a keen ornithologist. He wants to know how the spillage happened and why, and what measures are being taken to rescue the stricken birds. Answer his questions.

MERSEY MOP-UP

Report by Michelle Williams

Thousands of birds under threat in a 30 mile slick

A MAJOR clean-up operation was in full swing last night as hundreds of people battled to beat the Mersey's worst ever oil spillage.

Thousands of gallons of thick Venezuelan crude oil gushed into the estuary from a severed sea-bed pipe, causing a huge slick stretching from the Wirral coastline to Formby, near Southport.

As the tide fell, the oil was left along up to 30 miles of shore, threatening thousands of birds and their feeding grounds.

The emergency began on Saturday afternoon when a pipeline between the Shell terminal at Tranmere and its refinery at Stanlow, Ellesmere Port, split.

First reports estimated the slick to be up to 450 tonnes but Shell later claimed the loss is nearer 150 tonnes.

Yesterday local authorities stationed emergency cleansing teams along beaches on both sides of the Mersey.

Attempts to disperse the oil with chemicals were abandoned to avoid splitting the slick into a mass of smaller ones.

A Shell spokesman said: "There are tugs spraying water on to a thin layer of oil in the river but the solution for the heavy balls of crude oil appears to be to collect it as it comes ashore."

Hundreds of tonnes of sand were brought in at Egremont, near New Brighton, and at Wallasey in a bid to soak up the thick oil.

And wildlife experts were standing by to assess the damage caused to birds and their feeding grounds on the estuary.

Desarrollando el tema

1 *Temas generales:* ¿qué medidas deben tomar los gobiernos para solucionar los problemas de medio ambiente?; la cooperación internacional en las cuestiones ecológicas; la pérdida del equilibrio de la naturaleza; el reciclaje de las basuras; la energía solar; un gran problema ecológico en España; los grupos ecologistas en España; el partido <<verde>>; un ejemplo de cómo un individuo, un grupo o una comunidad en España ha conseguido limitar el daño ecológico.

2 *El aire/la atmósfera:* el efecto invernadero y los trastornos que resultan del aumento de temperatura; el problema de los clorofluorocarbonos; la destrucción de la capa de ozono y los peligros de los rayos ultravioletas del sol; la lluvia ácida; la contaminación acústica — los efectos del ruido en las grandes ciudades (por ejemplo, Madrid).

3 *La tierra:* la desertización; la destrucción de las selvas; las especies en peligro de extinción; la contaminación de la costa; los daños causados a la costa por las manchas de petróleo.

4 *El mar:* la polución del agua por los vertidos nucleares; los daños causados por los hombres a la vida del mar (los focos, los peces, las ballenas); los problemas de la subida de las aguas del mar.

5 *La energía nuclear:* ¿son necesarias las centrales nucleares?; ¿cómo podemos evitar los desastres nucleares como el de Chernobil?; la reducción de las armas nucleares y biológicas.

8

¿EN QUÉ PIENSAS TRABAJAR?

En nuestra sociedad no se pueden ofrecer garantías de empleo al joven. Los más arriesgados, los llamados <<jóvenes empresarios>>, crean su propio negocio, pero esta posibilidad sólo se ofrece a algunos. La mayoría de los jóvenes intenta conseguir un contrato de empleo mediante las ofertas de trabajo de la prensa diaria, y muchos aceptan cualquier trabajo para independizarse. Para los que no consiguen nada los gobiernos suelen crear métodos de acceso al trabajo mediante un plan de empleo. Estos planes provocan, como es lógico, la oposición de los sindicatos, porque los empleos que se crean así no son <<verdaderos>> y duran poco tiempo. Vamos a examinar, en primer lugar, los diferentes tipos de empleo. A continuación veremos los problemas que surgieron en España a consecuencia del Plan de Empleo Juvenil. Luego describimos algunas estrategias para ganarse un empleo por primera vez y cómo escribir una carta de solicitud. Finalmente, algunas personas cuentan cómo han alcanzado sus metas, o están en vías de alcanzarlas.

I LOS OFICIOS

El mundo del trabajo suele dividirse en diversos grupos de oficios, entre ellos los cuatro grupos siguientes:

TRANSPORTE:

MEDICINA:

SERVICIOS GENERALES:

HOSTELERIA Y TURISMO:

1 Busca el sentido de los empleos de la lista siguiente que no conozcas y después coloca cada empleo en el grupo que corresponde a su función, según los dibujos de la página 141:

azafata	camionero	limpiabotas
cirujano	mozo de equipajes	farmacéutico
maquinista	camarera	bombero
taxista	conserje	psiquíatra
repartidor	vigilante	enfermera
guía		

2 Con un compañero, trata de adivinar cuáles de los empleos (ejercicio **1**) corresponden a las definiciones siguientes. Después verifícalos con el profesor.

a empleada que se ocupa de los pasajeros a bordo de un avión
b miembro de un cuerpo organizado para extinguir incendios
c persona que tiene por oficio limpiar el calzado
d persona que tiene por oficio cuidar a los enfermos

3 Ahora escoge otros cinco empleos de la lista y da una definición por escrito del trabajo que hace cada empleado.

II EL PLAN DE EMPLEO JUVENIL

Texto A **1** Antes de leer el artículo busca en el diccionario el sentido de las siguientes palabras:

pretender	exento	mediante
proporcionar	una modalidad	a tiempo completo
comprendidas	salvo que	a tiempo parcial
realizar	superar	el convenio
por cuenta ajena	la extinción	pactarse
una prórroga	impedir	a partir de
empresarios	la empresa	la entrada en vigor

El Plan de Empleo pretende dar el primer trabajo a jóvenes entre dieciséis y veinticinco años

Duración máxima de dieciocho meses para los contratos

El Plan de Empleo Juvenil aprobado por el Gobierno pretende proporcionar el primer trabajo a los jóvenes con edades comprendidas entre los dieciséis y los veinticinco años que no hubieran realizado con anterioridad trabajo por cuenta ajena. El contrato tendrá una duración mínima de seis meses y máxima de dieciocho, incluida una sola prórroga. Los empresarios estarán exentos del pago de la Seguridad Social y recibirán un incentivo de 200.000 pesetas.

● **Sujetos.** — Jóvenes con edades comprendidas entre los dieciséis y los veinticinco años. Que no hubieran realizado con anterioridad trabajo por cuenta ajena en alguna de sus modalidades, salvo que el tiempo que hubieran trabajado no superase los tres meses en los últimos dos años.

● **Condiciones.** — No podrá adoptar la modalidad de trabajo a domicilio. La extinción de un contrato de esta naturaleza no impide que la empresa pueda volver a contratar a otro trabajador mediante este tipo de contrato. El contrato podrá ser a tiempo completo y a tiempo parcial.

● **Salario.** — Salario mínimo interprofesional, salvo que en los convenios colectivos se pacte un salario superior para esta relación laboral de carácter especial.

● **Duración del programa.** — Treinta y seis meses a partir de la fecha de entrada en vigor.

Reproducido del diario ABC, de Madrid

---

2 Contesta en inglés a las siguientes preguntas.

a For how long can a contract last under the new scheme?

b In what ways does the scheme benefit employers?

c Can a young person be taken on under the scheme if he/she has had a previous employment?

d What are the main conditions of employment under the scheme?

e Can young people earn more than the minimum wage?

Texto B

CARTAS AL DIRECTOR

Tengo 29 años y desde 1982 estoy en el paro. En todos estos años, según iban surgiendo ofertas de empleo, la oficina del Inem iba llamando a los parados con más antigüedad en el paro, como es lo lógico. Ahora, con este plan de empleo, a los que más antigüedad tenemos en el paro ya no nos queda ni esa esperanza. Con este invento del Gobierno los empresarios sólo cogerán jóvenes menores de 25 años, puesto que le saldrán prácticamente gratis.

Con esto las generaciones de jóvenes entre 25 y 30 y algún años serán marginados de la manera más cruel y se les quitarán las pocas posibilidades que podían tener para encontrar trabajo. Jóvenes éstos que, por otra parte, son los que más necesidad tienen de un puesto de trabajo. Es más desesperante para uno de 30 años que para uno de 20 estar viviendo a esa edad a cuenta de los padres. Por otro lado, es evidente que con 45.000 pesetas mensuales no se puede formar un hogar, criar hijos, casarse, alquilar un piso, etcétera. ¿No sería más razonable crear 100.000 puestos de trabajo dignos que 200.000 o 300.000 mediocres o falsos empleos?

Este plan no es de empleo, puesto que lo que el Gobierno ofrece no se le puede llamar empleo; y no es juvenil, ya que discrimina a los jóvenes que más tiempo llevan en paro. Y lo que es más grave aún, este plan no sólo no crea empleo, sino que hace que desaparezcan los pocos puestos de trabajo normales que podrían surgir, ya que los empresarios harán uso del magnífico regalo que el Gobierno les ofrece.

Señores del Gobierno, se han equivocado rotundamente con este plan de empleo, y lo normal sería reconocerlo y corregir. No se extrañen tanto de que sindicatos, partidos políticos, etcétera estén en contra de su plan. Hasta los más ingenuos podemos ver que su plan es todo lo contrario de lo que ustedes quieren hacernos ver. Su plan de empleo es un fraude a la sociedad y a los parados. — **Francisco Tapia Domínguez.** Valladolid.

1 Empareja estas palabras con su equivalente inglés:

surgir	free
puesto que	at the expense of
gratis	simple
marginados	monthly
a cuenta de	trade union
mensual	swindle ("con")
alquilar	since
rotundamente	rejected
un sindicato	emphatically
ingenuo	to arise
un fraude	to rent

2 Haz una lista en español de los principales argumentos que emplea el autor de la carta en contra del Plan de Empleo Juvenil.

Texto C ## Una manifestación en contra del Plan de Empleo Juvenil

1 Las palabras que siguen se encuentran en la primera parte de la secuencia. Escucha la cinta una vez y coloca las palabras en su sitio, indicándolas por la letra:

a asuntos   **d** económica   **g** oficinas

b colectivos   **e** grupos   **h** protagonizarán

c concentraciones **f** jornada

Entramos ya en temas de Madrid. Estudiantes, jóvenes y funcionarios _____ en esta jornada numerosas movilizaciones, asambleas, actos de protesta y _____ en la Comunidad de Madrid. La política _____ del Gobierno y el Plan de Empleo Juvenil serán los _____ que centrarán las protestas de estos _____. Los estudiantes comenzarán la _____ con asambleas y movilizaciones, mientras que _____ de jóvenes realizarán concentraciones en las _____ del Instituto Nacional de Empleo situadas en las calles de Atocha, Infanta Mercedes y Lavapies.

2 Escucha la cinta otra vez y con un compañero trata de contestar a las siguientes preguntas. Luego verifica tus respuestas con el profesor.

a ¿Por qué van a protestar los manifestantes?

b ¿Dónde van los jóvenes a congregarse?

c ¿Quién convocó las concentraciones que van a tener lugar a las doce?

d ¿Cuándo se van a reunir los funcionarios?

e ¿Cuántas personas han firmado el documento?

f ¿Cuándo va a entrar en vigor el acuerdo ?

III CÓMO GANARSE UN EMPLEO

Por supuesto, el Plan de Empleo Juvenil, como es de duración corta, no puede dar una solución permanente a los problemas del joven desempleado. El joven que quiere una buena colocación definitiva tiene que hacer una solicitud de empleo y, para conseguir el empleo, tiene que presentarse a una entrevista de selección.

Texto D

Guía práctica para ganarse el primer empleo

S E puede ser el más listo de la clase, el número uno de la promoción y ostentar luego el *record* de permanencia en el paro. Podría decirse, únicamente, que no basta con ser el candidato más indicado para un puesto de trabajo. Hay que parecerlo. El autor del libro *Guía de mi primer empleo* comprobó este hecho en sus propias carnes. <<*Hincha tu 'currículum vitae', ponle un poco de picardía y no te preocupes por ser transparente. Este es un mundo de competencia y apariencia*>>, le dijo un seleccionador de personal a **Carlos de la Fuente**, después de presentar un historial profesional demasiado realista y, probablemente, algo soso.

Guía de mi primer empleo pretende mostrar a jóvenes de 16 años qué recursos y qué lenguaje tienen que utilizar para conseguir su primer trabajo lo antes posible. Las estadísticas dicen que uno de cada tres jóvenes españoles tarda más de dos años y medio en estrenarse. Este dato alarmante, unido a la larga duración de muchas carreras, lleva al autor a hacer una reflexión tragicómica: <<*Cada vez, los jóvenes llegan más calvos a buscar empleo.*>> "El trabajo de encontrar trabajo" es el título de uno de los capítulos, aquél en que explica cómo se debe escribir una carta de solicitud de trabajo, cómo se redacta un *currículum vitae* y la forma en

que debe presentarse un aspirante a una entrevista de selección. El capítulo empieza con un ejemplo que supone un guiño de complicidad del autor: <<*Si te preguntan: '¿En qué trabajas?' no es lo mismo si contestas: 'En nada, estoy parado' que si dices: 'Busco empleo'. En la primera respuesta manifiestas inactividad. En la segunda, tu empeño en una .tarea, que exige esfuerzo, provoca adhesión, simpatía, tal vez, te ganas un colaborador.*>> Dentro de este mundo de competencia y apariencia, la primera impresión que transmita la persona que solicita trabajo es fundamental. **Carlos de la Fuente** cree que <<*una impresión agradable puede ser decisiva. En una entrevista hay poco tiempo y los signos externos ayudan, tanto como la conversación y la presentación*>>. Y para ello, **De la Fuente** aconseja acudir a la entrevista de trabajo como el que acude a la primera cita de novios. Uñas limpias, el traje algo convencional, los zapatos limpios y unos calcetines que no desentonen. <<*No te pongas colonias ni desodorantes fuertes, ni fumes* – dice – . *El aliento, fresco.*>>

Otros consejos se refieren a la puntualidad en la cita y a la forma de comportarse ante el entrevistador. Resulta imperdonable hablar más que el interlocutor, sugerirle preguntas y mostrar excesivo entusiasmo. <<*Considera que ningún trabajo es la ocupación*

ideal; por lo tanto evita frases como 'realizarme plenamente'.>> Para las mujeres hay consejos especiales de belleza: <<*Un buen peinado, un traje cuidado, de moda. Perfume fresco, no fuerte, discreto. Uñas cuidadas. Nada de vaqueros ni de bambas.*>>

ALGUNAS ADVERTENCIAS. –Tan importante como el aspecto físico es el saber *vestir un currículum vitae* y la carta de solicitud. El orden en que hay que poner los datos personales es fundamental, tanto como no *meter la pata* en el contenido con datos que puedan perjudicar, en vez de enriquecer el escrito. Algunas advertencias son tan obvias como fácil pueda ser deslizar el error: <<*¡Ojo! si ya estás trabajando, nunca des (en el currículum) el teléfono del trabajo.*>>

Los consejos que contiene el libro de **Carlos de la Fuente** no se estudian, desgraciadamente, en escuelas y universidades. Quienes los conocen los han aprendido después de cometer un error tras otro en *la escuela de la vida*. **Francisco Moro**, un joven madrileño que empezó trabajando de botones y lavando pinceles en una agencia de publicidad es ahora director de producción gráfica de la agencia *Contrapunto*. **Moro** fue uno de los máximos responsables de la famosa y premiada campaña publicitaria *El Cuponazo*, pero lleva sólo siete meses en su nueva empresa. Este creativo de publicidad opina que para conseguir un trabajo <<*hay que echarle el morro justo, sin pasarse, para que no se te vea el plumero. Siempre que me han llamado para una entrevista me* – *he preocupado antes de saber quién era el encargado de seleccionarme y por dónde me iba a entrar*>>. **Moro** también cree que la primera impresión es decisiva. <<*Tu aspecto tiene que ser majete* –dice–. *Si la primera impresión no es buena, la cosa se te puede poner muy cuesta arriba.*>>

1 Lee el artículo dos veces. Al leerlo por segunda vez trata de adivinar, con un compañero, lo que significan en el contexto las palabras y frases siguientes. Después compara tus respuestas con las de otras parejas y verifícalas con el profesor.

a ostentar el record de permanencia en el paro
b el candidato más indicado
c hincha tu currículum vitae
d no te preocupes por ser transparente
e un seleccionador de personal
f estrenarse
g este dato alarmante
h <<cada vez, los jóvenes llegan más calvos a buscar empleo>>
i un guiño de complicidad
j te ganas un colaborador
k la primera cita de novios
l un traje cuidado
m nada de vaqueros

2 Traduce al inglés el último párrafo del artículo.

3 Lee la siguiente lista de frases y pon una equis en la casilla si son verdaderas. Si son falsas escribe la versión correcta.

El autor del libro aconseja al joven, cuando se presenta a una entrevista, que debiera:

a hablar mucho para impresionar al interlocutor ☐

b utilizar cosméticos ☐

c (mujeres) vestirse de modo elegante ☐

d confesar francamente que está desempleado ☐

e buscar un empleo que le satisfaga completamente ☐

f tomar el fresco antes de la entrevista ☐

g excluir del historial información que pueda dañar la solicitud ☐

GRAMMAR

Comparison

◆ When two things are compared Spanish uses **más / menos que** to convey the idea of "more/less than":

For example:
○ ¿No sería más razonable crear 100.000 puestos de trabajo dignos que 200.000 o 300.000 mediocres o falsos empleos? (Wouldn't it be more reasonable to create 100,000 proper jobs than 200,000 or 300,000 mediocre or false jobs?)

◆ When a number follows **más**, **que** is replaced by **de**, as there is no comparison being made:

For example:
○ uno de cada tres jóvenes tarda más de dos años y medio en estrenarse (one in every three youngsters takes more than two and a half years to get his first job)

◆ The superlative (the idea of "most" or "least") is conveyed by **el más / el menos**, but when the superlative follows a noun the definite article (unlike in French), *is omitted.*

For example:
○ No basta ser el candidato más indicado para el puesto (It isn't sufficient to be the most suitable candidate for the post)

◇ Be careful to use **de** (and not **en**) after a superlative.

For example:

○ Se puede ser el más listo **de** la clase (You can be the cleverest *in* the class)

◆ Frequently you can only tell whether **más** or **menos** means more/the most or less/the least from the context, because the definite article does not always precede the superlative form. For example, in **los jóvenes que más tiempo llevan en paro** (in the letter from Francisco Tapia Domínguez) the sense is obviously "most" in the context.

◆ When you are comparing two things which are equal you use **tan ... como** (where **tan** is followed by an adjective, or adverb) or **tanto ... como** (where **tanto** is followed by a noun, with which it agrees) to link them:

For example:

○ Tan importante como el aspecto físico es el saber vestir un currículum vitae y la carta de solicitud (Knowing how to "dress up" your CV and your letter of application is as important as the way you look)

○ No gana tanto dinero como antes (He doesn't earn as much money as before)

Read through the section on comparison in the Grammar Summary on page 232.

Práctica

Completa las siguientes frases y después tradúcelas al inglés:

a Es el mejor futbolista _____ la liga.

b Esta empresa no tiene _____ trabajadores como aquélla.

c Más _____ quinientas personas perdieron su empleo con motivo de la huelga.

d El trabajo de un profesor no me parece tan interesante _____ el de un cartero.

e SEAT es la compañía _____ eficaz de la industria española.

IV LA CARTA DE SOLICITUD

Por lo general, las empresas que necesitan nuevos empleados ponen un anuncio en el periódico. Algunas veces el que se interesa por el empleo tiene que hacer una carta de solicitud. Otras veces, sobre todo si busca un trabajo temporal, debe telefonear para concertar una entrevista, o sencillamente, presentarse en el local de la empresa. Abajo hay una oferta de trabajo y, en la página 148, una carta de solicitud de una chica que quiere este empleo. Mira bien cómo se hace este tipo de carta porque después vas a solicitar un trabajo empleando un lenguaje similar.

Texto E

IMPORTANTE EMPRESA MULTINACIONAL PRECISA:

SECRETARIAS BILINGÜES

SE REQUIERE:
- Dominio absoluto del idioma Inglés, tanto oral como escrito.
- Mecanografía (experiencia en Máquinas Electrónicas).
- Taquigrafía.
- Manejo de Ordenadores Personales.

SE OFRECE:
- Incorporación inmediata.
- Lugar de trabajo Madrid.
- Integración en un equipo de profesionales jóvenes.
- Salario según la experiencia aportada.

Rogamos a las personas interesadas envíen su Curriculum Vitae, junto con una fotografía reciente, indicando dirección y teléfono de contacto a:
ATT. MONTSERRAT ABAD
Departamento de Recursos Humanos
Edificio Hexágono
C/ Princesa, 25 - 1.º planta
28008 MADRID

Ana Vila García
Churruca, 4, 3º, 2ª
28001 MADRID

24 de enero de 1991

Monserrat Abad
Departamento de Recursos Humanos
Edificio Hexágono
C/ Princesa 25 -1 planta
28002 MADRID

Muy señores míos:

En respuesta a su anuncio en <<el País>> del 23 de enero de 1991, me apresuro a ofrecerme para el puesto de secretaria bilingüe en su empresa.

Tengo 24 años y en la actualidad trabajo en una agencia inmobiliaria, donde llevo dos años y medio. Me gusta mi trabajo pero desearía cambiar y tener la oportunidad de utilizar mis conocimientos de idiomas.

Acompaño a la presente mi currículum vitae y fotocopias de certificados de estudios, junto a una foto reciente.

En espera de su respuesta, les saluda, muy atentamente,

Ana Vila García

ANA VILA GARCÍA

Anexos: currículum vitae
2 certificados de estudios
1 fotografía

CURRICULUM VITAE

Nombre y apellidos:	Ana Vila García
Fecha y lugar de nacimiento:	16 de enero de 1967, Madrid
Domicilio actual:	Churruca, 4, 3º 2ª 28001 MADRID
Estado civil:	Soltera
Estudios:	EGB en la escuela Pablo Picasso de Madrid. Formación Profesional en la Academia Miralles de Madrid
Certificados:	Cambridge First Certificate in English (1989)
Experiencia profesional:	Agencia Inmobiliaria SIRPES, de Madrid, desde 1987
Información complementaria:	Visitas a Francia e Inglaterra donde trabajé como <<au-pair>>.
Referencia	Sra. María Torras Durán Directora de la Academia Miralles San Jaime, 52 20125 MADRID

Texto F

1 Comenta este anuncio con un compañero y trata de adivinar el sentido, en este contexto, de las siguientes frases. A ver si puedes encontrar sus equivalentes en inglés. Después verifica tus ideas con el profesor.

    a ... una actitud que las impulse a tratar de superarse

    b ... puestos que requieren ... una gran capacidad de trato y relación interpersonal

    c ... ofrecemos la posibilidad ... de que aquellas personas con poca o sin ninguna experiencia, orienten desde un principio su trayectoria en el sentido de una formación y una carrera profesionales brillantes dentro del secretariado.

2 Imagina que eres una chica española y que terminas tus estudios de secretariado bilingüe. Escribe una carta de solicitud y un historial con el propósito de convencer a C & A que eres una candidata muy apropiada para uno de los puestos. Puedes utilizar como modelo la carta de Ana Vila, pero, ¡ojo!, hay que cambiar algunos detalles. Tienes que incluir en la carta los detalles siguientes:

○ siempre te ha interesado un trabajo en la confección

○ te gusta mucho el trato con otras personas

○ has visitado Inglaterra/Estados Unidos varias veces

○ hablas inglés con soltura

ESPECIALISTAS EN LA COMERCIALIZACIÓN DE CONFECCIÓN

Como consecuencia de su plan de expansión por el territorio nacional.

Precisa

SECRETARIAS BILINGÜES

(Sin Experiencia)

Buscamos personas que hayan terminado o estén a punto de terminar sus estudios de secretariado bilingüe, sin experiencia, pero con un elevado dominio del idioma inglés y una actitud que las impulse a tratar de superarse y adquirir un mayor nivel profesional día a día.

Las candidatas finalmente seleccionadas, se integrarán en puestos que requieren no sólo conocer las técnicas propias del secretariado, sino una gran capacidad de trato y relación interpersonal, ya que, deberán mantener contacto frecuente con personas tanto de dentro como de fuera de la organización.

Por nuestra parte, ofrecemos la posibilidad de integrarse en un equipo de trabajo joven y dinámico y de que aquellas personas con poca o sin ninguna experiencia, orienten desde un principio su trayectoria en el sentido de una formación y una carrera profesionales brillantes dentro del secretariado.

Las personas interesadas deben enviar su historial detallado, con datos personales, académicos y profesionales, y fotografía reciente de tamaño carnet, al apartado de correos n.º 185 de Alcobendas (Madrid), indicando en el sobre la referencia: «S.B.».

Reproducido del diario ABC, de Madrid

V EL TRIUNFO

Y ahora unas carreras brillantes. Tres mujeres hablan del camino que siguen / han seguido para llegar a su meta.

Texto G

Subir, prosperar, llegar
"QUIERO TRIUNFAR"

Consuelo, 38 años, soltera, asesora de imagen. <<No, no se trata de decir a un político cómo se debe peinar para que le voten más. Aunque también hemos tenido alguna campaña de partido. Nuestra labor se centra, sobre todo, en estudiar los productos de una empresa para introducirlos en el mercado de la forma más eficaz. Llevo 12 años trabajando y mi carrera está siendo muy brillante, tengo que reconocerlo. Había hecho Sociología con muy buenas notas; en realidad he estudiado a base de becas, y eso me exigía un alto nivel de rendimiento. Además, mis padres se han sacrificado bastante para que yo estudiara, y tenía que compensarles respondiendo bien.

Me coloqué en seguida en una empresa de Estudios de Mercado, y al cabo de dos años vinieron a buscarme los de mi actual empresa. Me hicieron una propuesta muy interesante y pensé que era mi oportunidad. Sentí que por ahí yo podía llegar. No me importa reconocer que yo quería tener dinero y una casa propia, viajar y comprarme la ropa que quisiera. Y algo que me importaba mucho: que mis padres lo vieran, que pudieran sentirse orgullosos de mi carrera. He conseguido todo eso; pero, tal vez porque lo tengo, me planteo, de vez en cuando, si esto es triunfar. En este trabajo tengo que aceptar algunas cosas que no van

Es la meta que nos propone la sociedad en que vivimos, como una promesa de felicidad, como la cumbre de una vida. Pero, ¿por dónde pasa ese camino de ascensión? ¿Cuál es la vía más rápida?

conmigo. Antes no me paraba a pensarlo; es ahora cuando me llevo más berrinches. Mi padre siempre ha sido un hombre muy trabajador, muy cumplidor; pero bastante sometido al que mandaba. Y yo me parezco a él, aunque, al mismo tiempo, me rebelo ante la idea.

Si triunfar es ganar dinero y prestigio social, en este trabajo puedo conseguirlo. Pero tengo dudas sobre si podré seguir soportando algunas situaciones. He pensado dedicarme a la investigación sociológica.>>

Matty, 30 años, soltera, estilista. <<Es algo estupendo trabajar en este salón de belleza. Estar entre los mejores. Sí, yo pienso que esto es triunfar, aunque no voy a pararme aquí profesionalmente.

En el barrio donde vivo, lo corriente era que las chicas dejaran de estudiar al llegar a los catorce años. Yo tenía claro que quería algo más. Hice Formación Profesional, rama de peluquería. Antes de acabar, ya peinaba a bastantes vecinas en sus casas; me ganaba un dinero que me venía estupendamente para mis gastos.

Me costó encontrar trabajo en una peluquería; pero desde hace unos años, no sé por qué, todo me va mejor. Para mí, triunfar sería poder peinar y maquillar a gente famosa. Y ganar dinero, claro. Pero lo que más satisfacción me produce es ver el resultado de lo que hago, la transformación de un rostro, de una cabeza. Hasta pienso que doy un poco de felicidad a los demás. Tampoco me planteo hacer grandes cosas a largo plazo.

Me hace ilusión pensar que me voy a ir a vivir con una amiga a un apartamento que hemos alquilado; pero también me da pena dejar a mis padres, me llevo muy bien con ellos y los quiero.

Sí, trabajo mucho y me canso bastante, estoy largas horas de pie. Pero me gusta lo que hago. Me compensa. Estoy planeando irme a Londres. Quiero hacer un curso de maquillaje de fantasía.>>

Elena, 28 años, casada, una hija, abogada. <<Lo tengo muy claro. Lo elegí desde muy pequeña y llegaré a ser una abogada penalista de renombre. Y además, no pienso apoyarme en el apellido de mi padre. He de conseguirlo por mí misma.

Puede ser una tontería, pero creo que ha influido la televisión y algunas películas que vi de pequeña. De todas formas, cuando estudié Derecho, me gustó la carrera.

El camino que llevo hasta ahora no es el más adecuado, pero llegaré. Estoy de pasante, a tiempo parcial, en el bufete de un grupo de abogados amigos.

Alfredo y yo éramos novios desde los 18 años y cuando él consiguió trabajo nos casamos. A mi madre le hubiera encantado que yo hubiera hecho lo que ella: quedarme en casa, algo que a mí me da horror.

El caso es que durante tres años no he podido trabajar, porque tuvimos la niña.

Pero ahora que ya va a la guardería, creo que ha llegado mi momento.

Como ama de casa he estado bien; no me sentí frustrada. Con la niña disfruté mucho. Pero no quiero renunciar a conseguir lo que me he propuesto: ser una buena penalista. ¿Que me conozcan? No me disgustaría.

Soy la mayor de tres hermanas y cuando tenía 13 o 14 años, pensaba que hubiese sido mejor nacer chico. No sé, tal vez a mi padre le hubiera gustado. Ahora estoy encantada de ser como soy.>>

1 Lee el artículo y, con un compañero, busca el sentido de las siguientes expresiones. Después verificad vuestras definiciones con el profesor.

  a asesora de imagen
  b he estudiado a base de becas
  c mi actual empresa
  d me planteo
  e es ahora cuando me llevo más berrinches
  f lo corriente era que las chicas dejaran de estudiar al llegar a los catorce años.
  g me costó encontrar trabajo
  h a largo plazo
  i me llevo muy bien con ellos
  j una abogada penalista
  k estoy de pasante

2 Escribe el segundo párrafo de la entrevista con Consuelo en estilo indirecto. Comienza así: <<Se colocó en seguida en una empresa ...>>

3 Contesta en español a las preguntas siguientes:
  a ¿Qué influencia en su hija tuvieron los padres de cada una de las mujeres?
  b ¿Qué cualidades tienen en común las tres mujeres?
  c ¿Cuál de las tres mujeres tiene más confianza en sí misma? ¿Por qué?
  d ¿Por qué se encoleriza Consuelo ahora?
  e ¿Qué le da más satisfacción a Matty?
  f ¿Por qué no le disgustaría a Elena que la gente la conociera?
  g ¿Cuál de las tres mujeres, a su parecer, ha tenido más éxito en la vida? ¿En qué sentido?

4 Completa las frases siguientes, basadas en el texto, usando la forma adecuada del subjuntivo.
  a A Consuelo le importaba mucho que sus padres _____ orgullosos de su trabajo.
  b Consuelo duda que _____ continuar soportando este trabajo.
  c Antes de que Matty _____ sus estudios, los vecinos pedían que les _____
  d Cuando _____ esta etapa de su vida, Elena llegará a ser una abogada penalista.
  e A su madre no le habría disgustado que Elena _____ lo mismo que ella.

▣ *Texto H* Un joven empresario

1 Antes de escuchar la cinta, busca en el diccionario el sentido de las siguientes palabras:

pioneros	camisetas	medianamente
chapas	algodón	formal
banderitas	marca	en cambio

2 Escucha la cinta dos veces y después lee con cuidado el resumen en inglés que sigue, en el que sólo algunos detalles son correctos. Escribe de nuevo el resumen, corrigiendo las faltas que contiene.

Pepe Barroso was one of the founders of the Association of Young Businessmen. He began in business after leaving school, selling perfume and second-hand cars. Now, 20 years later, he has 110 shops. Pepe doesn't put his success down to chance but to hard work, which enabled him to survive in the fashion business despite stiff competition. Things have changed for young people these days. When Pepe was 18 no bank would lend him money. Today any person aged 18 who wants a loan to set up in business can get one without any difficulty.

3 Escucha la cinta otra vez, y rellena los espacios en blanco:
   a Después comenzó a pintar camisetas de algodón, y _____ su actual empresa.
   b Ahora, diez años después, _____ llevan su marca comercial, «Don Algodón» …
   c … lo que sí hay es un momento _____, el momento oportuno …
   d … bueno, _____, y convertirme en la primera marca española de moda joven.
   e Que luego _____ es distinto pero, por lo menos, le escuchan.

GRAMMAR

Time Expressions

◆ **Durante** expresses the idea of "for", referring to the duration of a whole period of time.

For example:
○ El caso es que durante tres años no he podido trabajar (The fact is that I haven't been able to work for three years)
In this sense the word "for" is frequently rendered by **por**; sometimes no preposition is needed.

For example:
○ Se quedaron allí por mucho tiempo (They stayed there for a long time)
○ Viví en Madrid seis años (I lived in Madrid for six years)

◆ **Hace** + a period of time = ago

For example:
○ Hace diez años perdí el empleo (Ten years ago I lost my job)

◆ The idea of "for" referring back to an action which began in the past and is still going on (or was still going on at the time referred to by the writer/speaker) is conveyed by **desde hace** with the present tense (or **desde hacía,** with the imperfect tense, for past time).

For example:
○ Desde hace unos años, no sé por qué, todo me va mejor (For some years now, I don't know why, everything's been going better for me)
○ Desde hacía dos años trabajaban en Burgos (They had been working in Burgos for two years).

◆ The above idea is also commonly expressed in two other ways:

◇ using the phrase **hace (hacía) que**, followed again by the present (imperfect) tense.

For example:
○ Hace siete meses que vivo en Londres (I've been living in London for seven months)
○ Hacía ocho meses que vivía en Valencia (I had lived in Valencia for eight months).

◇ By using the verb **llevar**, again in the present or imperfect tense, plus the gerund.

For example:
○ Llevo 12 años trabajando aquí (I've been working here for 12 years)
○ Llevaba tres meses trabajando en Bruselas (He had been working for three months in Brussels)

◆ **Desde** is used to express the idea of "since".

For example:

○ Desde 1982 estoy en el paro (Since 1982 I've been out of work)

Práctica

1 Completa las siguientes frases con **durante, hace, desde hace, desde** o **llevar**:

a _____ unos meses, vino a Barcelona con su hermano a buscar una colocación.

b Estaba trabajando en la fábrica _____ las diez.

c Los estudiantes se manifestaron _____ una hora y media.

d Está buscando un empleo como azafata _____ tres meses.

e _____ cinco semanas que está esperando una respuesta de la empresa.

f Están casados _____ veinte años.

g _____ diez años trabajando como camarera, y ya estoy harta.

2 Traduce al inglés las frases del ejercicio **1**.

Texto I   Lee atentamente las ofertas de trabajo, escoge uno de los empleos y **(a)** explica en español, utilizando 50 palabras, por qué lo has elegido y **(b)** escribe una carta de 100-150 palabras solicitando el empleo.

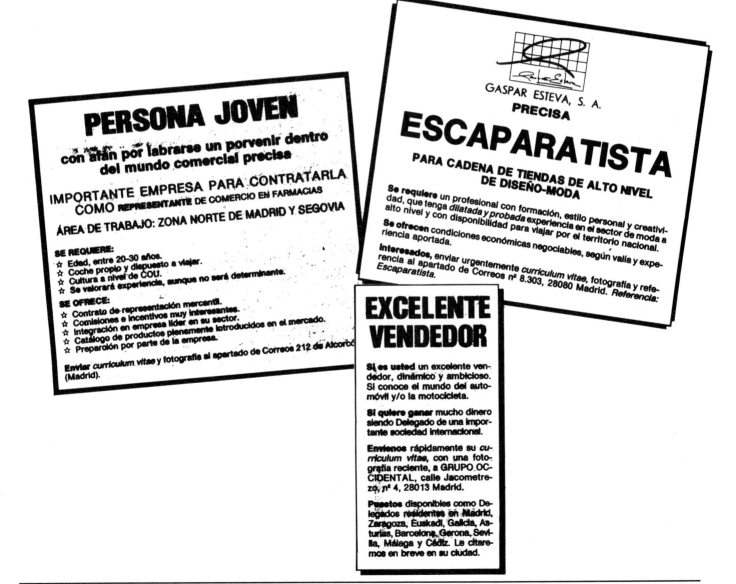

PERSONA JOVEN

con afán por labrarse un porvenir dentro del mundo comercial precisa

IMPORTANTE EMPRESA PARA CONTRATARLA COMO REPRESENTANTE DE COMERCIO EN FARMACIAS

ÁREA DE TRABAJO: ZONA NORTE DE MADRID Y SEGOVIA

SE REQUIERE:
☆ Edad, entre 20-30 años.
☆ Coche propio y dispuesto a viajar.
☆ Cultura a nivel de COU.
☆ Se valorará experiencia, aunque no será determinante.

SE OFRECE:
☆ Contrato de representación mercantil.
☆ Comisiones e incentivos muy interesantes.
☆ Integración en empresa líder en su sector.
☆ Catálogo de productos plenamente introducidos en el mercado.
☆ Preparación por parte de la empresa.

Enviar curriculum vitae y fotografía al apartado de Correos 212 de Alcorcón (Madrid).

GASPAR ESTEVA, S. A.
PRECISA

ESCAPARATISTA

PARA CADENA DE TIENDAS DE ALTO NIVEL DE DISEÑO-MODA

Se requiere un profesional con formación, estilo personal y creatividad, que tenga dilatada y probada experiencia en el sector de moda a alto nivel y con disponibilidad para viajar por el territorio nacional.

Se ofrecen condiciones económicas negociables, según valía y experiencia aportada.

Interesados, enviar urgentemente curriculum vitae, fotografía y referencia al apartado de Correos nº 8.303, 28080 Madrid. Referencia: Escaparatista.

EXCELENTE VENDEDOR

Si es usted un excelente vendedor, dinámico y ambicioso. Si conoce el mundo del automóvil y/o la motocicleta.

Si quiere ganar mucho dinero siendo Delegado de una importante sociedad internacional.

Envíenos rápidamente su curriculum vitae, con una fotografía reciente, a GRUPO OCCIDENTAL, calle Jacometrezo, nº 4, 28013 Madrid.

Puestos disponibles como Delegados residentes en Madrid, Zaragoza, Euskadi, Galicia, Asturias, Barcelona, Gerona, Sevilla, Málaga y Cádiz. Le citaremos en breve en su ciudad.

Redacciones

Escribe una redacción en español sobre uno de los siguientes temas:

a Escribe un diálogo de 150 palabras sobre el Plan de Empleo Juvenil entre un joven de 16 años que acaba de conseguir en empleo gracias al Plan, y su hermana mayor, de 27 años, quien está en paro desde hace dos años y no tiene ninguna posibilidad de obtener un empleo.

b <<Los padres quieren lo mejor para sus hijos pero, muchas veces, esto no coincide con las auténticas inclinaciones de éstos.>>

c <<Las huelgas siempre empeoran las cosas.>> Comentar.

Traduce al español:

In Spain yesterday the biggest vote of protest in eight years of socialist rule brought the country to a halt, more than 90 per cent of the workforce taking part. The Government is taking this action against the Youth Employment Scheme very seriously, but it still thinks that the scheme is the most important measure against unemployment since it came to power. Ministers say the scheme provides the best method of solving this problem and they wonder if the unions have any better ideas. The unions retort that it is not as easy to bring down unemployment as the Government claims. There has been high unemployment for years and no attempt is being made to reduce it by creating real jobs. The worst thing about the scheme is that long-serving employees will be dismissed to make way for inexperienced and less efficient youngsters.

Desarrollando el tema

1 *Los jóvenes y el trabajo:* ¿hasta qué punto debe la escuela preparar al alumno para el mundo del trabajo?; la necesidad de obtener títulos apropiados; la formación profesional; los aprendizajes; ¿son necesarios los planes de empleo juvenil?; el pasotismo en España; los jóvenes empresarios; las oportunidades futuras en España/Europa.

2 *Los sindicatos:* la patronal; las relaciones entre los sindicatos y los partidos políticos; el papel de los sindicatos en la España de hoy (CC OO; UGT); las reivindicaciones; las huelgas; las manifestaciones.

3 *El paro:* los problemas sociales que resultan del paro en España; el papel del Gobierno con respecto al paro; el vivir del Seguro.

4 *La mujer trabajadora;* ¿hay discriminación sexual en el trabajo?; los cambios en la situación y las actitudes de la mujer con respecto al trabajo.

5 *La organización del trabajo en España:* las empresas; las fábricas; las multinacionales; la industria española; el mundo del comercio; las agencias de colocaciones; los contratos de trabajo; los sueldos; las condiciones en que trabaja la gente.

9 EL MUNDO TECNOLÓGICO

No cabe duda de que la nueva tecnología beneficia al hombre de muchas maneras: en casa las nuevas máquinas ahorran trabajo; en la educación se usan ordenadores para muchos fines, entre ellos la enseñanza de las lenguas; en el campo comercial las mejores comunicaciones facilitan los negocios. Ahora la electrónica se ha convertido en la industria principal de los países más desarrollados, y casi todo es electrónico, desde el teléfono hasta el coche. No obstante, ha surgido una nueva clase de criminales muy listos, capaces de entender cómo funcionan estas máquinas complejas, y ellos utilizan sus conocimientos para enriquecerse mediante el fraude informático o, introduciendo un virus en el ordenador, para destruir la información que éste contiene.

I LOS APARATOS

En la época del general Franco, después de la guerra civil española (1936-39), la gente era, también, capaz de inventar máquinas complejas y eficientes. Sólo que, en aquellos tiempos, como muestra la fantasía del dibujante (pág. 156), la tecnología no había alcanzado un nivel muy avanzado.

Texto A **1** Con tu compañero trata de adivinar las siguientes palabras. Después verifica las definiciones con el profesor.

un dispositivo	mecer	un molinillo
coser a máquina	espulgar	un tíovivo
una casa de confecciones	una muela afiladora	entretener

NUEVO DISPOSITIVO DE FUERZA FÍSICA PARA APROVECHAR LA ENERGÍA DE UNA MUJER IMPETUO-
SA QUE HA DE GANARSE LA VIDA COSIENDO A MÁQUINA PARA UNA CASA DE CONFECCIONES.

*1. APARATO PARA MECER LA CUNA. - 2. APARATO PARA ESPULGAR EL PERRO. - 3. DÍNAMO PARA PRODUCIR LUZ ELÉCTRICA. - 4. MUE-
LA AFILADORA. - 5. MOLINILLO PARA MOLER CAFÉ. - 6. VENTILADOR. - 7. TÍOVIVO PARA ENTRETENER AL OTRO NENE.*

F. TUR MAHEN

2 Con un compañero discute las posibles respuestas a las
siguientes preguntas. Cuando hayáis terminado, un alumno de cada
pareja va a leer las contestaciones delante de la clase.

   a ¿Cuál de los inventos de TBO te parece el más original? ¿Por
   qué?

   b ¿Cuál de los inventos te parece el más útil. ¿Por qué?

   c ¿Qué pasará si la mujer deja de coser?

3 Describe las distintas ocupaciones de las cinco personas del
dibujo, con una frase para cada una.

Texto B **1** Antes de leer el texto busca en el diccionario el sentido de las siguientes frases:

imprescindible   forofos   abonados
una nevada   la telemática   provisto de
la redacción   exigente   provenir de

Faxmanía

Parece un milagro. La máquina engulle páginas y páginas de un texto escrito a mano, construye con ellas un paquete de ceros y unos electrónicos, y las hace aparecer de nuevo, en el mismo formato original, con todos sus puntos y comas, a miles de kilómetros de distancia. En pocos segundos y por el precio de una llamada telefónica. La nueva revolución de las comunicaciones persona a persona, después del telégrafo y el teléfono, se llama, simplemente, fax.

Huelga de controladores aéreos. El urgente e imprescindible documento jurídico que ese mismo día debía llegar a Bruselas desde Bilbao, no podrá recibirse antes de que resuelva el tribunal. Solución: el fax.

Gran nevada en la Sierra de Madrid que la deja incomunicada con la capital. Al periodista le resulta imposible hacer llegar a la redacción el artículo que falta para cerrar el número de mayo de la revista. Solución: el fax.

El balance económico necesario para cerrar el ejercicio bancario que debería llegar desde Londres se ha retrasado. Su recepción es de vital importancia financiera. Solución: el fax.

Fax. He ahí la palabra de moda entre los forofos de la telemática. De forma sencilla, se puede describir el aparato como un equipo destinado a enviar documentos – gráficos y escritos – por teléfono en sólo unos segundos. Para los más exigentes proponemos la siguiente definición: el telefacsímil, telefax, telecopia o, simplemente, fax – como se le conoce popularmente –,

es un sistema de transmisión de mensajes en formato original entre abonados de cualquier parte del mundo provistos de terminales facsímil que utilizan como medio de transmisión la Red Telefónica Conmutada. Quien no lo haya visto funcionar, puede imaginárselo como una fotocopiadora cualquiera, pero cuyas copias, en vez de salir de la propia máquina, surgen en otra copiadora situada en un lugar distinto, ya sea a la vuelta de la esquina o a miles de kilómetros de distancia.

El término fax corresponde a la abreviatura de facsímil, palabra que, según el Diccionario de la Real Academia, proviene del latín (de *facere* [hacer] y *simile* [semejante]), y designa la <<perfecta imitación o copia de una firma, escrito, dibujo, etcétera>>. Las ventajas que presenta el fax respecto a otros sistemas de telecomunicación son evidentes. Por ejemplo, el télex, si bien es instantáneo, requiere transcribir la información, con lo cual se prodigan los errores propios de la continua manipulación de los mensajes. Por otra parte, el fax también permite transmitir gráficos, dibujos, fotos, firmas, circuitos electrónicos y cualquier otra imagen representada sobre un papel, como sólo se puede hacer por correo, pero con la inmediatez del teléfono.

Según el estilista italiano Roberto D'Agostino, la moda del fax estriba en que es <<un aparato del futuro que guarda el pasado, porque redescubre el placer romántico de escribir. Es la venganza sobre el teléfono>>. En efecto, los estudiosos de la comunicación en Italia aseguran que el fax representa el preludio de un nuevo humanismo (el <<humanismo telemático>>, pero en este caso interconectado e instantáneo.

2 Busca en el artículo los equivalentes en inglés de las siguientes expresiones:

    a This is the buzz word.

    b Whoever hasn't seen it work ...

    c The fashion for fax is based on ...

3 Contesta a las siguientes preguntas:

    a ¿Cómo soluciona el fax el problema del documento jurídico?

    b ¿De qué manera le ayuda el fax al periodista?

    c ¿Qué es el fax? Explícalo con tus propias palabras.

    d ¿Qué diferencia hay entre el fax y la fotocopiadora?

    e ¿Qué ventajas tiene el fax con respecto al télex?

    f ¿Por qué dice D'Agostino que el fax <<es la venganza sobre el teléfono>>?

4 Haz un resumen en español de las ventajas y los inconvenientes (¡si te parece que los hay!) del fax, empleando 100 palabras.

 Texto C **IBM Personal System/2**

1 Escucha el anuncio de la cinta dos veces y después coloca las frases en su orden correcto. Luego verifica el orden con el profesor.

○ IBM Personal system Dos

○ y si realiza su compra antes del 10 de diciembre

○ Viaje al centro del futuro

○ Entre en el futuro con el ordenador IBM Personal System Dos

○ podrá ganar uno de los cincuenta viajes a Florida que sorteamos

○ Acuda a los concesionarios autorizados IBM

○ y visitar la NASA y Epcott Center, la ciudad del futuro

2 Describe con tus propias palabras lo que se tiene que hacer para ganar el premio.

Texto D **1** Leyendo el texto trata de adivinar, con un compañero, el sentido de las siguientes palabras. Luego verifica tus definiciones con el profesor.

almacenadas	a su alcance	el plazo de entrega
desenvolverse	pulsar	sumarse
un desplazamiento	el pedido	el importe
una pila	devolver	I.V.A.
una tapa deslizante	siempre que	al contado
el teclado	el embalaje	la caducidad

2 Con tu compañero comenta el sentido de las siguientes frases en inglés. Luego verifica tus definiciones con el profesor.

    a 5 idiomas a su alcance pulsando un botón

    b ... para que usted se desenvuelva sin complicaciones

    c ... dispone de tapa deslizante para proteger el teclado

    d cupón de pedido

    e prueba sin compromiso

(pasa a la página 160)

f si su pedido no le satisface, bastará con que nos la devuelva sin más, ...

g ... siempre que esté en perfectas condiciones

h ... que se sumarán al importe del primer plazo

i contra reembolso al contado

3 Con tu compañero discute cuál te parece más útil: el traductor electrónico del anuncio o un buen diccionario. Después haced una lista de las ventajas y los inconvenientes de cada uno. A continuación toda la clase va a comentar las ideas que hayáis propuesto.

4 Inventa un anuncio para una nueva máquina que convierta pesetas en libras esterlinas, francos franceses, marcos alemanes o liras italianas, según convenga. Emplea 150 palabras, siguiendo el estilo de anuncio.

II LADRONES DEL SIGLO XXI

Texto E **1** Antes de leer el texto busca en el diccionario el sentido de las palabras siguientes:

una navaja	una urbanización	un saldo
el tirón	llevarse un susto	ahorrar
un atraco	caducado	alentar
una huella	un buzón	por azar
detenido	hacerse con	recurrir a
un estrago	una denuncia	una red
un particular	una entidad	datos
un promedio	un delito	sustraer
un cajero automático	destaparse	estallar

Ladrones del siglo XXI

Los *cacos* con pistola o navaja y el sistema del tirón se han quedado anticuados. Lo que se lleva ahora es el atraco informático. Casi nunca deja huellas y raramente sus autores son detenidos

Gonzalo San Segundo

O llevan armas, ni hacen ruido, ni atacan por la espalda. No suelen dejar rastro y casi nunca son descubiertos. Eso sí, ponen la casa patas arriba, aunque no se note a simple vista. Son los delincuentes informáticos, los ladrones del siglo XXI, que hacen verdaderos estragos a empresas y particulares.

Los atracos a mano armada a bancos y cajas de ahorro se quedan chicos comparados con el perjuicio económico que esta nueva plaga está causando. Si en un atraco bancario se obtiene un botín promedio de 750.000 pesetas, la media de beneficios del fraude informático es del orden de los veinticinco millones.

En España no se tienen cifras del daño económico que produce la delincuencia informática. Se conocen algunos casos aislados, la mayoría de ellos relacionados con los cajeros automáticos, que están dando verdaderos quebraderos de cabeza a los directivos bancarios.

María del Pilar Belvís, soltera, empleada de hogar de la familia Velasco, residente en una urbanización al noroeste de Madrid, se encontró una mañana del pasado mes de noviembre con que le habían *limpiado* su cartilla de ahorros. <<Fui a la Caja de Madrid a hacer un ingreso y me llevé un susto grande al ver que me habían quitado las 96.000 pesetas que tenía>>, relata María del Pilar.

En la Caja le dijeron que ese dinero había sido retirado con su tarjeta Cajamadrid, pero ella dijo que su tarjeta estaba caducada y que no había recibido la renovación de la misma. <<Nosotros mandamos las tarjetas por Esabe, que las deposita en los buzones como si de una carta normal se tratase>>, explica Fernando Maeso, jefe central de tarjetas de Cajamadrid.

Alguien debió interceptar el correo de Esabe y hacerse con el número de identificación personal (PIN) que toda tarjeta lleva consigo para poder accionar el cajero automático. En la Caja de Madrid sospechan que ese *alguien* es un pariente de María del Pilar. La víctima del fraude, tras presentar una denuncia en la comisaría de Pozuelo de Alarcón y dirigir un escrito al Banco de España, consiguió que la entidad le repusiese en su cartilla todo el dinero que le habían robado.

La detención de los autores de un delito informático es la excepción de la regla. En Estados Unidos y otros países europeos se ha comprobado que sólo se descubre el quince por ciento de los delitos informáticos y, de éstos, una tercera parte se destapan demasiado tarde para ser investigados adecuadamente. Es decir, sólo el cinco por ciento de los delitos cometidos se hace público y sólo el tres por ciento es perseguido judicialmente.

CANCER INTERNO. Estos *cacos* de nuevo cuño, además de vaciar las cuentas corrientes ajenas a través de los cajeros automáticos, son capaces de hacerse millonarios robando céntimos al vecino. Casi siempre suelen ser empleados de las empresas perjudicadas.

De hecho, las empresas de seguridad informática trabajan siempre sobre la hipótesis de que <<un veinticinco por ciento de los empleados son honrados, otro tanto son delincuentes y el resto puede caer en la tentación de cometer un delito si se le da la oportunidad>>.

La oportunidad la tuvo y la aprovechó Robert M.C., programador de un importante banco norteamericano. Durante años, este programador redondeaba hacia abajo los céntimos de los saldos de los clientes. De esta forma *ahorró* unos quince millones de pesetas en cuentas que abrió bajo nombres ficticios.

La casualidad permitió en esta ocasión que se descubriera el fraude, pero no a su autor. En el marco de una campaña para alentar el ahorro, el banco en cuestión decidió dar un premio al dueño de la cuenta con el nombre más extraño. Y, por azar, fue elegida una de las cuentas abiertas por el programador, que había recurrido a los más variados apellidos para sacar adelante su plan. Pero éste no se presentó a recoger el premio, lo que levantó las sospechas de los directivos de la entidad, que decidieron investigar el asunto.

Muchas veces las barreras de seguridad saltan hechas añicos ante la audacia de jóvenes fanáticos de la informática, llamados *hackers*. Equipados con un ordenador personal potente, un *modem* y una gran imaginación acceden al sistema informático de una gran empresa, banco o institución pública a través de una red pública de tranmisión de datos y no dejan títere con cabeza.

Los *hackers* traspasan todas las medidas de seguridad establecidas, acceden a información confidencial o altamente secreta, la sustraen, la alteran o simplemente la destruyen. Incluso preparan las condiciones necesarias para efectuar un fraude.

JUEGO DE NIÑOS. Algunos, al manipular la información a distancia, no pretenden otra cosa que jugar un poco, poner a prueba su habilidad y conocimientos tecnológicos. Como esos cuatro estudi-

antes de trece años de edad, pertenecientes a la Dalton School de Nueva York, que se introdujeron en el ordenador central de la compañía Pepsi-Cola, en Canadá, a través de la red Telenet. Su objetivo era alterar el programa de envíos a sus almacenes de Toronto con el fin de conseguir gratis diez cajas de refrescos.

Pero los fines de otros jóvenes *hackers* son verdaderamente destructores, de carácter epidémico. Aprovechando las redes de comunicaciones internacionales, introducen en la memoria de un ordenador central cualquiera un programa infectado de *virus*; es decir, con instrucciones destructivas de toda la información que el ordenador contiene. Es más, el programa lleva elementos contagiosos y todo aquel ordenador conectado a éste queda automáticamente contaminado.

Esta epidemia, llamada ya el *sida electrónico*, estalló el año pasado en Estados Unidos y se ha difundido rápidamente por todo Occidente. Los efectos devastadores de este *virus* informático se han dejado ya sentir en la universidad de Pittsburg, Estado de Maryland; en el colegio Leigh, de Pensilvania, y en Georgetown, en el Estado de Washington.

Las instrucciones *asesinas* que contienen estos programas destructores pasan de un ordenador a otro sin dejar rastro de los autores del sabotaje. Se trata, en muchos casos, de una nueva forma de terrorismo político-tecnológico, una especie de bomba de relojería que puede explotar en un día o fecha determinado, todas las semanas, meses o años, hasta que sea descubierto el antídoto, o sea, un programa *contrarrevolucionario*.

2 Lee cuidadosamente el artículo y contesta en inglés a las siguientes preguntas:

    a In what ways do these new thieves differ from conventional thieves?

    b Why did María del Pilar get a shock?

    c Why had María not received her new card?

    d How did María get her money back?

    e What percentage of these crimes are not solved?

    f How was the crime of Robert M.C. found out?

    g What was the aim of the New York "hackers"?

    h Why is the computer virus so dangerous?

    i What does the phrase "un programa contrarrevolucionario" mean in this context?

3 Lee el texto otra vez y traduce al inglés las siguientes frases:

    a patas arriba

    b verdaderos quebraderos de cabeza

    c un 'caco' de nuevo cuño

    d de hecho

    e redondeaba hacia abajo

    f sacar adelante su plan

    g hechas añicos

    h poner a prueba

    i sin dejar rastro

    j una especie de bomba de relojería

Texto F

1 Mira el dibujo en la página 163. ¿Cuáles de los adjetivos siguientes se podrían aplicar mejor al delincuente informático?

honrado	listo	responsable
fiable	adolescente	sociable
hablador	arriesgado	jactancioso
reflexivo	casado	astuto
hábil	cuidadoso	anciano

2 Eres un empleado del Banco de Bilbao en Valencia y tu compañero desempeña el papel de un detective que está investigando un caso de fraude en el banco. La policía ha detenido a uno de tus compañeros por haber robado el banco sistemáticamente manipulando la red de cajeros automáticos. El detective te pide un informe sobre el carácter de tu colega. El te hace algunas preguntas y tú tienes que contestarlas. El retrato robot os dará algunas ideas para desarrollar el diálogo. Después escribe el informe, utilizando 150 palabras.

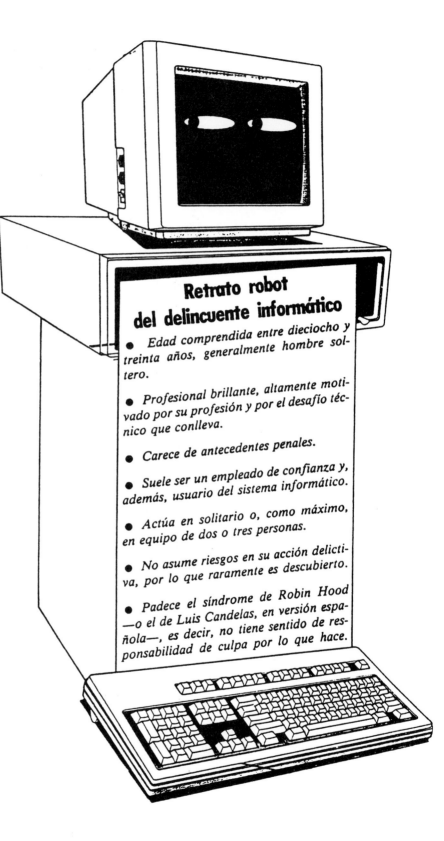

Retrato robot del delincuente informático

● Edad comprendida entre dieciocho y treinta años, generalmente hombre soltero.

● Profesional brillante, altamente motivado por su profesión y por el desafío técnico que conlleva.

● Carece de antecedentes penales.

● Suele ser un empleado de confianza y, además, usuario del sistema informático.

● Actúa en solitario o, como máximo, en equipo de dos o tres personas.

● No asume riesgos en su acción delictiva, por lo que raramente es descubierto.

● Padece el síndrome de Robin Hood —o el de Luis Candelas, en versión española—, es decir, no tiene sentido de responsabilidad de culpa por lo que hace.

Texto G **El virus informático**

Primera parte

1 Las palabras que siguen se encuentran en la primera parte de la secuencia. Colócalas en el sitio correcto, indicándolas por la letra:

a aparición	**d** ilegales	**g** seis
b empresas	**e** informático	**h** siendo
c días	**f** médicos	

Hace unos _____ un ordenador de la Bolsa de Barcelona se vio afectado por el virus _____ que ha atacado ya a distintos ordenadores de _____ y universidades. Cinco de cada _____ programas que se venden en España son _____, lo que provoca la _____ de este virus que sólo afecta a los ordenadores y que está _____ tratado por los llamados _____ informáticos.

Segunda parte

Escucha la segunda parte de la cinta dos veces y decide si son verdaderas o falsas las siguientes afirmaciones. Si son falsas explica la versión correcta.

a No se puede detectar el virus fácilmente.

b El virus sólo daña los ordenadores personales.

c El virus afecta a cinco de cada seis paquetes de software.

d En los últimos meses ha habido dos casos del virus informático en Barcelona.

Tercera parte

Contesta en español a las siguientes preguntas:

a ¿Qué tipo de institución se ve afectada por el sabotaje mediante el virus?

b ¿Qué debe el usuario hacer al descubrir el virus?

c ¿Qué hacen los médicos de los ordenadores?

GRAMMAR

Uses of the Infinitive

In comparison with English, Spanish tends to include more infinitives in everyday language. In the sentence "I am tired of writing so many letters" (estoy cansado de escribir tantas cartas) the English "-ing" form is translated by an infinitive in Spanish. There is no easy way to learn all of the uses of the infinitive at once. It is better to collect examples gradually and to practise usage of the infinitive regularly.

◆ Two of the main ways of using an infinitive in a sentence are:

◇ after **al** and prepositions, such as **sin, además de, antes de**.

For example:

○ ... al ver que me habían quitado las 96.000 pesetas que tenía (... on seeing that they'd taken away the 96,000 pesetas I had)

○ .. además de vaciar las cuentas corrientes ajenas a través de los cajeros automáticos ... (... as well as "emptying" other people's current accounts through cash-dispensers ...)

◇ after another verb. In this case the verb taking the infinitive may be followed immediately by that infinitive or may take a preposition, such as **a, de** or **en** before the following infinitive.

For example:

○ ... los directivos ... decidieron investigar el asunto (... the management ... decided to investigate the matter)

○ Fui a la Caja de Madrid a hacer un ingreso (I went to the Caja de Madrid to pay some money in)

Discovery

Work with a partner through the article *"Ladrones del siglo XXI"* and try to find ten other examples of the use of the infinitive. Be prepared to talk about the usage in class discussion.

Práctica

Escoge diez de los verbos siguientes e inventa diez frases sobre el tema del fraude informático.

● Verbos seguidos directamente del infinitivo: **decidir, soler, prometer, querer, saber.**

● Verbos seguidos de **a** + infinitivo: **comenzar, atreverse, persuadir, ir, ayudar.**

● Verbos seguidos de **de** + infinitivo: **dejar** ("to stop doing"), **tratar, tener miedo, acordarse, pensar** ("to think of, i.e. have an opinion of").

● Verbos seguidos de **en** + infinitivo: **tardar, insistir, convenir** ("to agree to"), **pensar** ("to think about"), **vacilar.**

Por ejemplo:

○ Las autoridades decidieron ofrecer una recompensa de £500 al que diera informes acerca del robo.

○ María del Pilar no vaciló en ponerse en contacto con la comisaría.

III JOSÉ LUIS DOMÍNGUEZ

Texto H Ahora vamos a examinar el caso de un hombre de negocios que ha sabido avanzar rápidamente en el mundo de los ordenadores.

ESTILO
Pisando fuerte

No sabe nada de informática, pero su empresa _____ el mercado nacional de ordenadores personales. Apenas _____ el inglés, aunque se sienta en el Consejo de Administración de la multinacional británica Amstrad como segundo máximo _____ de la compañía.

José Luis Domínguez, 37 años, nunca quiso ser botones de un banco, ocupación que le recomendaba su padre cuando el negocio familiar se vino abajo. Empezó a _____ a las puertas y a vender de todo: enciclopedias, pisos, seguros. Por eso, años después, no se define como un empresario, a pesar de que Amstrad-España _____ una plantilla de 215 empleados y haya facturado en 1988 más de 25.000 millones de pesetas. "Soy un vendedor; vengo de la venta del asfalto, en la que uno está acostumbrado a que de entrada le digan no. Eso quizá ma da una perspectiva distinta de las cosas".

A los 28 años era director comercial de una multinacional de seguros. Había tocado techo, y el mundo de la informática aguardaba todavía agazapado, antes de _____ con fuerza en el mercado español. En 1981 funda Indescomp, con un capital inicial de medio millón de pesetas. Pero los españoles aún no habían descubierto el mundo mágico que se abre tras pulsar la tecla de un _____. Son años difíciles en los que, a pesar de las pérdidas, José Luis Domínguez se obstina en mantener su proyecto. Sabía que todos terminaríamos llevando a nuestra casa un ordenador personal, como antes llevábamos una lavadora o un televisor.

Después de varios intentos fallidos, _____ la aproximación a uno de los grandes del sector, la casa inglesa Amstrad. Ya que no tiene cartera de negocios con la que interesar a la multinacional, presenta un accesorio que entonces empieza a hacer furor, los juegos del ordenador, gancho perfecto para _____ el *software* en casa a través de los niños.

Domínguez viaja entonces a Londres con sus nuevos juegos bajo el brazo. Logra entrevistarse con el _____ y presidente de Amstrad, Alan Sugar, a quien enseña sus juegos. Sugar quiere comprárselos, pero Domínguez no se los vende, se los regala, y siete meses después es el representante de Amstrad en España.

A partir de entonces, las cifras se disparan. En 1982 su empresa había _____ 50 millones de pesetas, que en 1984 ya superaban los 1.000 millones, y en 1986 llegaban a los 15.000.

Hoy, la compañía que dirige tiene _____ en España unas 800.000 unidades de microinformática, además de casi 100.000 impresoras, 200.000 aparatos de audio y 70.000 vídeos. Sus proyectos inmediatos son introducirse en el _____ de la telefonía y cotizar en bolsa.

A José Luis Domínguez, entrar en miles de domicilios intentando _____ algo le ha dado el conocimiento sobre el ser humano que no tuvo tiempo de aprender en ninguna universidad. Afirma que no es necesario conocer técnicamente el producto que se quiere vender, pero sí saber _____ son los beneficios que va a reportar a su comprador.

Este hombre de negocios recupera la vieja labia del vendedor, y la chispa aparece de nuevo en sus _____ cuando enumera, con ademanes medidos, las tres razones que hoy emplearía para vender un ordenador personal:

— La toma de decisiones, y por tanto el _____ en la vida, depende de que usted tenga el máximo de _____. Y ésta sólo se la puede dar un ordenador.

— Si quiere que su hijo sea alguien el día de mañana y ya hoy progrese en sus estudios, _____ a entrar cuanto antes en el mundo de la informática.

— Puede que también necesite un tresillo o una lavadora, pero un ordenador le hace aún más _____, más de lo que cree, tanto a usted como a los suyos.

En el despacho de José Luis Domínguez no se ve una sola pantalla de ordenador. Sin embargo, casi un millón de ordenadores personales, impresoras y periféricos le contemplan. Es _____ Napoleón no hubiera sabido nada de estrategia. ■

Juan M. Fernández-Cuesta

JOSÉ LUIS

Presidente de Amstrad, empresa líder en el mercado de los ordenadores personales en España, se considera más vendedor que empresario. De ademanes medidos y con la labia propia de los viejos comerciantes, es un hombre de negocios atípico que no sabe inglés ni informática

1 Rellena los espacios en blanco en el artículo de la página 165 con una de las palabras de la lista siguiente. Sólo puedes usar cada palabra una vez pero, ¡ojo!, no se necesitan todas las palabras. Verifica tus respuestas con el profesor antes de continuar.

accionista	ayúdele	busca
como si	cuáles	empresa
entiende	entrar	éxito
facturado	falta	fundador
información	instaladas	introducir
lidera	llamar	llegar
mercado	ojos	ordenador
reunión	tenga	vender

2 a Cambia del estilo indirecto al estilo directo el segundo párrafo, hasta <<25.000 millones de pesetas>>, como si fueras José Luis Domínguez. Comienza así: <<Nunca quise ser botones ...>>

  b Pon el resto del párrafo en estilo indirecto. Comienza así: <<José Luis Domínguez dijo que era ...>>

3 Haz una lista de los datos más importantes en el camino de José Luis Domínguez hacia el triunfo. A continuación contesta a las siguientes preguntas:

  a ¿Por qué no se define José Luis como un empresario?

  b ¿Por qué no tuvo José Luis un éxito inmediato en el mundo informático de España?

  c ¿Qué papel comercial tenían los juegos de ordenador, según José Luis?

  d Resume, con tus propias palabras, las tres razones principales para comprar un ordenador personal.

ESPECIAL ELECTRÓNICA

MOTOR 16

La revolución pendiente en el automóvil afecta a su entorno, al tráfico.

COCHES QUE CONDUCEN SOLOS

El proyecto Prometeo hará que en el umbral del año 2000 no haga falta conducir un automóvil. Ellos serán los que conduzcan

JOSÉ MARÍA CERNUDA

EN el automóvil, como en cualquier otro bien de consumo, la electrónica ha irrumpido espectacularmente, en los últimos años. Si hace tan sólo una década los componentes electrónicos apenas alcanzaban el uno por ciento del total, hoy puede llegar al 10 por ciento, incluso en los coches populares.

La última generación del sistema de inyección, por ejemplo, prevé la posibilidad de que el conductor diseñe sus propias leyes de inyección, en función de sus gustos o necesidades. De esta manera nacerá, en un futuro muy próximo, el coche de prestaciones o consumos *inteligentes*.

Pero no sólo es en el motor donde se aplica la electrónica. La multinacional alemana Bosch (que ya desarrolló los primeros sistemas de inyección) ha inventado el sistema de frenos ABS, que evita el bloqueo de las ruedas y supone una revolución en los sistemas de seguridad.

Ya no resulta extraño ver una caja de cambios automática, cuya utilización puede regularse a gusto del conductor. O coches en los que, de una forma automática, se conecta o desconecta uno de los ejes tractores. Se inicia un periodo en el que el conductor deja de manejar el coche para ser conducido por él.

Paralelamente a este desar-rollo de alta tecnología, la electrónica posibilita otro, menos importante, pero, quizás, más espectacular: el de los accesorios. Ordenador de a bordo, cristales que oscurecen cuando el sol incide de frente, limpiaparabrisas que se ponen en funcionamiento al caer la primera gota de agua...

La gran revolución, sin embargo, está por llegar. No será la que afecte al propio motor o a los órganos mecánicos, ni siquiera a los accesorios. La revolución pendiente en el automóvil afecta a su entorno, al tráfico. El conductor, desde su pequeño recinto, percibe una porción muy limitada del tránsito. Los errores en su interpretación son causa frecuente de numerosas muertes.

Este es el gran reto de la electrónica aplicada al automóvil: hacer llegar al conductor la información más completa sobre su entorno, de manera clara y sin posibilidades de error. Suplantando, incluso, la toma de decisiones cuando ello signifique una mejora en la seguridad.

Para ello, la Comunidad Europea puso en marcha el año pasado el proyecto Prometeo. Dentro del Prometeo, Mercedes Benz y Blaupunkt han puesto a punto el programa *Arthur*, capaz de crear un enlace vía satélite que avisa de un accidente aprovechando la actual red de radioteléfonos. Volkswagen ha desarrollado el *Onda Verde*, un mecanismo automático de control de velocidad en travesías de población.

Otros sistemas en desarrollo, dentro del proyecto Prometeo, son el *Companion*, que advierte mediante balizas electrónicas enlazadas de las retenciones en el tráfico, o el *Ari*, que informa a través de emisoras de radio de frecuencias comerciales, con mensajes específicos en cada área geográfica.

En 1995 comenzarán a palparse los frutos de Prometeo. ■

1 Empareja estas palabras, sacadas del artículo, con su equivalente inglés:

un umbral	gear-box
un enlace	to foresee
alcanzar	windscreen-wipers
prever	threshold
prestaciones	challenge
una caja de cambios	to drive, operate
manejar	link
un limpiaparabrisas	performance qualities
un reto	to reach

2 Después de leer este artículo escribe un resumen en español, usando 100 palabras, y describiendo las tres cosas más útiles de estos coches del futuro.

3 Eres un empleado de una agencia de publicidad en el año 2000. Tienes que diseñar un anuncio que llame la atención del público sobre las ventajas del nuevo coche Seat <<Europa>>. Utiliza el artículo y, si quieres, los anuncios que escuchaste y leíste en el capítulo 3.

Redacciones
Escribe una redacción en español de aproximadamente 250 palabras sobre uno de los temas siguientes:
a <<La informática ha cambiado nuestro estilo de vida.>>
b <<LLegará el día en que los libros los escriban los ordenadores.>>
c Las desventajas y los inconvenientes de la nueva tecnología.
d Los usos educativos de los nuevos aparatos.

A Spanish friend of yours, who intends to specialise in Computer Science at university, is staying with you for a few weeks in order to improve his English. The content of this newspaper article interests him but he finds that he cannot work out exactly what happened. You offer to help him by writing out in Spanish the answers to his questions.

Contesta a las siguientes preguntas:

a ¿Qué propósito tenían los que introdujeron el virus?

b ¿Qué trampa usaron los hackers para penetrar en los ordenadores?

c ¿Tuvieron los hackers mucho éxito?

d ¿Qué decía la carta que acompañaba los disquetes?

e ¿Cómo reaccionaron IBM y British Telecom?

f ¿Qué hallaron los investigadores del disquete?

Virus attack on City computers foiled

Peter Large and
Peter Rodgers

POLICE are investigating an attempt to destroy the computer operations of the City of London and scores of big businesses across the country through a Trojan Horse computer virus.

The virus, which attacks IBM Personal Computers and similar machines which are often networked into powerful systems, is contained on floppy disks labelled "Aids information introductory diskette", hundreds of which were posted from South Kensington in London to managers whose names were believed to have been culled from the mailing list of a computer magazine. Some disks were also sent to public health laboratories – the recipients attended an Aids conference two years ago.

Several disks were discovered in City banks, and the Stock Exchange security office tannoyed and computer-networked warnings to all departments. Nevertheless, some City recipients used the disks on their office personal computers and lost information stored on hard disks. Police said they had had no reports of widespread damage.

A letter accompanying the disks threatened that "your microcomputer will stop functioning normally" if licence fees of $189 (£120) to $378 were not paid to "PC Cyborg Corporation" at a box number in Panama. Police said neither the company nor the box number (87-17-44) existed. There is an American software company called Cyborg Systems and its UK subsidiary faxed warnings to all its customers yesterday about the bogus use of its name.

IBM in Britain flew one overnight to its virus research group in the States.

British Telecom — whose staff received 50 disks at offices around the country — also sent them to its virus investigation team.

Both teams said last night that the disks contained a "time bomb" — instructions triggered only by certain operations or after a certain time. When those instructions were brought into play the information held in the computer file was encrypted – not destroyed.

IBM thought the disks did not contain a virus which could be transmitted over a network. The company had no reports of them appearing outside the UK.

Desarrollando el tema

1 *Temas generales:* un estudio del uso doméstico, médico, educativo o comercial de las nuevas máquinas en España (por ejemplo, la microonda, el teléfono móvil, la utilización del láser en la cirugía); el papel del ordenador en el futuro; la informática en España; el uso del ordenador como juguete; la importancia de la nueva tecnología en la economía española.

2 *Los peligros de la tecnología:* ¿van los robots a reemplazar al hombre en el mundo laboral?; la tecnología militar (por ejemplo la llamada <<guerra de las estrellas>> entre las superpotencias); los estragos de los <<hackers>>.

3 *Las ventajas de la tecnología:* los avances en el campo de las telecomunicaciones; las telecomunicaciones en España; los satélites; las máquinas que ahorran trabajo; los múltiples usos de los ordenadores para mejorar nuestro estilo de vida.

10 LOS MARGINADOS

¿Qué hacer con los marginados? Desde hace siglos la existencia de millares de mendigos, pícaros, gitanos y vagabundos de todo tipo que viven al margen de la sociedad plantea un gran problema en España. Por lo general esta gente no se rebaja a la criminalidad: se ganan la vida como pueden, algunos de ellos víctimas del desempleo o de la enfermedad, otros cautivados por los alicientes de la vida libre y sin trabas.

El tema no sólo interesa a los sociólogos sino a los literatos también. Algunos de los autores más destacados de la literatura española, tales como Cervantes, Lorca y el anónimo autor de la novela picaresca del siglo dieciséis, *La vida de Lazarillo de Tormes*, convirtieron a la gente marginada en protagonistas de sus obras.

Hoy en día, el problema de los marginados sigue creciendo, sobre todo en las grandes ciudades, donde el pícaro antiguo se ha convertido en parásito urbano y se le puede ver junto a los semáforos, vendiendo pañuelos y otras baratijas. La integración de los gitanos en las urbanizaciones de las ciudades modernas también plantea problemas muy acuciantes a las autoridades municipales que, a menudo, al intentar realojar a familias gitanas se tienen que enfrentar con la hostilidad del vecindario (como se vio en el primer capítulo).

I LOS <<PAÑOLEROS>>

 Texto A Los niños de los semáforos

1 Las palabras que siguen se encuentran en la primera parte de la secuencia. Colócalas en el sitio correcto, indicándolas por la letra:

a pañuelos	**d** acostumbrados	**g** cruces
b limosna	**e** aprovechando	**h** rojo
c semáforos	**f** desconocidas	

Los conductores madrileños ya están _____ al triste espectáculo de los niños en los _____. En los principales _____ de la capital,

_____ el tiempo que dura un disco en _____ o el inevitable atasco, 'asaltan' a los automovilistas para venderles _____, limpiar sus cristales o pedirles una _____ . Estas escenas, _____ en otras capitales europeas, acercan a España al tercermundismo.

2 Escucha la cinta otra vez y verifica las sustituciones.

3 Contesta en español a las siguientes preguntas:
   a ¿Trabajan estos muchachos por su propia cuenta?
   b ¿Qué riesgo corren los muchachos?
   c ¿Qué tendría que hacer Juan Barranco si se produjera una desgracia?

4 Trata de encontrar una palabra de la cinta que sea sinónima de cada una de las frases siguientes:

a punto donde se cortan dos calles

b impedimento que no permite el paso

c masa de gente que avanza desordenadamente

d evita con habilidad un peligro

Texto B

1 Antes de leer los trozos sobre los cuatro pañoleros de Madrid, la clase va a dividirse en cuatro grupos. Cada grupo va a buscar en el diccionario el sentido de las palabras por debajo de uno de los <<pañoleros>>. Después, el portavoz de cada grupo explicará las palabras a los demás alumnos.

Rubio	**Largo**
gualdrapas	las cercanías
manguis	el esmero
hacer pirulas	un mozo de pista
dar al triqui-triqui	sobrar
el primer pico	chupar
tumbarse	EGB
una chavala	ultramarinos
una copa	hacer el perro

Alicia	**Florentino**
acudir	ambientadores
granos	agotar
decir burradas	bayetas
Nochevieja	bolsa de basura
agregar	embarazada
por supuesto	a instancias de
una zapatería	una guardería

Agarrados a un semáforo

Los 'pañoleros', una subespecie de la economía sumergida

Rubio:

"Nosotros no vamos de *gualdrapas,* no somos *manguis* ni hemos estado en la cárcel, no hacemos *pirulas* ni cobramos a la gente de más", declara *Rubio.* "Tampoco le damos al *triqui-triqui* ni nos drogamos. Hay algunos que venden para sacarse para el primer *pico* y el resto lo sacan de otra manera. Pero nosotros sólo estamos en esto. Vamos al semáforo a las 11. A las dos comemos algo, nos tumbamos un rato en el parque y volvemos al semáforo hasta las 7. Nadie nos manda, y yo pienso seguir así hasta que encuentre un trabajo", sigue diciendo *Rubio.* Y añade: "No es que tenga necesidad, pero me gusta tener mil pesetas en el bolsillo. Me gusta ir al barrio, ir al pub, salir con chavalas y tener dinero para una copa. A veces hasta me gorronean un poco los amigos".

Largo:

Vicente *Largo,* el colega de *Rubio,* vive en las cercanías del puente de Segovia, pero, como a la mayoría de sus compañeros, no le gusta vender en su barrio. *Largo,* que va vestido casi con esmero, tiene otros cuatro hermanos. Su padre trabaja de mozo de pista en Iberia. "En mi casa no sobra el dinero y a mí no me gusta chupar de los padres", explica. Al terminar EGB, trabajó en una tienda de ultramarinos como repartidor, sin estar asegurado. Y al poco tiempo, le echaron para coger a otro chaval algo más joven. Luego trabajó seis meses en Mercamadrid. Hasta que *Rubio* le habló de las excelencias del semáforo. "En un día bueno ganamos 3.000 o 4.000 pesetas. En un día malo, como en agosto, unas 1.500 pesetas. Pero hay días en que *haces el perro* y no vendes nada".

Alicia:

El puente de Ventas, con sus diversos cruces, permite vender a cerca de 10 personas. Alicia, de 16 años, vecina de Vicálvaro, es una de las pocas chicas que acude al semáforo. "Vendo bastante, suelo ganar cerca de 2.000 pesetas al día", asegura Alicia, con algunos granos en la cara y el aspecto limpio de una adolescente a punto de ir a la academia. "A veces me dicen burradas. Pregunto si quieren pañuelos y alguno me dice que no, pero que me da 1.000 pesetas si vamos por ahí a pasarlo bien. Otras veces me han dado tarjetas para *hacer publicidad,* pero no llamé porque a mi madre le dio mala espina". Por el contrario, un señor le da dinero casi siempre que pasa, "sin nada a cambio, sólo porque no tiene hijas. Y en Nochevieja, que es cuando vendemos más, una vez me dieron 5.000 pesetas", agrega. "No es que sea el cruce perfecto, pero llevo dos años aquí y sólo ha habido un caso en que uno robó a un cliente. Pero no volvió, por supuesto", concluye Alicia, que en septiembre empezará a trabajar en una zapatería.

Florentino:

Florentino, de 32 años, también vende pañuelos y ambientadores en el semáforo, después de haber agotado al público de todas las tiendas de la zona con sus bayetas y bolsas de basura. Casado a instancias de la familia de su novia cuando ésta se quedó embarazada, tiene a su mujer y a sus dos hijos viviendo en casa de los suegros, a la vez que él continúa viviendo con sus hermanos en la casa familiar. En el 82 solicitó una vivienda oficial, de la que aún no ha obtenido respuesta. Es pensionista a causa de un accidente laboral que le dejó inútil y, por tanto, le está prohibido trabajar, "pero sólo recibo 40.000 pesetas al mes y la guardería de mi hija me cuesta 8.000 pesetas, así que no tengo más remedio que seguir", finaliza un Florentino habituado a vivir en el filo de la legalidad.

2 Busca en los cuatro trozos cómo se dicen en español las palabras expresiones siguientes:

    a we don't take drugs either

    b my friends sponge off me

    c there's no money to spare

    d a delivery boy

e they gave him the sack

f she didn't like the look of it

g I've been here for two years

h he applied for public-sector housing

i I've no alternative

3 Completa las siguientes frases, basadas en el texto, con los tiempos y modos adecuados:

a Rubio añadió que no era que _____ necesidad, pero le _____ tener mil pesetas en el bolsillo.

b Largo explicó que en su casa no _____ el dinero y a él no le _____ chupar de los padres.

c Alicia agregó que no era que el cruce _____ perfecto, pero _____ dos años allí y sólo _____ un caso en que uno _____ a un cliente.

d Florentino dijo que sólo _____ 40.000 pesetas al mes y la guardería de su hija le _____ 8.000 pesetas, así que no _____ más remedio que seguir.

4 Escoge a uno de los cuatro pañoleros y comenta lo que dice con tu compañero. Después cuatro alumnos van a resumir delante de la clase, con sus propias palabras, la vida de cada uno de los pañoleros tal como la describe en el artículo.

5 Imagina que eres el chico que comenta el artículo del diario. Cuenta cómo llegaste a ser pañolero.

II LOS VAGABUNDOS

Los pañoleros, claro está, suelen trabajar en las ciudades. Hay otro tipo de gente marginada, los vagabundos, que viven en la ciudad de vez en cuando, pero también recorren los caminos rurales. Los vagabundos pasan de una ciudad a otra, sin esperar que su suerte mejore. A menudo en el verano duermen al aire libre y, cuando viene el mal tiempo, buscan dónde pasar la noche en la ciudad.

Texto C

1 Antes de leer el artículo busca en el diccionario el sentido de las palabras siguientes:

recorrer	ir tirando	juegos de manos
incrementarse	defenderse	el epígrafe
coartar	despachar	el peón
el colgante	la chatarra	el jornalero
fichados	el cartón	el bracero
una pléyade	el sorteo	el hacinamiento
el desarraigo	la gama	asesorar
confluir	la bisutería	hacer caso a
la pauta	la albañilería	hundirse

2 Contesta en inglés a las preguntas siguientes:
   a Why does Felix look for a room in winter?
   b How do Felix and his partner earn their living?
   c Why do the police not arrest the couple?
   d What characteristics are shared by vagrants?
   e Who are the *carrilanos*?
   f Explain what Joaquín means by the phrase "en lo que sale".

3 Indica las palabras o frases del texto que corresponden a las siguientes definiciones:
   a puesto de venta callejero
   b edificio en que se halla hospedaje
   c dádivas caritativas
   d una persona que trabaja temporalmente
   e dar consejo

4 Traduce al inglés desde <<Un 80 por ciento>> hasta <<la delincuencia>>.

Cincuenta mil vagabundos recorren España

Todos los años se incrementa un 30 por ciento el número de «transeúntes»

FÉLIX prefirió abandonar un trabajo estable en una fábrica para vivir a su aire, sin soportar que nadie le coartara su libertad. Ahora duerme con su compañera, embarazada, al aire libre. <<No pasamos frío, ya estamos acostumbrados. Sólo cuando llega el invierno buscamos una habitación barata en una pensión.>>

Sobreviven de las pulseras y los colgantes de cuero que hacen ellos mismos y que venden en las calles sin permiso ni tenderete. <<La policía no nos ha detenido nunca. A menudo nos piden el carné y consultan por radio si estamos fichados, pero como nunca hemos pasado por la cárcel nos dejan tranquilos.>>

En los últimos meses, han recorrido las provincias de León, Burgos, Zamora, Huesca y ahora están en Zaragoza. <<Vinimos aquí a comer durante las fiestas de El Pilar porque es gratis. Pero, en diciembre, nos marcharemos a otra ciudad.>>

Félix es uno de los de 50.000 transeúntes que recorren España. Se trata de una pléyade de vagabundos, parados y castigados por la vida, cuando no por la enfermedad o las leyes, que sólo poseen en común su pobreza, su desarraigo y su marginalidad. Tres notas que constituyen su carné de identidad. Pero ha sido la itinerancia la característica que ha servido para darles nombre.

Desde Sevilla, Málaga y Cádiz confluyen hacia Córdoba los *carrilanos*. Así es como, en el argot, se llaman a sí mismos los que en la terminología oficial se califican de transeúntes.

Luego seguirán hacia Madrid y desde aquí, manteniendo unas pautas casi tan regulares como las de las aves migratorias, elegirán entre dos circuitos: el *catalán*, hasta Barcelona, para, luego, bajando por Valencia, retornar a Andalucía, o el de Galicia, vía Salamanca. Solamente unos pocos, en verano, irán directamente al Norte, hacia Santander.

Los transeúntes buscan comedores, albergues y roperos conocidos desde hace tiempo, los utilizan frecuentemente, aunque no están satisfechos con sus servicios. Arrastran su soledad pidiendo limosna para comer y vestirse. Y pasan su tiempo libre buscando trabajo y paseando.

<<Lo que pasa es que cuando dominas el circuito y vas tirando, cada vez te acostumbras más a la marginalidad, explica Joaquín, un malagueño de cuarenta años, que a veces trabaja de temporero y otras se defiende "en lo que sale".>>

<<Además, en muchos sitios, prácticamente lo que hacen es despacharte después de haberte facilitado algunos días de alojamiento, un billete para mandarte a otra ciudad o cualquier otra ayuda>>, concluye Joaquín.

Defenderse <<en lo que sale>> es el principal medio de vida de un 49 por ciento de los transeúntes. Un 12 por ciento son temporeros; un 8 por ciento viven de la chatarra y de los cartones; un 6 por ciento venden toda clase de loterías y papeletas de sorteos; un 4 por ciento toca instrumentos de música o luce la más insólita gama de habilidades en la calle; otro 4 por ciento vende bisutería; un 3 por ciento se dedica a la fontanería, carpintería y albañilería y 1 por ciento saca partido a los juegos de manos. El resto constituye cada uno un mundo bajo el epígrafe de <<otras actividades>>.

Un 80 por ciento son hombres que pertenecen a familias muy numerosas, de baja cualificación socioeconómica – siete de cada diez padres son peones, jornaleros o braceros–, con pocos estudios y en los límites de la pobreza. Se trata de personas maduras – la edad media de los transeúntes es superior a los 40 años–, solteros y divorciados.

<<La verdad es que en muchos albergues no te sientes cómodo. Sobre todo por la gente que se junta allí. A veces es preferible el aire de la calle al hacinamiento de un dormitorio colectivo donde hay quien te da la noche con un ataque epiléptico o con cualquier otra cosa. Además el albergue es una escuela de aprendizaje de las técnicas carrilanas. Los más viejos asesoran a los más jóvenes en las habilidades de la "profesión">>, explica Serafín, un cuarentón que suele defenderse en la calle vendiendo cartón o chatarra y que <<según esté la cosa>> utiliza los servicios sociales para desplazarse, comer u obtener algo de ropa.

A él le gustaría trabajar <<pero a los que tenemos esta imagen es difícil que nos hagan caso. El ambiente acaba por marcarte. Además la gente se acostumbra a la rueda y cada vez se hunde más. Lo malo es que se llegue al alcohol, la droga o la delincuencia>>.

5 Muchas veces una ocupación deriva su nombre de la actividad que denota.

Por ejemplo:

○ Un hombre que *vende ropa* se llama un *ropero*.

Rellena la tabla siguiente con los nombres apropiados :

Actividad	Nombre
la fontanería	
la gerencia	
repartir cartas	
la contabilidad	
la albañilería	
la carpintería	
la abogacía	
el arte	
la música	

6 A ver si puedes encontrar, con un compañero, otros cinco nombres que deriven del oficio. Después verifícalos con el profesor.

GRAMMAR

The Gerund

The form of the verb ending in **-ando** (**-ar** verbs) and **-iendo** (**-er** and **-ir** verbs) sometimes has the same meaning as the verb-ending "-ing" in English. The gerund in Spanish, however, performs a different function from English "-ing", and, as we saw in Chapter 9, the equivalent in Spanish of English "-ing" is often the infinitive. For example "Before arriving at the station ..." would be translated by "Antes de llegar a la estación ..."

The Spanish gerund, correctly used, *modifies the verb*. For instance, it often tells you how an action is carried out.

For example:

○ Pasan su tiempo libre buscando trabajo y paseando ...
(They spend their free time looking for work and walking about ...) The gerund tells you *how* they spend their time.

Quite frequently a "connecting" word, such as "by", "since" or "while" is used when translating the Spanish gerund into English.

For example:

○ Serafín suele defenderse en la calle vendiendo cartón y chatarra (Serafín is accustomed to getting by in the street by selling cardboard and scrap iron). Note also the translation of the infinitive "defenderse" by English "-ing" here.

◆ You should take care **not** to use the gerund in Spanish after a preposition.

For example:

○ Al terminar EGB, trabajó en una tienda de ultramarinos ...
(On finishing his EGB, he worked in a grocer's shop ...)

o ... lo que hacen es despacharte después de haberte facilitado algunos días de alojamiento ... (... what they do is send you away after having provided you with a few days' lodging ...)

◆ Certain constructions with the gerund are commonplace.

◇ **Ir** and **venir** + gerund give a sense of gradual action.

For example

o ... lo que pasa es que cuando dominas el circuito y vas tirando, cada vez te acostumbras más a la marginalidad ... (... what happens is that when you've mastered the route and you're getting along all right, you get more and more used to being an outcast...)

◇ **Seguir** and **continuar** are followed by the gerund, and not the infinitive.

For example:

o Florentino continúa viviendo con sus hermanos en la casa familiar (Florentino continues to live in the family home with his brothers/brothers and sisters).

◆ For the formation of the Gerund see the Grammar Summary on page 244.

Discovery
Look through the reading passages on the "pañoleros" and the "vagabundos" for more examples of the gerund. Be prepared to talk about their use in classroom discussion.

Práctica

1 Escoge cinco de los verbos siguientes e inventa frases sobre la vida de la gente marginada, utilizando el gerundio:

venir	ir	andar
destruir	subir	buscar
comer		

2 Completa las frases siguientes empleando un gerundio:

a Llevó dos horas _____ en la estación.

b ¿Por qué sigues _____ por las carreteras?

c Los pañoleros se fueron _____ hacia la calle Alcalá.

d El viejo podía defenderse _____ baratijas.

e Iba _____ lentamente por la calle sin mirar a nadie.

III LOS GITANOS

Texto D

Los vecinos llevan dos semanas manifestándose contra el asentamiento de población marginal

La alcaldía madrileña renuncia a alojar familias gitanas en Peñagrande

PEDRO MONTOLIÚ. **Madrid**
El equipo de gobierno del Ayuntamiento de Madrid, tras dos semanas de protestas vecinales, reconoció ayer que no puede jurídicamente asentar a 20 familias laos gitanas en el terreno de Peñagrande que el municipio cedió en su día para la construcción de un equipamiento escolar. El socialista Luis Larroque, primer teniente de alcalde, indicó que, según el informe jurídico, las condiciones en que se produjo la expropiación del terreno para cederlo al Ministerio de Educación impide su ocupación, incluso de forma provisional, por lo que el

traslado de las familias gitanas al mismo ya no se hará.

Ello impedirá también realizar las obras para la ampliación del colector que pasa por la zona, por lo que las inundaciones sufridas otros años podrían re etir se es' i' vie no. La dem a .u) ·l ·as .ido como de las o ra:. .urará unos cinco meses, hasta que el Consorcio para el Realojamiento de la Población Marginada pueda instalar de forma definitiva a estas familias y así liberar el suelo que ocupan para acometer la ampliación del colector.

Larroque calificó de "egoísta, salvaje e insolidaria" la actitud

de algunos vecinos de Peñagrande que el mismo jueves volvieron a cortar la carretera de la Playa para protestar por el traslado. "Estas protestas han seguido, a pesar de que la junta del distrito acordó la semana pasada suspender provisionalmente cualquier actuación hasta que se tuviera el informe jurídico", dijo. "Si se vuelve a cortar la carretera voy a pedir la intervención de las fuerzas de seguridad", aseguró.

Larroque se refirió también al rechazo vecinal surgido en Moratalaz al haberse anunciado el realojamiento de gitanos en un gigantesco bloque de 460

viviendas que construye la Comunidad de Madrid junto a la M-30. El primer teniente de alcalde reconoció que el traslado de 400 familias procedentes del Pozo del Huevo a este bloque no responde a la política que sigue el Consorcio para el Realojamiento de la Población Marginada, consistente en distribuir a dos o tres familias gitanas en cada nuevo bloque de viviendas, con una atención social paralela. "Comparto esa preocupación de los vecinos, aunque no por el tema de la seguridad, sino porque esa concentración no responde a una política de integración social".

1 Empareja estas palabras, sacadas del artículo, con su equivalente inglés:

alojar	to undertake
el traslado	to accommodate
asentar	flood
el rechazo	deputy mayor
una inundación	move/transfer
acometer	to place
una demora	to share
calificar de	sewer
un teniente de alcalde	to describe as
ceder	rejection
un colector	delay
compartir	to give way

2 Haz un resumen del texto en español, usando 150 palabras, desde «El equipo» hasta «aseguró».

 Texto E   **La realidad de la vida gitana**

1 Antes de escuchar la cinta lee con atención las definiciones de las palabras siguientes:

un payo	persona que no es de raza gitana
transitar	ir por la vía pública
la beneficencia	los servicios de beneficios del gobierno
la escolarización	el suministro de la instrucción en la escuela
gestos puntuales	expresiones o movimientos exactos
franquear	atravesar
extenuar	cansar
apretado	estrechado con fuerza
borrar	hacer desaparecer

Primera parte

2 Ahora escucha la primera parte e indica con una equis en la casilla si las afirmaciones siguientes son verdaderas. Si son falsas escribe la versión correcta.

a 30% de las mujeres gitanas saben leer y escribir. ☐

b Más de la mitad de los gitanos no sabe manejar un teléfono. ☐

c La inmensa mayoría de los gitanos realizan un trabajo que consideran honroso. ☐

d El Estado no les da ninguna ayuda médica. ☐

e En la sociedad gitana predominan los viejos. ☐

f Los niños tienen el derecho de ir a las escuelas del Estado. ☐

g Los gitanos tienen una actitud fatalista ante la vida. ☐

Escucha la segunda parte dos veces, tomando notas en inglés.

Ahora describe en inglés:
a the relationship between the gypsy and the *payo*, as Maruja Torres describes it.
b the reaction of the *mujer paya* to Maruja Torres.
c Maruja Torres's comments on the woman's reaction to her.

GRAMMAR

Por and Para

These two prepositions are often considered as a pair because both can be translated by "for" in English, and because both are associated with movement. In fact they are used to communicate quite different ideas.

◆ **Para** is the easier to explain: it indicates a sense of purpose, of *movement towards a goal*. When followed by the infinitive it is often translated by "in order to", "so as to", etc.

For example:
○ Ello impedirá también realizar las obras para la ampliación del colector (This will also prevent the work being carried out for the widening of the sewer)

◆ **Por**, on the other hand, is used when you want to communicate the *cause* of something, the means by which something has been done or the idea of passage through time or space: it has the sense of "through", "during", "on behalf of".

For example:
○ ... pero como nunca hemos pasado por la cárcel nos dejan tranquilos (... since we've never been to prison [i.e. literally "through prison"] they leave us alone)
◇ **Por**, in its meaning of "by" is also used to introduce the agent in a passive sentence (See page 103).

The uses of these two prepositions are well illustrated by a sentence in Texto D:
○ ... algunos vecinos de Peñagrande ... volvieron a cortar la carretera de la Playa **para** protestar **por** el traslado (some residents of Peñagrande once again cut off the main road to La Playa in order to protest about [i.e. "because of"] the transfer.)

◆ If you are in doubt about whether to use **para** or **por** it is worth remembering that **para** has a strong sense of *purpose*, while **por** can often be translated by "*because of/on account of*".

◆ For an account of other prepositions (**a, en, sobre,** etc.) see the Grammar Summary on page 237.

Discovery

Note down ten examples of the use of **por** and **para** in the reading passages and try to explain their use. Be prepared to talk about them in classroom discussion.

Práctica

Rellena los espacios en blanco con **por** o **para**:
a Echaron a Vicente _____ coger a otro chaval más joven.
b Larroque compartía la preocupación de los vecinos, aunque no _____ el tema de la seguridad.
c Estos vagabundos, castigados _____ la vida, tienen poca esperanza.
d Esperaba en el semáforo _____ mucho tiempo sin recibir nada.
e Alicia iba a dejar su vida como pañolera _____ ir a trabajar en una zapatería.
f No habían podido ampliar el colector _____ lo que podrían sufrir inundaciones en el invierno.
g El viejo no podía quedarse en el albergue _____ la gente que estaba allí.
h Después de haber pedido bastante dinero _____ la comida, se marchó.
i Erraban sin cesar _____ toda España.
j El vagabundo fue detenido _____ la policía.

En 1614, Miguel de Cervantes ofreció a sus lectores una visión muy negativa del gitano al comienzo de su novela ejemplar, *La Gitanilla*:

Parece que los gitanos y gitanas solamente nacieron en el mundo para ser ladrones: nacen de padres ladrones, críanse con ladrones, estudian para ladrones y, finalmente, salen con ser ladrones corrientes y molientes a todo ruedo, y la gana del hurtar y el hurtar son en ellos como accidentes inseparables, que no se quitan sino con la muerte.

No compartía esta imagen desfavorable del gitano el poeta granadino, Federico García Lorca, quien, en su libro de poesías, *Romancero gitano* (1928), creó una figura libre y hermosa, superior al hombre mediocre de la sociedad convencional. En su romance *Muerte de Antoñito el Camborio* nos pinta a un gitano bello y luchador, que muere con dignidad a manos de sus primos envidiosos:

Texto F *Muerte de Antoñito el Camborio*

Voces de muerte sonaron
cerca del Guadalquivir.
Voces antiguas que cercan
voz de clavel varonil.
Les clavó sobre las botas
mordiscos de jabalí.
En la lucha daba saltos
jabonados de delfín.
Bañó con sangre enemiga
su corbata carmesí,
pero eran cuatro puñales
y tuvo que sucumbir.
Cuando las estrellas clavan
rejones al agua gris,
cuando los erales sueñan
verónicas de alhelí,
voces de muerte sonaron
cerca del Guadalquivir.

—Antonio Torres Heredia,
Camborio de dura crin,
moreno de verde luna,
voz de clavel varonil:
¿Quién te ha quitado la vida
cerca del Guadalquivir?
—Mis cuatro primos Heredias
hijos de Benamejí.
Lo que en otros no envidiaban,
ya lo envidiaban en mí.
Zapatos color corinto,
medallones de marfil,
y este cutis amasado
con aceitunas y jazmín.
—¡Ay Antonio el Camborio
digno de una Emperatriz!
Acuérdate de la Virgen
porque te vas a morir.

Lucha entre Antonio ('clavel varonil') y sus primos. Gritos.

Antonio pugna ferozmente y evade a los que le asaltan.

La lucha suscita imágenes del toreo.

Habla el poeta con el gitano, alabando su pelo, su piel y su voz.

Respuesta de Antonio.

Era la envidia la que le mató.

-¡Ay Federico García,
llama a la Guardia Civil!
Ya mi talle se ha quebrado
como caña de maíz.

Antonio se muere

Tres golpes de sangre tuvo,
y se murió de perfil.
Viva moneda que nunca
se volverá a repetir.
Un ángel marchoso pone
su cabeza en un cojín.

Unos ángeles vigilan al gitano muerto.

Otros de rubor cansado,
encendieron un candil.
Y cuando los cuatro primos
llegan a Benamejí,
voces de muerte cesaron
cerca del Guadalquivir.

1 Haz un resumen en español de lo que pasa en el poema, utilizando 100 palabras.

2 Compara este <<retrato>> del gitano con la del gitano real de nuestros días. ¿Te parece verdadera o falsa la imagen del gitano que presenta Lorca? Justifica tu opinión.

Redacciones
Escribe una redacción en español de aproximadamente 250 palabras sobre uno de los siguientes temas:
a España, país de holgazanes simpáticos.
b Imagina que eres un vecino de Peñagrande. Trata de convencer a un compañero:
  o que la mejor solución del problema de los gitanos es realojarlos todos juntos en un gran edificio;
  o que la única solución que conviene es integrar a los gitanos en una urbanización en grupos de dos o tres familias;
  o que vale más dejar a los gitanos en sus chabolas en los alrededores de la ciudad.
c Imagina que eres uno de los vagabundos del artículo <<Cincuenta mil vagabundos recorren España>>. Describe un día típico de tu vida en verano o en invierno.
d La mendicidad, consecuencia inevitable del paro.
e <<La literatura da una imagen falsa de la gente marginada.>>

Reporting task
A friend from Barcelona who is staying with you sees the following article in a newspaper and, wanting to know what picture of the youth of his city is being presented to the British public, he asks you to explain to him what the article says, and whether Barcelona is being presented in a negative light. Explain the content of the article to him in Spanish.

Spanish bucketeers ... an unwilling recipient of the Barcelona boys' windscreen-cleaning 'service' tries to repel boarders

All washed up on the streets of Spain

If you think things are tough here for young people, says **Kate Muir**, look at how Barcelona's wash-and-wipe urchins have to wring a living

INE-YEAR-OLD Julio lives on an estate at the very end of the tube line. He commutes to work every morning. Unlike the executives in crisp summer suits who share his train, Julio wears a pair of jeans in danger of collapsing under their weight of dirt, and a bright shirt covered with sports slogans.

That is the usual working uniform for him and seven older, but equally grubby, boys who make their living by washing the windscreens of cars as they wait at traffic lights in the streets of Barcelona. The boys wash and wipe first, and ask the drivers for money later. About a quarter are touched by the dirty faces of the

street kids and cough up a few coins or a cigarette. The rest hang out of their windows and shout: "Vete a la mierda!" —go to hell.

After all, the average taxi driver gets his windscreen washed ten times a day by kids at traffic lights all over the city. And if the kids aren't doing that they're running between the cars trying to sell dishtowels or Kleenex.

"Well, it's better than school. I used to go sometimes but now I'm doing this five days a week," says Julio, proud to be a wage-earner. When asked his age he says nine, and changes it to 12 after one of his brothers nudges him.

There are 12 children in Julio's family, says one of the brothers who claims to

be 15 years old. He might be exaggerating, but there are about five of them here today, from Julio, the youngest, to Juan, a thin, spotty boy of 16.

They are the main breadwinners for the family. "Our dad has a really crappy job and it doesn't pay enough to keep us all", says Juan, sparing a few seconds to talk while cars shoot past the green light. "On a good day we can make 4,000 pesetas (£20). On a bad one, it might be 1,000. We give most of it to our mum. We usually go home for lunch and then come back to do the rush hour at night."

Juan hasn't been to school since he was 12, although the leaving age is 16. Truancy officers are either invisible or completely ineffective. "It's just not worth going. I didn't learn anything there, and it's not going to get me a proper job. Anyway, there aren't any

that pay much better than this." Unemployment in Spain is 19 per cent – the highest in the European Community.

It emerges later that Juan has other problems. He certainly doesn't take £100 a week back to his mother. When he goes, his mates make injecting gestures at their arms and laugh. Juan has reached the age where he is giving up window washing and moving into drug taking and, sooner or later, dealing.

His is a fairly typical pattern for kids who give up on school at an early age. Last weekend five teenagers died of heroin poisoning in Barcelona and 61 have died so far this year in the city. Barcelona may feature in every style magazine for its designer bars and clubs but, like any other city, it has a darker side.

Desarrollando el tema

1 *Temas generales:* ¿cuáles son las causas de la mendicidad e España?; ¿cómo se puede solucionar este problema?; ¿dónde viven lo mendigos?; ¿cómo se ganan la vida?; los albergues para lo vagabundos; los pícaros en la literatura española; el argot de lo marginales.

2 *Los distintos tipos de gente marginada en España:* los jóvenes desempleados; los gitanos; los mendigos; los vagabundos urbanos rurales; los heroinómanos; las prostitutas

3 *Los gitanos:* su historia; sus costumbres; su vida diaria; el gitan como figura literaria y como figura real; los gitanos en España; problema de la integración de los gitanos en la sociedad españo

Lorca, poeta andaluz de grandes dotes artísticas, se convirtió en mito al ser asesinado por las fuerzas derechistas en Granada en 1936, a comienzos de la guerra civil española. Hoy día, el interés por su biografía, por lo visto, aun supera al de su obra literaria. En el 50 aniversario del fusilamiento de Lorca un librero de Granada comentó que <<en realidad se venden muchos más libros sobre la vida de Lorca que sobre su obra>>. La muerte trágica de Lorca quizás haya oscurecido los aspectos artísticos de su vida.

I NIÑEZ Y JUVENTUD, 1898–1919

Federico García Lorca nació en 1898, en Fuente Vaqueros, pequeño pueblo de la Vega de Granada. Su vida infantil en el campo le dio un amor profundo por la naturaleza, la sencillez de la vida rural y las leyendas y romances de la provincia de Granada. Aunque su familia se mudó a Granada en 1909, regresaban con frecuencia a la Vega en verano, así que Lorca podía mantener contacto con la vida del campo y la lengua de los campesinos. En 1929 Fuente Vaqueros rindió homenaje a su hijo más famoso y Lorca pronunció un discurso en el que nos da una imagen fiel de su pueblo natal.

Texto A *Mi pueblo natal, por Federico García Lorca*

Tengo un deber de gratitud con este hermoso pueblo donde nací y donde transcurrió mi dichosa niñez, por el inmerecido homenaje de que he sido objeto al dar mi nombre a la antigua calle de la Iglesia. Todos podéis creer que lo agradezco de corazón y que yo, cuando en Madrid o en otro sitio me preguntan el lugar de mi nacimiento, en encuestas periodísticas o en cualquier parte, digo que nací en Fuente Vaqueros para que la gloria o la fama que haya de caer en mí, caiga también sobre este simpatiquísimo, sobre este modernísimo, sobre este liberal pueblo de La Fuente. Y sabed todos que yo inmediatamente hago su elogio como poeta y como hijo de él, porque en toda la Vega de Granada, y no es pasión, no hay otro más hermoso ni más rico, ni con más capacidad emotiva que este pueblecito. No quiero ofender a ninguno de los bellos pueblos de la Vega de Granada, pero yo tengo ojos en la cara y suficiente inteligencia para decir el elogio de mi pueblo natal.

Está edificado sobre el agua. Por todas partes cantan las acequias y crecen los altos chopos donde el viento hace resonar sus músicas suaves en el verano. En su corazón tiene una fuente que mana sin cesar y por encima de sus tejados asoman las montañas azules de la Vega, pero lejanas, apartadas, como si no quisieran que sus rocas llegaran aquí, donde una tierra muelle y riquísima hace florecer toda clase de frutos.

El carácter de sus habitantes le señala entre el de los pueblos limítrofes. Un muchacho de Fuente Vaqueros se conoce entre mil. Allí le veréis garboso, con el sombrero echado hacia atrás, dando manotazos y ágil en la conversación y en la elegancia. Pero será el primero, en un grupo de forasteros, en admitir una idea moderna o en secundar un movimiento noble.

Una muchacha de Fuente Vaqueros la conoceréis por su sentido de la gracia, por su viveza, por su afán de elegancia y superación. Y es que los habitantes de este pueblo tienen sentimientos artísticos nativos. Sentimientos artísticos y sentido de la alegría, que es tanto como decir sentido de la vida. Muchas veces he observado que al entrar en este pueblo hay como un clamor, un estremecimiento que mana de la parte más íntima de él. Un clamor, un ritmo que es afán social y comprensión humana...

Por primera vez en su corta historia tiene este pueblo un principio de biblioteca. Es un hecho importante que me llena de regocijo, y me honra que sea mi voz la que se levante aquí en el momento de su inauguración, porque mi familia ha cooperado extraordinariamente a la cultura vuestra. Mi madre, como todos sabéis, ha enseñado a mucha gente de este pueblo porque vino aquí para enseñar, y yo recuerdo de niño haberla oído leer en alta voz para muchos. Mis abuelos sirvieron a este pueblo con verdadero espíritu y hasta muchas de las músicas y canciones que habéis cantado han sido compuestas por algún viejo poeta de mi familia.

- *Diminutives and Augmentatives:* Lorca, like all Spaniards, was very fond of using diminutives. In this passage, for example, he refers to his home town as **este pueblecito**, probably to indicate his emotional link with Fuente Vaqueros, rather than to suggest that his **pueblo** is small. He also uses an augmentative ending in the address, in the third paragraph, where he adds **-tazo** to **mano** to make **manotazo** ("slap"). Read through the account of diminutives and augmentatives in the Grammar Summary on page 247.

1 Empareja estas palabras, sacadas del texto, con su equivalente inglés:

dichoso	irrigation channel
inmerecido	jaunty
una acequia	stranger
un chopo	soft

muelle	desire
garboso	improvement
un manotazo	happy
un forastero	undeserved
un afán	poplar
la superación	slap

2 Haz un resumen en español, utilizando 150 palabras, de esta descripción de Fuente Vaqueros y sus habitantes, tal como la hace Lorca en los párrafos 2, 3 y 4.

3 Explica en español el sentido de las siguientes frases:
   a donde transcurrió mi dichosa niñez
   b en encuestas periodísticas
   c yo tengo ojos en la cara
   d como si no quisieran que sus rocas llegaran aquí
   e el carácter de sus habitantes le señala entre el de los pueblos limítrofes
   f un muchacho de Fuente Vaqueros se conoce entre mil
   g un estremecimiento que mana de la parte más íntima de él
   h me honra que sea mi voz la que se levante aquí en el momento de su inauguración

4 Imagina que has conseguido fama en la vida y que tu pueblo o barrio natal te ha invitado a pronunciar un discurso de homenaje en que alabes sus méritos. Escribe tu discurso en español, utilizando 200 palabras.

5 En tu pueblo se hace una campaña con el propósito de establecer una biblioteca nueva para servir a la comunidad y los organizadores piden a cada habitante un donativo de un libro. Describe en español, utilizando 150 palabras, el libro que hayas escogido, señalando sus cualidades más destacadas.

Desde niño Federico mostró gran talento artístico, sobre todo como músico. Comenzó muy joven a tocar el piano e hizo progresos tan rápidos que todos creían que estaba destinado a tener una brillante carrera como músico.

 Texto B **Lorca músico**

1 Escucha la cinta dos veces e indica si son ciertas o falsas las siguientes afirmaciones. Si son falsas, explica la versión correcta.
   a La principal influencia musical sobre Lorca cuando era niño fue su tía.
   b Más tarde tuvo un profesor de música, que le dio un conocimiento más extenso de la música popular de España.
   c Lorca se marchó a París en 1914.
   d Lorca compuso música andaluza.
   e Trabó amistad con Manuel de Falla, compositor de <<Carmen>>.

En su niñez también se interesó mucho por los títeres andaluces y convirtió una habitación de su casa en pequeño teatro. Esta afición influyó profundamente las obras teatrales que escribió en los años 20 y 30.

En 1915 Lorca comenzó sus estudios en la Universidad de Granada. Llevaba una vida de joven artista, rodeado de compañeros de iguales inclinaciones. Comenzó a escribir y, poco a poco, la literatura llegó a ser tan importante para él como la música. Durante este período también viajó mucho por España, y su primer libro, *Impresiones y paisajes* (1918), consiste en una serie de descripciones de diversas regiones.

Dibujo de Lorca: máscara de payaso

II MADRID, 1919–1929

En la Universidad de Granada, Lorca nunca se había presentado a los exámenes. En 1920 escribió la siguiente carta a un profesor de la Universidad de Granada, Antonio Gallego Burín, para preguntarle cómo podría ser aprobado en los exámenes de septiembre. Sabía que si aprobaba, su padre le dejaría volver a Madrid, donde había pasado algunos meses en 1919, para continuar sus estudios allí. Así es que Lorca se examinó y, aunque no aprobó todos los exámenes, su padre le permitió ir a vivir a Madrid.

Texto C

1 Antes de leer el texto busca en el diccionario el sentido de las siguientes palabras:

el topo	acariciar	incompatibilidades
minar	sobrellevar	el rocío
en mantillas	salvador	descarriado
naufragado	un alegrón	rodar
Letras	auxiliar	una noria

Asquerosa, 27 [agosto 1920]

Queridísimo Antoñito:

Poco a poco el topo doméstico del amor familiar ha ido minando mi corazón en mantillas, convenciéndome de que debo, por deber y por educación, terminar mi naufragada carrera de Letras... ¿Qué te parece? Ya había pensado mi padre en que me tenía que marchar a Madrid en octubre y toda la familia estaba conforme, pero con una conformidad resignada, no alegre, como yo deseo, a causa de estar mi padre dolorido al verme sin más carrera que mi *emoción ante las cosas*. Ayer me dijo: <<Mira, Federico, tú eres libre; vete donde quieras, porque yo estoy convencido de tu extraordinaria vocación por el arte; pero ¿por qué no me das gusto y vas haciendo como quieras tu carrera? ¿Te cuesta algún trabajo? Si en este septiembre hicieras alguna asignatura, yo te dejaría marchar a Madrid con más alegría que si me hubieses hecho emperador.>>

Ya ves, queridísimo, cómo mi padre tiene razón, y como ya está viejo y es gusto suyo el que me adorne con una carrera, ya mi decisión es irrevocable. ¡Voy a terminar! Como ya murió el pobre Berrueta[1] (que era molesto examinarme con él), entraré otra vez, aunque con carácter libre, en el <<alma mater>>.

Y ahora viene la consulta: ¿Qué debo hacer? Yo trabajo en estos momentos en dos cosas de teatro: un poema <<Los chopos niños>> y mis poesías líricas de siempre. ¿Tendré, Antoñito de mi alma, que abandonar mis hijos sin criar, lo que es lágrimas de mi espíritu y carne de mi corazón por acariciar el frío volumen de historias muertas y conceptos moribundos? ¿O podré sobrellevar sin peso las dos cargas? Me faltan desde la Historia Universal en adelante. ¿Qué asignaturas podré aprobar? ¿Te parece bien que haga la Historia, la Paleografía (que debe ser facilísima) y la Numismática? ¿Dónde podré aprobar y con quién? No es que yo no quiera trabajar (puesto que trabajo de sufrimiento), pero es molestísimo, y a ti, ¡oh salvador mío!, acudo.

Yo lo que quiero es presentarle a mi padre en septiembre unas cuantas papeletas para darle un alegrón y marcharme tranquilo a publicar mis libros y a estudiar con un poco detenimiento principios de Filosofía con el Pepe *Ortega*[2], que me lo tiene prometido.

Contéstame a vuelta de correo con las instrucciones necesarias y la verdad de lo que pase. ¿Y el hebreo y el árabe son fáciles de camelo con Navarro[3]? (¿Cuándo sabré hebreo ni árabe? ¡Me deben aprobar inmediatamente!) Como tú eres auxiliar de la Facultad, estarás bien enterado de asignaturas, catedráticos y (*tachado*) e (¡oh gramática!) incompatibilidades.

Seriamente, te lo agradeceré en el alma, y espero que te portarás conmigo como yo deseo y espero. Así es que ten la bondad de contestarme en seguida.

El campo está magnífico, ¿por qué no vienes un día?, y yo con todo el campo demasiado dentro del alma. ¡Si vieras qué puestas de sol tan llenas de rocío espectral..., ese rocío de las tardes, que parece que desciende para los muertos y para los amantes descarriados, que viene a ser lo mismo! ¡Si vieras qué melancolía de acequias pensativas y qué rodar rosarios de norias! Yo espero que el campo pula mis ramas líricas este año bendito con las rojas cuchillas de las tardes.

Hasta tu próxima te abraza estrechamente tu amigo estudiante-poeta y pianista-gitano,

FEDERICO

¡Que me contestes en seguida!
Tu casa:
Asquerosa.
(Por Pinos Puente.)
Granada.
¡Abrazos de mi hermano!

[1] Martín Domínguez Berrueta, Catedrático de Literatura, Universidad de Granada.
[2] José Ortega y Gasset, filósofo español de gran renombre.
[3] José Navarro Pardo, profesor en la Facultad de Filosofía y Letras, Universidad de Granada.

2 Contesta a las siguientes preguntas:
  a Explica lo que Lorca quiere decir con la frase <<mi naufragada carrera de letras>>.
  b ¿Por qué estaba dolorido el padre de Lorca?
  c ¿Cuáles son los <<hijos sin criar>> de que habla Lorca?
  d ¿Por qué le llama a Antonio Gallego Burín su <<salvador>>?
  e ¿Cómo podría Lorca alegrar a su padre?
  f Explica con tus propias palabras el párrafo que comienza <<El campo está magnífico ... >>.

3 ¿Te parece que Lorca tiene una actitud seria hacia sus estudios? Justifica tu contestación refiriéndote a la carta.

Entonces Lorca comenzó una vida nueva en Madrid. Vivió en la famosa <<Residencia de Estudiantes>> hasta 1928. Entre los amigos de Lorca que también estudiaban en la Residencia estaban Luis Buñuel, máximo cineasta español del siglo veinte, y el gran pintor surrealista Salvador Dalí.

Todos los compañeros de Lorca se refieren a su espíritu abierto, su gran generosidad y su encanto personal. Siempre se encontraba en el centro de cualquier actividad cultural. A él le gustaba mucho interpretar música, poesía o teatro delante de un público, y escucharle recitar sus poemas o dramas, o tocar el piano, era una experiencia inolvidable. La verdad del caso es que prefería leer un poema en voz alta que darlo a un editorial para publicarlo. En una carta a un amigo declaraba: <<Después de todo, si yo intento publicar es por dar gusto a unos cuantos amigos y nada más. A mí no me interesa *ver muertos* definitivamente mis poemas ... quiero decir publicados.>> Uno de sus amigos le convenció que debía publicar sus primeros poemas, y en 1921 apareció el *Libro de poemas*. Aunque este libro no tuvo éxito, entre 1921 y 1924 hizo publicar tres libros de poemas más, *Poema del cante jondo*, *Primeras canciones* y *Canciones*. El poema de la cinta es del último libro.

 Texto D **Arbolé, arbolé**

1 Escucha la cinta dos veces, tomando apuntes. Luego haz un resumen de lo que pasa en el poema.

2 Escucha el poema otra vez y después comenta los siguientes aspectos:
  a su sabor popular
  b el efecto de la negativa de la muchacha
  c el papel del viento

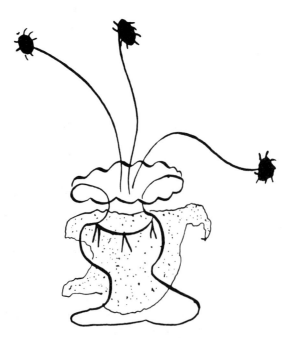

Dibujo de Lorca: cubierta del 'Romancero gitano'

Lorca estaba interesado en temas andaluces y volvía con frecuencia a Granada. La fama literaria le llegó en 1928, el año en que dio a luz el *Romancero gitano*, libro de poemas sobre los gitanos de Andalucía. A pesar de que ofrecía una imagen favorable del gitano, Lorca no quería ser identificado íntimamente con la vida real de los gitanos. En una carta al poeta Jorge Guillén escribió: <<Me va molestando un poco *mi mito* de gitanería. Confunden mi vida y carácter. No quiero, de ninguna manera. Los gitanos son un tema. Y nada más. Yo podía ser lo mismo poeta de agujas de coser o de paisajes hidráulicos. Además el gitanismo me da un tono de incultura, de falta de educación y de *poeta salvaje* que tú sabes bien que no soy. No quiero que me encasillen. Siento que me van echando cadenas.>>

Pero ciertamente Lorca había visto de cerca la vida de los gitanos, como demuestra este fragmento de una carta a su hermano Francisco, escrita en 1926, en la que cuenta un viaje a las Alpujarras, una región de la provincia de Granada:

<<El país está gobernado por la Guardia Civil. Un cabo de Carataunas, a quien molestaban los gitanos, para hacer que se fueran, los llamó al cuartel y con las tenazas de la lumbre les arrancó un diente a cada uno diciéndoles: <<Si mañana estáis aquí *caerá otro.*>> Naturalmente los pobres gitanos mellados tuvieron que emigrar a otro sitio. Esta Pascua en Cañar un gitanillo de *catorce años* robó cinco gallinas al alcalde. La Guardia Civil le ató un madero a los brazos y lo pasearon por todas las calles del pueblo, dándole fuertes correazos y obligándole a cantar en alta voz. Me lo contó un niño que vio pasar la comitiva desde la escuela. Su relato tenía un agrio realismo conmovedor. Todo esto es de una crueldad insospechada ...>>

Lorca sentía casi una necesidad compulsiva de ilustrar con dibujos sus obras literarias, e incluso sus cartas. Empleaba una técnica sencilla, como de niño, y con frecuencia se ve en sus dibujos una nota de humor.

La casa de Lorca

Dibujo (Sin firma y fecha: 1927).

Durante los años 20 Lorca había compuesto obras de teatro, tales como sus obras para títeres, y *Mariana Pineda,* historia de una heroína granadina del siglo diecinueve. Pero sus obras de teatro de más fama fueron escritas en la década siguiente.

III LOS ÚLTIMOS AÑOS, 1929–1936

En 1929 Lorca aceptó una invitación para visitar los Estados Unidos. En Nueva York le asustaron la injusticia y el materialismo de la civilización de los yanquis, quienes estaban en aquel momento en plena crisis económica. Al poeta sólo le atraían los negros de Harlem. Esta experiencia dio lugar a un nuevo libro de poemas, *Poeta en NuevaYork.*

En España, la vida política había sufrido profundos cambios. El dictador de los años 20, Primo de Rivera, había caído, el Rey Alfonso XIII abdicó en 1931 y se proclamó la República. En este período el interés de Lorca por el teatro creció hasta tal punto que creó una compañía de teatro, llamada *La Barraca*. Esta compañía era ambulante y tenía el propósito de despertar interés por el teatro llevándolo a los pueblos de España, donde no había posibilidad de ver obras dramáticas. La entrada era gratis y las representaciones se hacían al aire libre. Lorca pasó tres años felices con *La Barraca*, hasta 1935, escribiendo con gran pasión y creando los decorados él mismo. En aquella época escribió los tres dramas rurales, *Bodas de sangre* (1933), *Yerma* (1934) y *La casa de Bernarda Alba* (1936). Terminó la tercera de estas tragedias poco antes de su muerte.

La primera de las tres obras tiene su fuente en un suceso real, ocurrido en Almería en 1928 y relatado en un periódico granadino con los siguientes titulares: <<Trágico final de una boda. Es raptada la novia, siendo más tarde asesinado el raptor. El misterio envuelve el suceso. Es detenido el novio burlado.>> El trozo siguiente pertenece al Cuadro Tercero del Primer Acto, en el que la madre del novio visita al padre de la novia para concertar la boda.

Texto E

(*Entra el* PADRE *de la novia. Es anciano, con el cabello blanco reluciente. Lleva la cabeza inclinada. La* MADRE *y el* NOVIO *se levantan y se dan las manos en silencio.*)

PADRE
    ¿Mucho tiempo de viaje?

MADRE
    Cuatro horas.
    (*Se sientan.*)

PADRE
    Habéis venido por el camino más largo.

MADRE
    Yo estoy ya vieja para andar por las terreras del río.

NOVIO
    Se marea.
    (*Pausa.*)

PADRE
    Buena cosecha de esparto.

NOVIO
    Buena de verdad.

PADRE
    En mi tiempo, ni esparto daba esta tierra.
    Ha sido necesario castigarla y hasta llorarla,
    para que nos dé algo provechoso.

MADRE
    Pero ahora da. No te quejes. Yo no vengo a pedirte nada.

PADRE (*Sonriendo.*)
    Tú eres más rica que yo. Las viñas valen un capital. Cada pámpano una moneda de plata. Lo que siento es que las tierras... ¿entiendes?... estén separadas. A mí me gusta todo junto. Una espina tengo en el

corazón, y es la huertecilla ésa metida entre mis tierras, que no me quieren vender por todo el oro del mundo.

NOVIO

Eso pasa siempre.

PADRE

Si pudiéramos con veinte pares de bueyes traer tus viñas aquí y ponerlas en la ladera, ¡qué alegría!...

MADRE

¿Para qué?

PADRE

Lo mío es de ella y lo tuyo de él. Por eso. Para verlo todo junto, ¡que junto es una hermosura!

NOVIO

Y sería menos trabajo.

MADRE

Cuando yo me muera, vendéis aquello y compráis aquí al lado.

PADRE

Vender, ¡vender! ¡Bah!; comprar, hija, comprarlo todo. Si yo hubiera tenido hijos hubiera comprado todo este monte hasta la parte del arroyo. Porque no es buena tierra; pero con brazos se la hace buena, y como no pasa gente no te roban los frutos y puedes dormir tranquilo.

(Pausa.)

MADRE

Tú sabes a lo que vengo.

PADRE

Sí.

MADRE

¿Y qué?

PADRE

Me parece bien. Ellos lo han hablado.

MADRE

Mi hijo tiene y puede.

PADRE

Mi hija también.

MADRE

Mi hijo es hermoso. No ha conocido mujer. La honra más limpia que una sábana puesta al sol.

PADRE

Qué te digo de la mía. Hace las migas a las tres, cuando el lucero. No habla nunca; suave como la lana, borda toda clase de bordados y puede cortar una maroma con los dientes.

MADRE

Dios bendiga su casa.

PADRE

Que Dios la bendiga.

(Aparece la criada con dos bandejas. Una con copas y la otra con dulces.)

MADRE *(Al hijo.)*

¿Cuándo queréis la boda?

NOVIO

El jueves próximo.

PADRE

Día en que ella cumple veintidós años justos.

MADRE

¡Veintidós años! Esa edad tendría mi hijo mayor si viviera. Que viviría caliente y macho como era, si los hombres no hubieran inventado las navajas.

PADRE

En eso no hay que pensar.

MADRE

Cada minuto, métete la mano en el pecho.

PADRE

Entonces el jueves. ¿No es así?

NOVIO

Así es.

PADRE

Los novios y nosotros iremos en coche hasta la iglesia que está muy lejos, y el acompañamiento en los carros y en las caballerías que traigan.

MADRE

    Conformes.

    (*Pasa la* CRIADA.)

PADRE

    Dile que ya puede entrar. (*A la* MADRE.)
    Celebraré mucho que te guste.

    (*Aparece la* NOVIA. *Trae las manos.) caídas en
    actitud modesta y la cabeza baja.*

MADRE

    Acércate. ¿Estás contenta?

NOVIA

    Sí, señora.

PADRE

    No debes estar seria. Al fin y al cabo ella va
    a ser tu madre.

NOVIA

    Estoy contenta. Cuando he dado el sí es
    porque quiero darlo.

MADRIE

    Naturalmente. (*Le coge la barbilla.*)
    Mírame.

PADRE

    Se parece en todo a mi mujer.

MADRE

    ¿Sí? ¡Qué hermoso mirar! ¿Tú sabes lo que
    es casarse, criatura?

NOVIA (*Seria.*)

    Lo sé.

MADRE

    Un hombre, unos hijos y una pared de dos
    varas de ancho para todo lo demás.

NOVIO

    ¿Es que hace falta otra cosa?

MADRE

    No. Que vivan todos, ¡eso! ¡Que vivan!

NOVIA

    Yo sabré cumplir.

MADRE

    Aquí tienes unos regalos.

NOVIA

    Gracias.

1 Lee con cuidado el texto y contesta en inglés a las siguientes preguntas:

    a Why have the Madre and the Novio come by the longer route?

    b What regrets has the Padre concerning the land, and why?

    c What does the Madre suggest they do when she dies, and how does the Padre react to the suggestion?

    d Explain what the Padre means in the speech "Qué te digo de la mía" to "puede cortar una maroma con los dientes."

    e What do you think happened to the Madre's eldest son? Justify your answer.

    f Describe the Novia's attitude to the marriage.

2 ¿Qué conclusiones sacas del diálogo:

    a de la actitud de la madre y del padre hacia el casamiento?

    b de las cualidades que se buscan en la novia?

3 ¿Qué tipo de sociedad se refleja en este fragmento de *Bodas de sangre?* Contesta en español, utilizando aproximadamente 100 palabras.

Yerma, <<drama de mujeres en los pueblos de España>> es, según la actriz Núria Espert, <<el drama de una mujer que no tiene hijos en una sociedad donde ella no tiene nada más que hacer que tener hijos>>. La frustración de esta mujer la lleva al asesinato de su esposo, que no quiere darle un hijo. En *La casa de Bernarda Alba* todos los personajes son mujeres. Cinco hijas viven encerradas, y reprimidas sexualmente, bajo la <<dictadura>> de una madre dominadora. Como ocurre en *Bodas de sangre* y *Yerma*, la trama se resuelve con una muerte trágica, consecuencia de la resistencia de la hija más joven al poder de su madre.

GRAMMAR

Conditional Sentences
The Subjunctive in Main Clauses

◆ **Conditional sentences** usually consist of two clauses, one of which is introduced by **si**. In general, if the condition is "open" i.e. it might or might not be/have been fulfilled, the indicative is used.

For example:
○ Si mañana estáis aquí caerá otro (If you [lot] are here tomorrow another will go). [They might or might not be there the next day.]
○ Si has estudiado la vida de Lorca, comprenderás por qué la gente le quería tanto (If you've studied Lorca's life, you'll understand why people liked him so much). [i.e. The speaker does not know whether the other person has studied Lorca's life.]

If, however, there is only a remote possibility of the condition being fulfilled, or the statement is contrary to fact, the subjunctive must be used:

For example:
○ Si en este septiembre hicieras alguna asignatura, yo te dejaría marchar a Madrid ... (If you studied any subject this September, I'd let you go to Madrid ...). [i.e. The prospect of Lorca studying seems remote to Lorca's father!]
○ PADRE: Si yo hubiera tenido hijos hubiera (or habría) comprado todo este monte hasta la parte del arroyo (If I'd had sons I'd have bought the whole of the [uncultivated] land up to the piece by the stream). [i.e. The father had had no sons, and so the statement is contrary to fact.]

In these cases the tense used in the **si** clause is usually the imperfect subjunctive and in the main clause the conditional. Similarly, the pluperfect subjunctive in the **si** clause is accompanied by the conditional perfect in main clause.

◇ *Never* use **si** followed by the present subjunctive.

◆ **The Use of the Subjunctive in Main Clauses**
The subjunctive is used in main clauses, (i.e. sentences which usually consist of one clause including a verb):
◇ For the **usted/ustedes** form of affirmative commands and for all negative commands (see Chapter 3).
◇ For wishes or encouragement, usually (but not always) preceded by **que**.
○ MADRE: Dios bendiga su casa (May God bless your house)
○ PADRE: Que Dios la bendiga (May God bless it)
◇ After **quizás, tal vez** and **acaso**, if a considerable degree of doubt is present.

For example:
○ Quizá venga ella con nosotros a ver esa obra de Lorca (Perhaps she will come with us to see that work of Lorca's) [i.e. the speaker implies that it is unlikely that she will go.]
◇ After **¡ojalá!** ("if only", "would that")

For example:
○ ¡Ojalá Lorca no hubiera vuelto a Granada en julio de 1936! (If only Lorca had not gone back to Granada in July 1936!)

Discovery
Read through the extract from *Bodas de sangre* again and look for more examples of the use of the subjunctive, including subjunctives in conditional sentences and main clauses. Discuss their use with your partner and check with the teacher that you have understood them.

Práctica
1 Rellena los espacios en blanco con la forma correcta del verbo entre paréntesis:
a Si Lorca no se (haber) ido a Madrid, su familia se habría alegrado mucho.
b Si (estudiar) las cartas de Lorca, verás que no tenía ninguna malicia.
c ¡Ojalá (poder) yo ir a Granada en verano!
d Podríamos descubrir cómo murió Lorca si la gente (querer) hablar de esto.
e No quiero ir a ver la representación de *Yerma* si no (actuar) Núria Espert.
f Si (tocar) el piano como Lorca podrías llegar a ser un gran pianista.
g ¡Que te (divertir) mañana en Granada!

2 En el ejercicio siguiente tienes que utilizar frases que contengan **si**.
a Con tu compañero, inventa cinco frases sobre lo que posiblemente vas a hacer este verano.

Por ejemplo:
- ○ Si tengo bastante dinero, iré a Barcelona. (If I have enough money I'll go to Barcelona)
- **b** Con tu compañero, inventa otras cinco frases sobre lo que quisiera hacer este verano si fuese posible.

Por ejemplo:
- ○ Si mi hermano comprara un coche, iríamos juntos a Granada (If my brother bought a car we'd go to Granada together)

c Finalmente, inventa, con tu compañero, otras cinco frases sobre lo que habrías hecho en el verano del año pasado si hubiera sido posible.

Por ejemplo:
- ○ Si no hubiera tenido que trabajar en la tienda de mi padre, habría podido viajar a Santander para visitar a mis primos (If I hadn't had to work in my father's shop, I'd have been able to travel to Santander to visit my cousins)

Tarea

En 1933 Lorca envió el siguiente telegrama a su amigo De Falla, compositor del ballet <<El Amor brujo>>:

EXITO FORMIDABLE AMOR BRUJO EN CADIZ BAILADO COMO NUNCA POR ARGENTINITA Y GITANOS ANDALUCES LE ABRAZA CON TODO CARIÑO SU VIEJO AMIGO FEDERICO GARCÍA LORCA

Escribe una carta de 150 palabras que describa el mismo suceso ampliando los detalles del telegrama.

La muerte de Lorca en 1936 fue una de las muchas atrocidades de la guerra civil. Al gran poeta y dramaturgo se le transformó en mártir y, aunque nunca fue miembro de un partido político, Lorca, muerto, llegó a ser un poderoso símbolo del bando republicano en la lucha contra el fascismo.

Traduce al español:

When Lorca died in 1936 he had just written *La casa de Bernarda Alba* and was at the height of his fame. Who knows what his extraordinary talent might have created if he had lived? If you ask people why he took the train from Madrid to Granada on that fateful day, they say they cannot understand it. Perhaps he felt compelled to return to his family and his beloved Granada because of the outbreak of the Civil War. Perhaps there was some other personal reason which we shall never discover. Had he stayed in Madrid he would certainly have been safe. If only he had realised the dangers!

Desarrollando el tema

Los siguientes temas te dan unas posibilidades (¡hay muchas más!) para hacer un trabajo extendido sobre García Lorca.

1 *Temas generales:* Lorca, poeta del pueblo; Lorca dramaturgo; Lorca dibujante; el epistolario de Lorca; Lorca y Andalucía.

2 *Juventud:* la influencia de su familia; su educación en Granada; el lenguaje de la provincia de Granada; sus primeras obras literarias; Lorca y la música; el teatro de títeres.

3 *Los años 20:* su vida en La Residencia; su relación con Dalí o Buñuel o De Falla; el cante jondo; El *Romancero gitano* y el *gitanismo*; la imagen de Granada en *Mariana Pineda*.

4 *Los años 30:* Lorca en Nueva York; *La zapatera prodigiosa*; La Barraca; (una de) las tragedias rurales; Lorca ¿figura política?; la muerte de Lorca.

Madrid, Plaza de España

En todos los temas que hemos examinado hasta ahora, además de mirar lo que pasa en la actualidad española, hemos intentado asomarnos a la ventana del porvenir para adivinar o profetizar sobre los efectos de los cambios que ya empiezan a mostrarse. Los progresos y a veces los peligros que hemos visto en ámbitos como (entre otros) el transporte, la salud, el mundo laboral, la tecnología y la educación, nos hacen conscientes de las posibilidades futuras.

Sin embargo, ya es hora de enfocar toda esta energía progresista y el empuje hacia adelante, y lo vamos a hacer mediante dos grandes retos. El primero es el año de 1992, año clave para Europa entera y, claro está, para España como uno de los 12 miembros de la Comunidad Europea y también como entidad individual, porque a finales de ese año se habrán celebrado tres grandes acontecimientos al otro lado de los Pirineos: los Juegos Olímpicos de Barcelona, la Exposición Universal de Sevilla (basada en que en 1992 también se celebra el Quinto Centenario del Descubrimiento-Encuentro con América), y por fin el nombramiento de Madrid como <<Capital Cultural de Europa>>.

Pero 1992, como cualquier otro año, no es más que un período de 365 (o ¡366!) días que sin darnos cuenta habrá pasado como un rayo, así que cabe preguntarse para qué habrán servido los preparativos y los billones de pesetas implicados en las celebraciones del '92 y en qué manera España se ha preparado para el primer reto pero con los ojos fijos en otro mucho más importante – el del año 2000. El año 1992 viene a ser pues nada más que un escalón hacia el mundo y la vida del siglo XXI.

Texto A Lee con atención los varios recortes de la Prensa española, que son unos pocos ejemplos del sinnúmero de artículos que se han publicado en los últimos años refiriéndose a los dos retos, el del '92 y el del siglo XXI.

A la nueva *edad de oro* que goza este país y que tendrá su apogeo en 1992, no le salen las cuentas. Hoy, a menos de cuatro años de las diversas conmemoraciones que convertirán a España en protagonista del mundo occidental —Juegos Olímpicos, Expo, V Centenario y Madrid cultural—, todavía no están cerrados los cálculos aproximados del coste de su organización, quién va a poner el dinero y en qué se va a gastar.

Todo debe estar listo para entonces. En 1992, la vieja España deberá despertarse mirando al siglo XXI en la tantas veces prometida tierra de los trenes puntuales y el vértigo informático. La empresa es colosal y la magia del calendario no bastará para llevarla a cabo, porque ni los magos trabajan de balde ni las fechas o los hechos se financian con buenas intenciones.

EL RETO DEL 92. El año 92 está a la vuelta de la esquina y todos los sectores de la educación temen que a partir de esa fecha las empresas escolares y los profesionales europeos se instalen en nuestro país. Así lo cree Angel Martínez Fuertes, presidente de la Confederación Española de Centros de Enseñanza (CECE). «Este curso es un año clave para la reforma educativa de nuestro país. Es necesario preparar mejor a los estudiantes y para ello hemos propuesto al ministro crear diplomaturas universitarias impartidas por los colegios de bachillerato, como ya ocurre en Estados Unidos.»

Francisca Tricio, presidenta de la Confederación Española de Asociaciones de Padres de Alumnos, va un poco más lejos: «el reciclaje del profesorado es imprescindible, porque necesitamos unos maestros adecuados a las necesidades educativas que nos va a imponer el año 92. Y no vamos a consentir que nuestros chavales no se adecúen a lo que la Comunidad exige porque, si no, nos quedaremos en el furgón de cola».

La educación es uno de los elementos fundamentales para que este país progrese. Es el reto del nuevo ministro de Educación, Javier Solana.

LA Organización de las Naciones Unidas para la Ciencia y la Cultura (UNESCO), participará en la conmemoración del *"V Centenario del Descubrimiento-Encuentro con América"* que se celebrará en España en 1992, cinco siglos después de que Colón arribara a tierras americanas.

El director general de la UNESCO, el español Federico Mayor Zaragoza, hizo un llamamiento a la comunidad internacional para que se integre en esta celebración que debe servir "para comprender las profundas transformaciones que representó, para toda la humanidad, esta formidable aventura" y "para tejer una nueva trama de solidaridad entre los pueblos y las culturas del mundo".

*L*OS *presidentes autónomos de Andalucía, Cataluña y Madrid, José Rodríguez de la Borbolla, Jordi Pujol y Joaquín Leguina, respectivamente, se reunieron en Sevilla, a mediados del mes de febrero último, para buscar ideas comunes de cara a coordinar los actos que, en 1992, se celebrarán en estas comunidades con motivo de la Exposición Universal, los Juegos Olímpicos y la capitalidad cultural de Europa.*

Los tres presidentes autónomos pusieron de relieve el propósito de asumir "con toda energía" la responsabilidad que les corresponde para aprovechar la oportunidad histórica de 1992. Rodríguez de la Borbolla, Pujol y Leguina coincidieron en la necesidad de rentabilizar "el dinamismo y la capacidad de desarrollo que ese año se concentrará en las tres ciudades".

En opinión de los presidentes, los eventos de 1992 refuerzan el Estado de las autonomías. En este sentido, Pujol explicó que "nuestras comunidades autónomas son portadoras de grandes proyectos de cambios muy profundos en el conjunto del Estado y queremos presentar esto ante el conjunto de España, para que haya una mentalidad generalizada de signo autonómico".

Para el año 2000, la alimentación a base de pastillas dejará de ser una pesadilla y predominarán los productos elaborados a partir de la manipulación genética. Hasta entonces, buen provecho.

Coscullela y Lalonde hicieron una declaración conjunta en la que piden que para que la industria automovilística pueda aplicar las normas anticontaminantes, que entrarán en vigor en octubre de 1992 para los modelos nuevos y un año después para todos, no deberán ser endurecidas durante por lo menos cinco años.

Ahora el nuevo ministro de Educación, Javier Solana, pretende mejorar la calidad de la enseñanza, porque tiene el reto del año 92, fecha mágica que va a modificar la vida de los 300 millones de ciudadanos europeos.

Y si sólo desviaran su vista para atisbar lo que allí ocurra, es porque los ojos de España están posados en 1992, en Barcelona, en el enorme desafío de organizar unas Olimpiadas que, en la recta final de esta centuria, nos hagan sentir en el siglo XXI.

1 Utilizando los datos del texto, escribe diez frases, cinco de las cuales describirán lo que habrá pasado en 1992 y las otras cinco lo que sucederá en 2000. Los tiempos de los verbos serán pues o el futuro perfecto o el futuro.

Por ejemplo:
○ A finales de 1992 se habrán celebrado los Juegos Olímpicos en Barcelona.
○ En el año 2000, la calidad de la enseñanza será mucho mejor.

2 Indica la palabra o frase del Texto A que tiene el mismo significado que las siguientes:
    a se harán efectivos
    b después de aquel año
    c esencial
    d los españoles miran hacia 1992
    e se pusieron de acuerdo en que era necesario

3 Escoge uno de los siguientes aspectos gramaticales y con un compañero busca todos los ejemplos que haya de éste en los ocho recortes del Texto A. Después tendrás que poder explicarlos en inglés a los demás alumnos.
    a el uso del subjuntivo
    b el uso del participio pasado, sea como adjetivo, parte de un tiempo compuesto, o siguiendo otro verbo
    c el uso del pronombre **se**, sea pasivo o reflexivo

Curro, mascota del Expo '92

Cobi, mascota de los JJ.OO.

EL NUEVO ESTADIO OLÍMPICO, AUTÉNTICA ESTRELLA DE LA COPA DEL MUNDO

De unas ruinas históricas a un estadio del siglo XXI. La remodelación del antiguo Estadio Olímpico de Montjuic es uno de los actuales retos de la organización de los Juegos Olímpicos de Barcelona 92. El Estadio es el escenario elegido para las ceremonias de inauguración y clausura de los Juegos y para el desarrollo del programa completo de las competiciones de atletismo en pista, el inicio y final de las pruebas de maratón y marcha atlética, y la final de la prueba individual de saltos de hípica.

El Estadio fue construido para la Exposición Internacional de Barcelona en 1929, obra del arquitecto catalán Pere Doménech i Roura. La ceremonia de apertura fue presidida por Alfonso XIII y sesenta años después, su nieto, el rey Juan Carlos I, inaugurará el remodelado y renovado recinto que en sus piedras conjuga el respeto por su historia y una apuesta por el futuro.

Situado en la histórica montaña de Montjuic, el nuevo Estadio Olímpico reúne las condiciones idóneas y cumple todos los requisitos para albergar el desarrollo de la alta competición deportiva. El Estadio forma parte del complejo deportivo del Anillo Olímpico de Montjuic donde se hallan las construcciones del Palacio de Deportes Sant Jordi, las piscinas Bernat Picornell, el Parc del Migdía, entre otras muchas instalaciones de entrenamiento para los participantes.

La tradición deportiva del Estadio. El Estadio Olímpico de Montjuic a lo largo de su historia ha acogido un gran número de acontecimientos deportivos de todo tipo, especialmente de orden atlético. La última competición fue la final de la Copa del Generalísimo en 1957. A partir de entonces la actividad deportiva se fue alejando del Estadio hasta cesar totalmente.

Ahora, cuando el Estadio Olímpico ha resurgido con espectacularidad de las cenizas del viejo Estadio del 29, su utilización inmediata y futura parece garantizada por largo tiempo y para grandes eventos.

El 25 de julio de 1992 vivirá uno de los más grandes acontecimientos: la ceremonia de inauguración de los Juegos Olímpicos, seguida de la celebración de numerosas pruebas deportivas hasta la clausura de los Juegos. A partir de entonces, gracias a su espectacular equipamiento, el Estadio de Montjuic podrá acoger cualquier acontecimiento deportivo o de ámbito artístico o cultural necesitado de su gran capacidad.

Las áreas del Estadio Olímpico. El Estadio tiene una capacidad para 60.000 espectadores, todos sentados, distribuidos en una grada superior y otra inferior. En su interior, los servicios se agrupan de acuerdo a cinco sectores funcionales: uno, para atletas; otro, para la propia organización deportiva; el tercero, para medios de comunicación; un cuarto, para personalidades; y todo el espacio restante, para el público en general.

Los atletas contarán con un área de vestuarios, compuesta de 14 salas individuales de 60 metros cuadrados cada una, y equipada con piscina, sala de masaje, duchas... Junto a los vestuarios, hay una zona de calentamiento y dos salas de musculación. También contarán con servicios de asistencia médica para la revisión de los participantes.

El público accederá fácilmente al interior del Estadio gracias a las diferentes entradas que conducen a las localidades, perfectamente señalizadas, y a los distintos vestíbulos con bares, servicios sanitarios, asistencia médica...

1 Lee con atención la descripción del nuevo estadio de Barcelona y busca cómo se dice en español:

    a the opening and closing ceremonies

    b track athletics

    c training facilities

    d a massage parlour

    e the remaining area

2 Explica brevemente en español:

    a el ... recinto ... conjuga el respeto por su historia y una apuesta por el futuro

    b el nuevo Estadio ... cumple todos los requisitos para albergar el desarrollo de la alta competición deportiva

    c el Estadio Olímpico ha resurgido ... de las cenizas del viejo Estadio

    d 60.000 espectadores ... distribuidos en una grada superior y otra inferior

3 Sin mirar el texto, escribe un resumen en español de uno de los siguientes temas, no utilizando más de 150 palabras:

    a La historia del Estadio Olímpico de Barcelona

    b Una descripción de las áreas del nuevo Estadio Olímpico

Texto C   En cuanto a las estrellas del nuevo estadio, es decir los atletas, hay muchos que consideran que España, como nación organizadora, tiene un reto dificilísimo y que el objetivo no puede ser más que hacer el papel más digno posible. Lee este pequeño artículo sobre este aspecto de los Juegos Olímpicos y tradúcelo al inglés.

¿Un reto dificilísimo?

Hay que trabajar con los que hay. Pero algunos ya son demasiado veteranos y otros se han estancado. José María Odriozola, presidente de la Federación Española de Atletismo, dice que su reto es presentar participantes en todas las pruebas. De medallas no quiere hablar. "Si trabajamos con un grupo reducido de atletas supondría olvidar la base de la pirámide y no voy a hipotecar el futuro del atletismo español por los Juegos Olímpicos de Barcelona", dice. La teoría de Odriozola se traduce en que prefiere trabajar con 60 atletas para tener 20 finalistas, que con 10 para obtener tres medallas.

Atletas para Barcelona hay. Los resultados están ahí. Otra cosa es que lleguen.

Y es que una competición de gran compromiso hay que prepararla específicamente. Los Juegos Olímpicos de Barcelona ya tienen fecha fija. Para superar las limitaciones de los actuales candidatos a estar en Montjuïc se hace necesario un trabajo a medio plazo porque ya no hay tiempo para más.

Como ya queda dicho, además de centrarse en lo que pasa en Barcelona en 1992, es importante mirar más allá para ver los efectos y los beneficios más lejanos de todos estos preparativos, o lo que se llama la <<rentabilidad>> de los Juegos Olímpicos.

 **Texto D** **Barcelona '92 moverá un billón de pesetas**

1 Escucha dos veces el texto grabado, que consiste en una parte de una entrevista con Ferrer Salat, presidente del Comité Olímpico Español. Después, debes apuntar en inglés los datos principales de lo

que dice según las indicaciones siguientes:
- **a** Progress made so far on the organisation of the Olympic Games
- **b** Building projects connected with the Games
- **c** The "political" cost-effective benefits for Barcelona, Catalonia and Spain

2 Escucha otra vez la cinta y rellena los espacios en blanco con las palabras que faltan:
- **a** De entonces a ahora _____ creo que positiva.
- **b** Se ha hecho un calendario, un Plan Director que se llama, _____ que se cumple.
- **c** Pensemos que España, Barcelona y Cataluña son _____ , en contra de lo que yo creía.
- **d** Los juegos dan la oportunidad _____ , la España moderna.
- **e** Lo importante es _____ a tu pasado.

II LA EXPOSICIÓN UNIVERSAL DE SEVILLA

La Expo. '92, que se celebra en Sevilla entre los meses de abril y octubre, con motivo del V Centenario del Descubrimiento de América, tiene su recinto en una parte de la ciudad que se llama la isla de la Cartuja. Ya se ha hecho mucho allí para poder acoger a los muchísimos países expositores que han prometido participar.

Texto E

SEVILLA SE EXPONE

La Exposición, programa estrella del V Centenario, atraerá con sus asombrosas exhibiciones y variopintos espectáculos a más de 30.000 visitantes diarios (unos 20 millones de abril a octubre del 92). En la isla de la Cartuja, embellecida con albercas, fuentes y jardines que suavizarán los rigores del verano andaluz, habrá más de 100 pabellones nacionales, extranjeros y de la propia organización, amén de un sinfín de otras atractivas instalaciones.

Empresas como Alcatel, que construirá un planetario (1.000 millones de pesetas), Siemens, cuyo pabellón será destinado a centro de formación de personal y de investigación (900 millones) y Rank Xerox, a quien le costará otros 1.000 millones ser el proveedor oficial y exclusivo de elementos de ofimática, son hasta el momento los patrocinadores que más van a aportar.

La Exposición, cuyo lema es *Los descubrimientos*, dará gran importancia a los nuevos avances tecnológicos; la ejecución del Plan Informático y de Telecomunicaciones supone una inversión inicial (para necesidades internas de gestión y para uso de los participantes) de unos 10.000 millones de pesetas. A estos millones, y dependiendo de la financiación que se consiga, se añadirán los que requieran las <<acciones de prestigio>> que permitirán a los visitantes admirar las últimas maravillas en este campo.

Según los organizadores, el gasto global de los participantes (en construcción de pabellones, materiales, personal, etc.) puede alcanzar los 250.000 millones de pesetas. Hasta el momento han confirmado su participación más de sesenta países y unas quince empresas nacionales y extranjeras. En directa relación con la Expo 92 están las infraestructuras de su entorno; las Administraciones, Central, Autonómica y Local, invertirán en ellas cerca de medio billón de pesetas. Se estima que 194.000 empleos/año serán generados directa o indirectamente por la Exposición.

Sevilla tendrá de todo: una nueva red viaria, puerto y aeropuerto ampliados, trenes de velocidad, una estación terrestre de comunicación por satélite... Los organizadores de la Expo piensan que, pasado el 92, surgirá en la isla de la Cartuja una *Ciudad de la Ciencia y la Técnica*, cuyos centros educativos, de difusión científica e investigación y empresas innovadoras reutilizarán la infraestructura y rentabilizarán las inversiones realizadas.

Es imposible precisar ahora el alcance económico de los programas relacionados con el V Centenario, pero sí está definido su objetivo prioritario: éstos no deben ser meramente conmemorativos, deben aportar contribuciones permanentes al conjunto de la sociedad.

1 Lee con atención el artículo <<Sevilla se expone>> e imagina que has asistido a la Exposición. Utilizando los datos del texto, escribe una carta a tu amigo español, describiendo lo que viste allí y tus impresiones generales de las ventajas (y si quieres, las desventajas) del asunto en general.

2 Indica la palabra o frase del Texto E que tiene un significado contrario a las siguientes:

a rechazará	**f** prohibirán
b afeada	**g** en adelante
c harán más duros	**h** reducidos
d quitar	**i** inconexos
e restarán	**j** provisionales

3 Sustituye las palabras en cursiva por frases o palabras que se encuentren en el texto y sin cambiar el sentido.

    a El programa *pondrá mucho énfasis* en el medio ambiente.

    b *El coste total* será de unas 2.000.000 de libras.

    c Los hermanos *han prometido tomar parte* en las festividades.

    d *Se verá aparecer* aquí un aparcamiento enorme.

    e *No se puede contar exactamente* toda la historia.

Texto F

Lee la breve *carta al director* enviada a un diario nacional por un ama de casa sevillana en 1989. Entonces, imaginando que eres el director del diario, escribe una respuesta que conteste a las dudas y a las esperanzas de la señora Martínez.

Texto G

Sevilla

<<El rey será un factor de equilibrio en el reencuentro de 1992>>

1 El famoso novelista latinoamericano, Carlos Fuentes, concedió una entrevista en 1989 al periódico español, *ABC*. Vas a escuchar la transcripción grabada de esta entrevista. Después de escucharla dos veces, contesta en inglés a las siguientes preguntas:

    a Summarise briefly the "opportunity" that Carlos Fuentes sees in the 500th anniversary of the discovery of America.

    b How did mestizos, indians and negroes contribute to the creation of a new culture in Latin America?

    c What danger does Fuentes see in contrast to the opportunity examined?

    d What does Fuentes say about the significance and role of the Spanish-speaking world in the year 2000?

    e The novelist uses a number of terms to describe the events of 1992. What are they?

    f What suggestion did King Juan Carlos make in connection with 1992?

    g What role is the King likely to have in the future events according to Fuentes?

    h What is the final hope expressed by Carlos Fuentes?

2 Escucha otra vez el texto y trata de escribir cómo se dice en

español las frases siguientes:
- **a** A new culture was created.
- **b** ... all of us who speak Spanish.
- **c** ... I think that it is not a very intelligent attitude.
- **d** I think that that will indeed be the case.
- **e** That at least is what I would like.

III MADRID '92: CAPITAL CULTURAL DE EUROPA

Texto H   1 Lee el pequeño párrafo titulado <<De Madrid a Europa>> donde se habla de los planes generales para el futuro de Madrid y después el artículo sobre el Campo de las Naciones que te dará un ejemplo específico de aquellos planes. Después, escribe con tus propias palabras y sin copiar frases completas del texto, un resumen de cómo será esta parte de la capital en el año 2000.

DE MADRID A EUROPA

Madrid, elevada al Olimpo europeo de la cultura, acelerará obras, remodelará espacios y organizará guateques culturales que la pondrán a la altura del calendario. Por ahora, nadie parece tener una idea exacta de lo que costará dejar a la capital del Estado organizada, verde e irreconocible para sus sufridos hijos, pero las fuerzas vivas públicas y privadas dicen estar en la labor.

Atasco en el Campo de las Naciones

El Campo de las Naciones se levantará en una de las zonas más congestionadas de Madrid <<aunque no por mucho tiempo>>, según Jesús Espelosín, concejal de Urbanismo de Madrid.

Cuatro vías asegurarán los accesos al recinto situado en el Olivar de la Hinojosa: la carretera de Barcelona, la vía cierre de Hortaleza, la nueva carretera del Aeropuerto y el distribuidor del Este, que lo conectarán con la M 30 <<y será uno de los terrenos de más fácil acceso, lo hemos elegido porque está al lado de Barajas y de la estación de Chamartín>>, comenta Espelosín.

El Campo de las Naciones ocupa 4,3 millones de metros cuadrados. La mitad del terreno será ocupado por un parque público. Los pabellones feriales abarcarán cerca del millón de metros cuadrados. En el resto se construirán un Palacio de Congresos, dos hoteles, oficinas, comercios y restaurantes.

Construcciones y Contratas, Ferrovial e Hispamer plantean en su proposición económica una serie de mejoras como un ferrocarril monoviga, un aparcamiento subterráneo, un campo de golf — diseñado por la empresa de Severiano Ballesteros — y la construcción del centro Símbolo.

Salvador Pérez Arroyo, el arquitecto del Planetario, junto con Iñaki Avalos y Juan Herreros han diseñado el proyecto de Afisa-Lugarce. Ofrecen la reproducción del Madrid de 1992 a escala 1/40, con sus edificios más significativos y financiado por grandes empresas y bancos. Por otra parte, excavarán la zona donde irán las oficinas, de tal forma que de los siete pisos de altura que tendrán los edificios, sólo sobresaldrán tres por encima del nivel del suelo.

Bancaya edificaría el Complejo Europa Cultural, con pabellones dedicados a las diferentes culturas de los países del Mercado Común, además de un lago de Hielo.

2 Indica los verbos relacionados con los siguientes nombres sacados del texto:

los accesos   una construcción   una proposición
la empresa   el hielo

3 Indica los nombres relacionados con los siguientes verbos sacados del texto:

decir   elegir   construir
ofrecer   edificar

Madrid: Plaza Mayor

IV EL MUNDO DEL PORVENIR

Texto I   Terminamos este capítulo ensanchando los horizontes y saliendo de la España del '92 y del 2000 para considerar generalmente el mundo y sobre todo el papel de vosotros los jóvenes en las décadas futuras.

Razones para vivir y esperar en la nueva sociedad mundial

BERTRAND SCHNEIDER

Para nadie es un secreto que el mundo actual, y el próximo, se presenta hostil hacia una juventud que, en la mayor parte de los países, llegará a ser la mitad de su población. Escasas perspectivas laborales, de vivienda y de futuro conducen a unas perspectivas sombrías. Los expertos del Club de Roma proponen la ética, vinculada a la educación, como alternativa a la desesperanza.

El mundo cambia y su inteligibilidad se nos escapa. La presente crisis, que sólo llegamos a comprender con dificultad, es de hecho una gran transición entre dos mundos, marcada por la complejidad y la incertidumbre. Y esto nos ocurre a nosotros que, tanto por nuestra educación como por nuestra cultura, estamos enseñados a actuar sobre el fundamento de certidumbres.

La dificultad de captar el sentido de una nueva sociedad mundial en gestación es patente particularmente entre la juventud de las diversas regiones del planeta.

Esta sensación da origen a un malestar común, incluso si las razones son diferentes, ya se trate de polacos, soviéticos, chilenos, argelinos, franceses o japoneses. En un universo que la juventud percibe como poco hospitalario, por no decir hostil, sin vivienda y sin perspectivas de empleo, cuando no sin libertad, los jóvenes constituyen, en el Norte y en el Sur, en Oriente y en Occidente, una fuerza de protesta y de presión capaz de estremecer Gobiernos. Son hijos perturbados de un mundo enloquecido, que van a la búsqueda de valores nuevos que den una significación a su vida.

En este punto conviene recordar que la juventud será llamada en los años venideros a jugar un papel fundamental, más importante que en cualquier etapa anterior de la historia de la humanidad. Los jóvenes constituirán más de la mitad de la población de los países en desarrollo, o países del Sur. Pero también en los países del Norte la juventud asumirá la pesada responsabilidad de asegurar la carga y el mantenimiento de sociedades en las que las personas ancianas serán mayoría.

Tales interrogantes sobre el porvenir, ¿no son tan pesadas que nos conducen a un sentimiento de impotencia individual frente a situaciones ingobernables?

Los cien miembros del Club de Roma, provenientes de 49 países de todo el mundo, reunidos en París por invitación del Gobierno francés, han intentado ofrecer algunas pistas con el objetivo de progresar en la comprensión de este mundo nuevo.

El sentir común de los miembros del Club de Roma es que el concepto de inestabilidad creativa, introducido por Ilya Prigogine, Federico Mayor Zaragoza y André Danzin (premio Nobel de Química, director general de la Unesco y consejero de la Comisión de las Comunidades Europeas, respectivamente), en lugar de ser ignorado o rechazado como incómodo, debe en adelante inspirar una nueva visión del mundo y renovar la problemática mundial.

Difícil de captar, especialmente cuando se abandona con dificultad una cultura basada en la certidumbre, el concepto de inestabilidad creativa se convierte en motor de un mundo en el que el hombre reencuentra la consciencia de su responsabilidad personal, tanto sobre la naturaleza como sobre sí mismo.

Como ha señalado André Danzin, no disponemos de una receta que podamos proponer con carácter general porque pensamos que ésta no existe. No podemos actuar mediante la regulación de un programa, sino sólo gracias a su espíritu. Es preciso construir un zócalo de valores espirituales y éticos a largo plazo. Porque sólo esta ética será capaz de producir una especie de campo de fuerzas morales que incidan sobre la educación, sobre las técnicas de gestión y de gobierno, de manera que seamos capaces de vencer la dictadura del corto plazo que no nos conduce a ningún sitio.

La ética como fundamento

Pero una ética a largo plazo no significa nada si, mediante la educación, no llega a convertirse en el fundamento e inspiración de los comportamientos individuales y sociales.

El Club de Roma estima, como ha señalado el príncipe Sadruddin Aga Jan (Coordinador del Programa de las Naciones Unidas para las Poblaciones Afganas) en su intervención, que los hombres ya no pueden ser solamente espectadores aislados de los grandes fenómenos mundiales que les preocupan. La responsabilidad única de cada hombre frente a la comunidad mundial, los deberes de la humanidad consigo misma, con respecto a su entorno y a las generaciones del futuro, son un segundo concepto que viene a completar el de inestabilidad creativa y que, por primera vez, intenta dar una respuesta a la frase "Después de mí, el diluvio", antigua, pero todavía de actualidad.

¿Cómo acrecentar la humanidad del ser humano, nos preguntaba por su parte el príncipe Hassan de Jordania; cómo introducir lo humano en el corazón de la política? El rey de España, don Juan Carlos, nos ha dicho en su mensaje: "Sólo el cultivo de los valores éticos, la solidaridad entre los pueblos y la vida en libertad permitirán el mantenimiento de la paz y el progreso en el mundo y el entendimiento entre las distintas naciones".

Es a estos problemas a los que se dedicará con prioridad el Club de Roma, un club rejuvenecido, reestructurado y descentralizado, que consagrará sus reflexiones y su acción en el futuro a este tipo de cuestiones. Y es que en la profundización de estos dos conceptos será donde vayamos encontrando poco a poco razones para vivir y esperar en el seno de la nueva sociedad mundial.

Bertrand Schneider es secretario general del Club de Roma.

---

1 Lee con atención el artículo. Como verás, a pesar de su título optimista, contiene unas reflexiones más bien pesimistas sobre varios aspectos del mundo actual.

a Escribe cinco frases que resuman el punto de vista pesimista sugerido por el autor.

b Escribe otras cinco frases que contesten a las primeras y que estén basadas en la óptica más esperanzadora del autor sobre el porvenir.

Por ejemplo:
○ La juventud tendrá la pesada responsabilidad de mantener una sociedad en la que las personas ancianas serán mayoría.
○ El cultivo de los valores éticos les ayudará a hacerlo.

2 Explica con tus propias palabras lo que quieren decir las frases siguientes del texto. Compara tus ideas con las de tu compañero de clase, y verifícalas con el profesor:

a La presente crisis ... es de hecho una gran transición entre dos mundos.

b ... estamos enseñados a actuar sobre el fundamento de certidumbres.

c ... el concepto de inestabilidad creativa ... debe en adelante inspirar una nueva visión del mundo ...

d Es preciso construir un zócalo de valores espirituales y éticos a largo plazo.

e ¿Cómo introducir lo humano en el corazón de la política?

3 ¿Qué opinas sobre lo que dice el autor aquí? ¿Compartes sus ideas sobre el estado de la sociedad actual y sobre las soluciones para el futuro? Justifica tus respuestas.

Traduce al español:
Once the key year of 1992 has come and gone, one wonders if all of the preparations and massive financial outpourings will have been worth it. It is important to ensure that Barcelona, Seville, Madrid and Spain in general will have benefited from the events of 1992, both in the narrow context of their own geographical limits and also in the wider horizons of the nation's reputation in the eyes of the rest of the world. Peace, harmony and progess must be the fundamental aims of all nations living together in the 21st century.

This is a challenge which seems at times impossible to fulfil in today's world of uncertainty and unease, but which will become more possible and attainable in tomorrow's society run by today's youngsters. Spain's youth will have as much a part in all of this as any other country's. 1992 is therefore no more than a stepping stone to a much more significant future — the successful coexistence of all nations in the 21st century.

Redacciones

Escribe unas 300 palabras sobre uno de los temas siguientes:

a Los Juegos Olímpicos, La Expo. de Sevilla y Madrid como Capital Europea de la Cultura — unos gastos imperdonables e inútiles.

b Lo que más me gustaría ver en el año 2000.

c El mundo del siglo XXI — lleno de grandes interrogantes que nos conducen a un sentimiento de impotencia individual frente a situaciones ingobernables.

Desarrollando el tema

1 *Los Juegos Olímpicos de Barcelona:* un estudio de los preparativos finales; los resultados; la actuación de los deportistas españoles; los efectos sobre la ciudad, España y los otros países participantes.

2 *La Expo. de Sevilla:* una descripción detallada de la planificación de la ciudad, los pabellones y otras festividades; los efectos sobre la ciudad y el país en general.

3 *Madrid como Capital Europea de la Cultura:* un estudio de los eventos y actividades; los cambios realizados; las ventajas y desventajas; el efecto sobre los madrileños.

4 *La vida en el siglo XXI:* un estudio de los avances tecnológicos; la coexistencia de los países del mundo; cómo prepararnos mejor; los retos a los cuales los seres humanos tendrán que dar la cara.

5 *El año 1992:* lo que pasa en Europa visto como un escalón hacia el año 2000.

AMÉRICA LATINA

Este capítulo tiene el propósito de abordar algunos de los temas latinoamericanos actuales de mayor relieve. Por supuesto, sólo podemos darte una muestra de las cuestiones más destacadas sin ir al fondo de ninguna. Hemos seleccionado temas que son comunes a muchos países, sobre todo los que se refieren a problemas políticos, económicos y sociales.

I EL TERREMOTO DE MEXICO

Comencemos con los desastres naturales. En los últimos años los países latinoamericanos han sufrido muchas catástrofes de este tipo, la peor de las cuales fue, quizás, el terremoto que destruyó gran parte del centro de la ciudad de México en 1985. El corresponsal de la revista española, *Cambio 16*, estaba en la ciudad de México cuando el terremoto golpeó a ésta, y dio su testimonio en un artículo.

Texto A

Testigo de un periodista

Distraído por los saltos del conflicto hondureño-nicaragüense y el boletín informativo de la radio, no percibí de inmediato las primeras oscilaciones de la lámpara.

Sin embargo, en cuanto levanté la mirada hacia la ventana noté como un mareo, y al ponerme de pie vacilé. Entonces cayeron el cenicero y el teléfono.

Eran las siete y veinte de la mañana y las niñas se estaban preparando para ir al colegio. En pocos segundos las oscila-ciones fueron más fuertes. Las lámparas pegaban contra los techos, se abrieron las puertas de los armarios y los cristales crujieron.

Al oír los primeros gritos de la familia, como borracho, e intentando ayudarme con las manos de pared en pared, me dirigí a la habitación de mis hijas. La sacudida se acentuó y cayeron estrepitosamente los primeros cristales.

Mis hijas mayores, presas de pánico, estaban sentadas en el suelo y lloraban asustadas, repitiendo: <<¡Ay, amá, ay amá!>>

Salté a la habitación contigua y allí vi abrazada a mi mujer junto a la cama. Llamaba a las niñas para que se trasladasen rápidamente al cuarto con ella. <<¡La "peque"!>>, grité. Y tambaleándome por las escaleras, bajé a la cocina, donde el frigorífico se balanceaba en la mitad del cuarto, desplazándose más de cuarenta centímetros de su lugar habitual. No estaba allí.

Volví a subir, y por la ventana de las escaleras mirando hacia el parque vi como dos enormes farolas caían al suelo

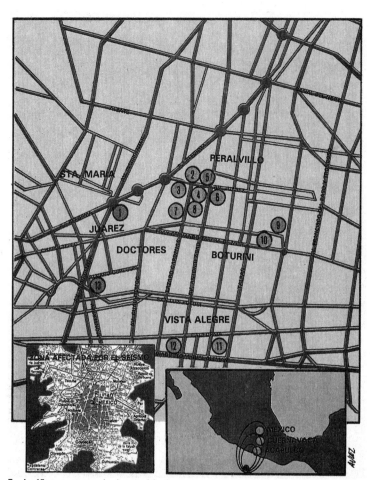

En el gráfico se muestra el epicentro del seísmo, sus ondas de expansión y las principales ciudades afectadas. También el centro de la Ciudad de México y las zonas afectadas de la capital. En detalles: 1) Hotel Continental, 2) Hotel Regis, 3) Hotel Romano, 4) Hotel Principado, 5) Hotel Juárez, 6) Hotel del Prado, 7) Cadena de TV Televisa, 8) Guardería, 9) Secretaría de Hacienda, 10) Secretaría del Trabajo, 11) Hotel Diplomático, 12) Hotel Oslo y 13) Edificio Nuevo León.

aplastando un par de coches. Nuestro piso, en la quinta planta del edificio, se movía como la copa de un árbol mecida por el viento.

La niña se había refugiado detrás de la cama de su abuela, y sin pronunciar palabra, mientras me miraba asustada, se abrazó fuertemente a mí.

Intentando tranquilizar a la familia, me di cuenta que aquello duraba demasiado, que normalmente este tipo de trepidaciones anteriormente sufridas en Honduras o Nicaragua, sólo había durado unos pocos segundos.

Esta vez era interminable. Los más de dos minutos parecían horas, y serían los más largos de nuestras vidas. Eran las 7,22.

Poco a poco se restableció la calma.

<<Todo ha pasado>>, les dije a las niñas, convencido de que sólo había sido un buen susto. Ese día las niñas, sin luz y sin agua, tendrían que ir al colegio sin desayunar, y así se fueron, todavía con bastante intranquilidad.

La radio comenzó a emitir boletines urgentes. Intenté durante media hora ponerme en contacto con Madrid, pero fue inútil. En esos momentos, ¿cómo podía imaginarme que a partir de entonces la ciudad más grande del mundo iba a quedar aislada durante más de doce horas?

Las noticias provenientes del centro del distrito federal eran alarmantes y desde nuestro barrio, poco afectado, nadie se daba cuenta de la tragedia que en esos instantes estaban padeciendo miles, y quizá millones, de personas.

Comenzó a oírse el agudo sonido de las primeras ambulancias. Decidí irme al centro. Al llegar a la altura del paseo de la Reforma el caos del tráfico era absoluto. Los semáforos no funcionaban y miles de automovilistas quedábamos atrapados en los embotellamientos.

Después de recorrer difícilmente las calles de la zona, decidí abandonar el coche y dirigirme a pie hacia el cruce de Insurgentes. Allí, centenares de personas lloraban, gemían y reflejaban en sus rostros el momento de pánico vivido una hora antes. A la altura del hotel Continental tuve la primera imagen de la tragedia. Del hotel se habían hundido tres pisos y el edificio de enfrente se había derrumbado minutos antes, ocupando ahora más de la mitad de la calzada.

El tráfico colapsado impedía pasar a las ambulancias y coches de bomberos. A duras penas logramos alcanzar la avenida Juárez. Las explosiones de gas y los incendios se sucedían. El edificio del Hotel Regis ardía, y al lado los almacenes Salinas y Rocha se habían desplomado como un castillo de naipes.

La Policía intentaba, junto con los primeros auxilios de la Cruz Roja, contener a la gente.

El oficial de la Policía Jess Montero, mientras daba órdenes, nos comentaba a modo de consuelo, que por la hora del temblor todavía las oficinas no estaban llenas ni tampoco las escuelas habían acogido a la mayoría de sus alumnos. <<De lo contrario, la tragedia habría sido aún mayor.>>

> • *Adverbs:* In this passage the writer uses many adverbs when describing what happened when the earthquake struck. Adverbs express how, when or where an action takes place. "How" adverbs frequently end in **-mente**, for example, **se abrazó fuertemente a mí** (she hugged me tight). Read through the account of adverbs in the Grammar Summary on pages 236–37.

1 Completa las siguientes frases, utilizando los detalles del texto:
   a Primero el periodista no se dio cuenta del terremoto porque _____

   b Los cristales se rompieron cuando _____
   c Cuando el periodista encontró a su hija más pequeña ella no _____

   d Las niñas se marcharon a la escuela a pesar de que _____
   e El periodista decidió ir al centro de la ciudad porque _____
   f El edificio de enfrente se había caído minutos antes de que el hotel Continental _____

2 Explica en español lo que quieren decir las siguientes frases:
   a la sacudida se acentuó
   b se restableció la calma
   c había sido un buen susto
   d a duras penas
   e los primeros auxilios
   f a modo de consuelo

3 Indica los sustantivos que corresponden a los verbos siguientes.
Por ejemplo: desayunar — desayuno

distraer	vacilar	caer
repetir	llamar	mover
durar	reflejar	hundir
acoger		

4 Hay muchos ejemplos en este texto del uso del pretérito y del imperfecto. Con un compañero haz una lista de diez de esos ejemplos y comenta en español su uso. Verifica tus explicaciones con el profesor.

5 Imagina que tu compañero es autor de esta artículo y que tú eres un periodista amigo suyo. Tienes que hacerle cinco preguntas sobre sus experiencias en el primer momento del terremoto, todas relacionadas con el texto. Él tiene que contestar a tus preguntas. Por ejemplo: ¿Qué hiciste cuando empezó el terremoto?

II DANIEL ORTEGA EN EUROPA

Texto B Ahora un tema económico-político que abarca las relaciones internacionales. En los años ochenta el Gobierno sandinista de Nicaragua mantuvo una batalla ideológica contra EE.UU. A EE.UU. no le gustaba tener en su <<patio trasero>> un país con tendencias marxistas, y la superpotencia apoyó a los enemigos nicaragüenses de los sandinistas, llamados la Contra. El artículo y el texto grabado describen una gira por Europa de Daniel Ortega, que fue presidente de Nicaragua hasta 1990, en la que buscaba la ayuda de los europeos:

Felipe González se compromete a ayudar a Nicaragua política y económicamente

Pleno respaldo español al plan propuesto por Ortega

EL PAÍS, Madrid
El presidente Felipe González comprometió ayer el apoyo pleno de su Gobierno a la petición de ayuda económica planteada por el presidente de Nicaragua, Daniel Ortega, que inició una visita de dos días a España en el curso de una gira por 10 naciones europeas. El respaldo español, dijo González, no establecerá condicionamientos previos, ya que hay plena coincidencia con el proyecto político y económico propuesto por Ortega en su gira. El presidente nicaragüense, que fue recibido ayer por el Rey, se entrevistará hoy con líderes de la oposición antes de viajar por unas horas a Sevilla.

Pese a que ni Ortega ni González, durante la conferencia de prensa conjunta que ofrecieron a media tarde, quisieron cuantificar la aportación española a los 250 millones de dólares *frescos* que Nicaragua necesita para evitar el colapso de su economía, fuentes diplomáticas afirmaron que se hará todo lo posible dentro de los marcos que establecen los presupuestos destinados a ayuda exterior.

"Estados Unidos ha aprobado en total 66 millones de dólares para el funcionamiento este año de *la Contra*, que dispone de 11.000 efectivos más sus familiares", dijo Ortega. "Nosotros pedimos 250 millones de dólares para un país de tres y medio millones de habitantes, castigado por la guerra y que está realizando un inmenso esfuerzo de ajuste de su economía". Según el líder sandinista, que vestía su tradicional traje militar verde olivo, su Gobierno tenía dos opciones para enfrentar la hiperinflación desatada hace una año: "Aplicar una economía de guerra o un programa fuerte de ajuste que permita salvar la economía mixta. Hemos optado por esta última alternativa y para eso necesitamos ayuda".

González, que se mostró distendido y vehemente en su apoyo al régimen nicaragüense, manifestó que España tiene "toda la voluntad de participar" en el esfuerzo internacional de respaldo a Nicaragua.

También Ortega pidió a González sus buenos oficios para establecer contactos con Estados Unidos que permitan, dijo "abordar seriamente los problemas que tenemos".

El presidente del Gobierno español, que se mostró dispuesto a interceder ante el Gobierno de Washington en la búsqueda de una solución negociada y democrática para Centroamérica, dijo que Nicaragua ha tenido un grado "muy alto" de cumplimiento de los acuerdos de El Salvador, firmados por los cinco presidentes centroamericanos el pasado 14 de febrero. "Los tengo que felicitar y los apoyaré en lo que pueda para que triunfe ese proyecto de pacificación y democratización", aseguró. "Apoyando la reconstrucción económica de Nicaragua estamos ayudando a la consolidación de la paz y la democracia en ese país y en toda la región", añadió.

---

1 Contesta en inglés a las siguientes preguntas:
  a Why had Daniel Ortega undertaken this European tour?
  b How much help was Felipe González able to give Ortega?
  c Why did Ortega point out the differences between the economic support given to the *Contras* by the USA and the economic aid requested by the Sandinistas?
  d What two options did the Nicaraguan Government have?
  e Why was Felipe González ready to talk to Washington about the Nicaraguan problem?

1 Mira el dibujo y completa las siguientes frases con tus propias palabras:

a Daniel Ortega viene a pedir que España _____
b A Felipe González no le gusta que _____ aunque considera que _____
c Daniel Ortega contesta que _____ porque _____

 *Texto C* ## La gira de Daniel Ortega por Europa

1 Escucha el texto grabado dos veces y después lee con atención el resumen en inglés que sigue, en el que sólo algunos detalles son correctos. Escribe de nuevo el resumen, corrigiendo las faltas que tiene.

Daniel Ortega is at present in London discussing ways of establishing a dialogue with the USA. Tomorrow he will go to Paris, which is the most important stop in his tour of eight countries of the EC. Ortega will spend two days in Madrid where, on Thursday, he will meet Felipe González. A sticking point in the discussions will be Ortega's refusal to carry out the projected reform of the electoral law in his country.

2 Escucha el texto otra vez y completa las siguientes frases:

a El presidente de Nicaragua, Daniel Ortega, _____ para gestionar el apoyo político y la ayuda financiera de cara al proceso pacificador en Centroamérica.

b La mediación de Europa ante Estados Unidos _____ hasta febrero la ayuda de la superpotencia a la *Contra*.

c Por este motivo _____ puede resultar especialmente significativa

d La primera cita de Ortega _____ en París

e Ortega lleva a estas citas _____ de Nicaragua.

f <<Nicaragua ha cumplido. _____ los demás.>>

Grafiti de los años 80

III MARIO VARGAS LLOSA

Texto D   El siguiente artículo comenta los esfuerzos del gran novelista peruano, Mario Vargas Llosa, por ser presidente de su país; a pesar de lo que indica el artículo, no ganó la elección. El artículo y se refiere a algunos problemas que Perú tiene en común con otros países latinoamericanos: la dependencia económica del narcotráfico, que afecta sobre todo a Perú, Bolivia y Colombia; la hiperinflación, problema endémico en América Latina; el terrorismo, que va creciendo en Perú, debido al movimiento Sendero Luminoso.

Vargas Llosa: "Mi entrada en política no es un camino sin retorno"

El escritor parte como el gran favorito para ser el próximo presidente de Perú

JULIÁN MARTÍNEZ, Lima
ENVIADO ESPECIAL

Mario Vargas Llosa, de 53 años, el novelista peruano candidato a la presidencia de su país por el bloque de derecha Frente Democrático (Fredemo) y claro y destacado favorito en todos los sondeos, afirma que la vuelta a la ortodoxia es la única solución para sacar a Perú del severo caos económico en que se encuentra. Y confía en que la "pujante economía informal" (*sumergida*), que ocupa al 60% de los peruanos, sea "uno de los factores más esperanzadores del cambio" en territorio peruano.

Vargas Llosa advierte sobre "efectos terribles" de la creciente influencia del narcotráfico y el narcodólar en la vida económica y social de su país, y señala que sólo la cooperación internacional con cuantiosas ayudas y planes de desarrollo en las regiones productoras de coca podrá colaborar en la sustitución de este cultivo andino cuyas hojas forman la materia de la cocaína.

Rodeado de estrictas medidas de seguridad en su residencia limeña del elegante barrio de Barranco, frente al océano Pacífico, en las antípodas de la otra Lima paupérrima, deteriorada y masificada, Vargas Llosa recibió a un grupo de periodistas españoles a los que recordó con nostalgia sus años vividos en Barcelona y los extraordinarios recuerdos que mantiene de aquella época — finales de los sesenta — en la que se fue catapultando el fenómeno de la nueva narrativa latino-americana, de la que el novelista y ahora candidato a la presidencia peruana es uno de sus más destacados exponentes.

El autor de *La ciudad y los perros*, *Pantaleón y las visitadoras* y *Conversaciones en la catedral*, entre otras obras, asegura que su llegada a la política es algo transitorio y que en ningún caso constituye un "camino sin retorno". "Yo soy escritor, tengo una vocación muy fuerte a la que no estoy renunciando", dice, mientras sonríe despreocupado y no acaba de contestar a la pregunta de si su eventual acceso a la presidencia de Perú no lo alejaría del Nobel de literatura. Inmerso en plena vorágine electoral, ante los comicios del mes de abril, el escritor candidato a presidente asegura que "ahora menos que nunca" le ha visto el *sex appeal* al poder. Vargas Llosa ilustra la urgencia del plan de estabilización contenido en su programa con algunos indicadores económicos: una inflación galopante del 30% mensual, "la más alta de América Latina", y "una caída del producto interior bruto del 18% sobre el del año anterior, que ya había caído otro 6%".

"La caída en los niveles de vida en Perú es algo que no tiene precedentes. Los empleados del sector privado han perdido su nivel de ingresos en un 50% en un año y los empleados públicos entre el 65% y el 70%. Hoy deben vivir con la tercera parte de lo que vivían hace un año".

Profundas reformas

El candidato presidencial del Fredemo (integrado por los partidos de derecha Popular Cristiano, Acción Democrática y el Movimiento Libertad, que encabeza el propio Vargas) propugna una serie de profundas y radicales medidas en toda la estructura económica y social del país, con un regreso a la economía del mercado y un carpetazo al estatismo dirigista del presidente Alan García.

"Es fundamentalmente una reforma del Estado y del intervencionismo estatal. Nosotros tenemos una sociedad completamente entrampada por el intervencionismo del Estado, que llega a unos extremos kafkianos.

A los pobres eso les ha puesto al borde de la legalidad, y eso ha hecho que brote una economía informal (*sumergida*) que es una economía muy pujante, precaria pero sumamente pujante, infinitamente más creativa que toda la economía que está en manos del Estado".

Es lo que Vargas Llosa llama elogiosamente "capitalismo popular", capitalismo creado sin capitales. Son los miles y miles de peruanos que llenan todas las calles de Lima vendiendo, ofreciendo, comprando toda clase de baratijas, artesanías, comida y todo tipo de objetos. Y que el candidato del Fredemo piensa alentar, ayudar y dinamizar.

Vargas Llosa justifica la generalizada desconfianza de los peruanos hacia su moneda oficial, el inti, en proceso diario de devaluación, y advierte de la terrible influencia del dinero del narcotráfico y de los narcodólares que llegan a Perú en avionetas colombianas, al valle cocalero del Alto Huallaga, donde intercambian la mercancía con la pasta de coca.

Y eso es gravísimo, porque se puede crear una dependencia nacional de la industria de la droga sobre el flagelo de la violencia política que sufre Perú (17.000 muertos en 10 años y unas pérdidas materiales evaluadas oficialmente en una cifra similar a la deuda externa, unos 17.000 millones de dólares). Vargas Llosa señala que para acabar con el terrorismo no basta sólo la actuación de la policía y los militares, y considera imprescindible la participación de la sociedad civil en todos los niveles, desde la acción militar a las rondas campesinas, pasando por la autoprotección de los centros obreros y de las minas.

---

1 Lee el artículo con atención y con tu compañero escribe notas breves sobre los siguientes temas. Cuando hayáis terminado, explicad al profesor vuestras observaciones para verificarlas.

a La dependencia de Perú de la droga

b Vargas Llosa novelista

c La hiperinflación en Perú

d Los remedios de Vargas Llosa a los problemas económicos de Perú

e Las soluciones de Vargas Llosa al problema del terrorismo

2 Explica en español lo que quieren decir las siguientes frases:

a la <<pujante economía informal>>

b en plena vorágine electoral

c el intervencionismo estatal

d en proceso diario de devaluación

e considera imprescindible la participación de la sociedad civil en todos los niveles

3 Indica las palabras del texto que tienen un significado contrario a las siguientes:

orden	acercar	vacían
flojas	subida	ganancias
riquísima	público	urbanas
permanente	superficiales	
débil	segura	

IV EL FÚTBOL EN ARGENTINA

Texto E El fútbol tiene una enorme popularidad en América Latina, sobre todo en Argentina, cuyo equipo nacional ganó la Copa Mundial de fútbol en 1978 y 1986. Como demuestra el siguiente artículo, hasta el presidente de Argentina, Carlos Menem, puede ser jugador entusiasta, aunque es de edad madura. Carlos Menem sigue las ideas del general Perón, presidente <<populista>> de Argentina en los años 40 y 50. El populismo es una doctrina política muy latinoamericana, que se considera defensora de los intereses del pueblo.

Menem juega a sus 59 años un partido de fútbol con la selección argentina

JOSÉ COMAS, Buenos Aires

El presidente argentino, el peronista Carlos Menem, jugó a sus 59 años, _____ unos 40.000 espectadores, en el campo de Vélez, en Buenos Aires, los 90 minutos de un partido de fútbol, al lado de todas las figuras de la selección nacional de Argentina. Menem, que se alineó de centrocampista, con la _____ azul y celeste número 5, se colocó bien sobre la pradera, repartió con corrección el juego y hasta rodó por los suelos, y se permitió un par de virguerías que _____ su buena técnica futbolística.

El sábado, en una noche _____ del invierno austral, con una impresionante luna llena, Menem, como escribió un diario, cumplió el _____ de todos los argentinos, con la excepción del escritor Jorge Luis Borges: vestir la camiseta del equipo nacional de fútbol. El propio Menem lo _____ al saltar al campo, cuando dijo: "Soy presidente de Argentina y estoy jugando al lado de estos astros, ¿qué _____ puedo pedir?"

Había 40.000 espectadores en las gradas, _____ el partido se televisó en directo por el canal nacional y se recaudaron casi 12 millones de australes (poco más _____ dos millones de pesetas) con fines benéficos. Jugaba la selección nacional con todas sus figuras, Maradona incluido, _____ un combinado de los futbolistas argentinos agremiados. Ganó el equipo nacional por 1-0.

Desde el comienzo quedó claro que el partido no era una simple *pachanga*. Los argentinos se lo _____ en serio, cuando juegan al fútbol. Maradona tuvo que ser atendido dos veces por los masajistas.

Con sus 59 años, Menem doblaba en edad a _____ todos los que corrían por la pradera, pero el presidente demostró buenas maneras de futbolista avezado. Antes de que se pusiera la pelota en juego, Menem realizó, de forma instintiva, incluso esos gestos mecánicos de los profesionales del balón, cuando tiran de los pantalones para dejar bien ubicadas las partes más preciosas de la anatomía masculina.

A Menem los futbolistas le trataron con _____ respeto. Apenas le marcaron y le dejaron espacio para maniobrar. El entendimiento con Maradona no _____ bien, porque el ídolo del balón no le dio juego al presidente, que al final del partido dio muestras de cansancio. El diario *La Nación* calificó en su página de deportes con un seis la actuación de Menem.

1 Rellena los espacios en blanco con las palabras siguientes. Sólo puedes usar cada palabra de la lista una vez, pero, ¡ojo!, no se necesitan todas las palabras.

ante	aunque	camiseta
casi	cierto	contra
de	demostraron	en frente
funcionó	fútbol	helada
hincha	más	ningún
reconoció	sueño	toman

2 Haz un resumen en español del artículo, usando 100 palabras.

3 Con tu compañero busca las palabras o expresiones del texto que tienen el mismo significado que las siguientes. Después verifícalas con el profesor.

a equipo   **d** gente del sur   **g** acostumbrado
b periódico   **e** recibieron ingresos
c estrellas   **f** campo

4 Eres periodista y tienes que entrevistar a Carlos Menem después del partido. Tu compañero va a desempeñar el papel de Menem y tiene que contestar a cinco preguntas tuyas sobre su actuación.

Por ejemplo: ¿Se entendió bien con Maradona? — No, Maradona no quiso darme el balón.

V LA VISITA DE GORBACHOV A CUBA

Texto F

En 1959 Fidel Castro derrocó al dictador de Cuba y se convirtió en líder marxista de la isla caribeña. Castro rechazó completamente las ideas del capitalismo e impuso al pueblo un comunismo inflexible; los que no estaban con Castro huyeron del país. El régimen de Castro pudo sobrevivir gracias a la ayuda económica de la URSS, que tenía gran interés en mantener este estado comunista en el <<patio trasero>> de EE.UU. A finales de los años 80 el líder soviético, Mijaíl Gorbachov, comenzó el proceso de la *perestroika* (o re-estructuración) de la URSS. Una consecuencia de esta política fue la introducción de ideas capitalistas en la economía soviética. Este cambio no le gustó nada a Castro, claro está. El artículo que sigue y el texto grabado narran una visita de Gorbachov a Cuba para entrevistarse con el máximo dirigente cubano.

Todo listo en La Habana para recibir hoy al líder soviético

Gorbachov intentará convencer a Castro de que no perturbe sus planes reformistas

ANTONIO CAÑO, La Habana
ENVIADO ESPECIAL
El presidente de la Unión Soviética, Mijaíl Gorbachov, llega hoy a la Habana con intención de convencer a su homólogo cubano de que no le estorbe en sus planes reformistas. Trae a cambio, según fuentes de ambas partes, la garantía de que se mantendrá la ayuda económica y de que se dejará al régimen de la isla evolucionar a su propio ritmo. Todo está ya listo para recibir al más poderoso visitante de la Cuba socialista.

"El emperador viene a sus territorios de ultramar para comprobar los rumores de que las cosas andan algo revueltas", decía gráficamente un diplomático extranjero.

El recorrido de 26 kilómetros entre el aeropuerto José Martí y la residencia en la que se albergará el ilustre huésped está ya convenientemente adornado con banderas rojas, azules y blancas. El retrato oficial de Gorbachov, discretamente disimulada su inconfundible marca en la frente, ocupa ya lugar prominente en las principales esquinas y en la portada del diario oficial *Granma*.

La información oficial al respecto se limita a comentar que Gorbachov llegará en la tarde de hoy, "en visita oficial y amistosa, por invitación del comandante en jefe, Fidel Castro, primer secretario del Comité Central del Partido Comunista de Cuba y presidente de los consejos de Estado y de Ministros". La invitación oficial, en efecto, corresponde a Castro, pero fuentes próximas a la dirección cubana afirman que fue Gorbachov quien más interés puso en realizar esta visita.

"Después de la suspensión del viaje del mes de diciembre, Gorbachov podría haber retrasado mucho más esta visita", afirman las citadas fuentes, según las cuales el líder soviético se preocupó por el grado de hostilidad hacia la *perestroika* manifestado públicamente por Fidel Castro.

El presidente cubano no sólo negó el proceso de reestructuración para la isla, sino que dudó del éxito de los planes de Gorbachov en su propio país. Castro ha llegado a declarar en público que el socialismo estaba en peligro y que él estaba dispuesto a recoger el guante entregado por la URSS. En un discurso dirigido al interior del partido, Castro dijo en diciembre pasado que Cuba se encontraba entre dos fuegos: Estados Unidos y la URSS.

Este nivel de virulencia llegó a alarmar a Gorbachov, quien, según fuentes soviéticas, conoce la popularidad y el prestigio de Castro en el Tercer Mundo. Todos los funcionarios soviéticos que se han dirigido a la Prensa en los días previos a la visita han insistido en que la intención de la *perestroika* es "reforzar y

---

aumentar el prestigio" del socialismo, no debilitarlo.

Autonomía plena

Los portavoces soviéticos han puesto también mucho énfasis en destacar la figura de Fidel Castro y la autonomía plena de los dirigentes cubanos para caminar por la vía que prefieran. Resulta evidente una actitud proclive a limar tensiones entre soviéticos y cubanos.

Con ese fin, los rumores adelantan la posibilidad de que Gorbachov anuncie en La Habana medidas de generosidad económica hacia Cuba, como sería la condonación de la deuda acumulada por este país con la URSS.

Gorbachov no quiere tener a Castro enfrente y éste tampoco puede soportar una querella con el líder soviético. Fuentes que suelen recoger el punto de vista del máximo

ДОБРО ПОЖАЛОВАТЬ, ТОВАРИЩ МИХАИЛ ГОРБАЧЕВ!

BIENVENIDO COMPAÑERO MIJAIL GORBACHOV

Cartel de bienvenida a Gorbachov en La Habana.

dirigente cubano aseguran que Castro aceptaría, sobre la tesis del obligado entendimiento, respaldar las ideas de Gorbachov siempre que éstas

no le obliguen a un brusco golpe de timón en el interior de la isla ni contribuyan a soliviantar a la población cubana. Castro ha mani-

festado reiteradamente que las condiciones de Cuba no permiten una apertura política ni económica.

1 Contesta en inglés a las siguientes preguntas:
  a What was Gorbachov's main reason for visiting Cuba?
  b Explain in your own words the meaning of the second paragraph, "El emperador ... un diplomático extranjero".
  c Which of the two leaders has the greater interest in the visit, Gorbachov or Castro?
  d What reservations has Castro concerning "perestroika"?
  e What is the attitude of the Soviet government towards Castro's views?
  f How far is "perestroika" likely to affect Cuba?

 Texto G **El enfrentamiento de Gorbachov con Fidel Castro**

2 Escucha el texto grabado dos veces y pon una equis si las ideas siguientes se encuentran en el artículo, el texto grabado, o los dos:

	Artículo	Texto grabado
a Mijail Gorbachov recibe una buena acogida de los cubanos.	☐	☐
b Gorbachov llega hoy.	☐	☐
c Cuando Breznev visitó Cuba, le acogió más gente.	☐	☐

d Hay retratos de Gorbachov por todas partes. ☐ ☐

e Gorbachov es el que impulsa la *perestroika*. ☐ ☐

f El régimen de Castro se caracteriza por su inmovilismo. ☐ ☐

g Es posible que el pueblo proteste contra Castro si el líder ruso habla ante una multitud. ☐ ☐

3 <<Renovación frente a ortodoxia>> es la primera frase del texto grabado. Explica en español lo que quiere decir esta frase, utilizando 150 palabras y refiriéndote a los dos textos.

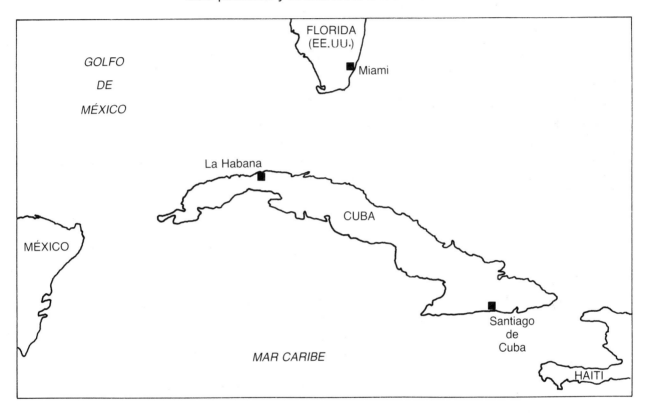

VI RETRATO DE UN DICTADOR

Un fenómeno característico del desarrollo de Latinoamérica en este siglo es el dictador militar, que pretende garantizar el orden y la estabilidad económica. El artículo siguiente retrata a un dictador de derechas, el general Pinochet. En 1973 Pinochet destituyó al presidente marxista de Chile, Salvador Allende, en un golpe de estado, y después gobernó el país con mano de hierro durante las décadas de los 70 y los 80. En un plebiscito en 1988 el pueblo chileno optó por la democracia y eligió a un presidente civil. Sin embargo Pinochet se quedó como jefe de las Fuerzas Armadas. El siguiente artículo fue escrito antes del plebiscito.

MARCADO POR EL CINCO

El supersticioso Pinochet fijó el plebiscito para el 5 de octubre porque éste es su número de suerte

EL vasto sistema de propaganda de la dictadura chilena difunde, *ad nauseam*, la imagen de un general Pinochet devotamente católico, de un realismo helado, enérgico y apasionado pero siempre dueño de sí mismo gracias a convicciones arraigadas, producto de hondas meditaciones.

Nadie duda que el general es todo un carácter, sobre todo quienes se han tomado el atrevimiento de disentir de él. Pero, en la intimidad, su conducta parece guiarse, a veces, por los caminos algo esotéricos de una persona supersticiosa, que cree a pie juntillas que su buena suerte está ligada al número de cinco.

Pero esta devoción al número cinco y sus múltiplos tiene sus consecuencias políticas. El plebiscito donde Pinochet se juega, dentro de un orden, su suerte histórica se ha fijado para el 5 de octubre, décimo mes, dos veces cinco, pero después del 15 aniversario de su llegada al poder.

Pinochet y sus astrólogos-consultores advirtieron que nació un día terminado en cinco de 1915 y que en 1945 tuvo sus primeras visiones antimarxistas, según sus admirados biógrafos oficiales, a punto de ascender a capitán y ser destinado al regimiento de infantería número cinco. Ya se había casado con doña Lucía (cinco letras) quien le ha dado cinco hijos.

El general ascendió a mayor (comandante) un día quince y ocupó la quinta planta del Ministerio de Defensa cuando Salvador Allende lo designó comandante en jefe del Ejército. Ya dictador, fue proclamado en 1982 capitán general del Ejército y, desde entonces, exhibe, como símbolos de su cargo, cinco estrellas en las charreteras, y la gorra más alta del Ejército, exactamente 5 centímetros

más alta que la de sus subordinados.

Cuando a la familia Pinochet, de ascendencia francesa, les nació su primogénito, Augusto Osvaldo, apodado *Tito*, no sospechaban el protagonismo

histórico del niño pero no tardaron en adivinar una vocación autoritaria y militar. Su hermana Nena recuerda que vivía jugando con tambores y trompetas y su esposa Lucía, que no perdonaba jamás por las noches hacer la ceremonia del cambio de guardia con sus soldaditos de plomo.

Algo más difícil fue lograr

que el joven Tito aprobara sus exámenes de ingreso al Colegio Militar. Un repaso a sus notas de estudiante brindan un panorama desolador que culminó cuando debió repetir un curso.

Una abrumadora cantidad de gomina no alcanzó a domar el pelo rebelde del joven Tito cuando intentó ingresar en 1930 en el Colegio Militar. No lo logró, fracasando también en un segundo intento. Volvió al colegio y sus notas fueron, otra vez, deplorables. Repitió nuevamente curso pero, siempre empecinado y con

escaso sentido autocrítico (el hombre es esclavo de su talante), volvió a rendir por tercera vez examen en el instituto militar, donde ya era una cara conocida, y logró aprobar, aunque raspando.

De allí en más, Pinochet vive la vida implacablemente normal de un militar chileno apegado a su familia, la profesión y lejano al ejercicio de la política.

Y así, pasito a pasito, la carrera sigue lenta, pero siempre ascendente. Pinochet es un hombre obediente, gris, pero muy astuto a la hora de moverse en los laberintos del poder. General de brigada, de división, jefe del Estado Mayor, Pinochet se indigna contra quienes atacan a los militares, desde la derecha, cuando Salvador Allende llega a Presidencia. La prensa leal al gobierno publica loas al general quien asegura: <<En Chile, lo garantizo, no habrá golpe de Estado.>>

El golpe ya está en marcha y, según muchos de sus principales protagonistas, Pinochet sólo se sumó en el último momento aunque después ejerció la jefatura con particular furia.

Desde entonces el nuevo dictador exhibió el mismo empecinamiento, el mismo fervor implacable, iguales dotes intelectuales, que a lo largo de su vida. El dictador es un furibundo antimarxista, convencido de que no lucha contra la oposición democrática, sino contra la Rusia soviética.

Hace gimanasia, <<leo mucho, quince minutos todas las noches>>, juega con sus nietos en un horario estrictamente establecido y se emociona cuando escucha *Lili Marlene*, pero no le importa que buena parte del mundo lo considere un tirano. Quiere seguir, con la tenacidad de Tito, hasta 1997.

J.C.A.

> - *Gender:* Occasionally the ending of a word is not a reliable guide to its gender. For example the word **sistema** in the first paragraph of the article is masculine. In the same paragraph, the word **imagen** is feminine. Furthermore, certain words, like **orden** (paragraph 3) change their meaning according to their gender. Read through the account of gender in the Grammar Summary on page 230.

1 Contesta en español a las siguientes preguntas:
  a ¿Hay una contradicción entre la imagen propagandística del general y la realidad?
  b ¿Cuáles son las consecuencias políticas de la superstición de Pinochet?
  c Describe cómo Pinochet alcanzó el poder.

2 Traduce al inglés desde <<Cuando a la familia Pinochet>> hasta <<aunque raspando>>.

3 ¿Cuáles de los adjetivos siguientes le caracterizan mejor a Pinochet? Justifica tus ideas.

intelectual	religioso	hábil
cariñoso	puntilloso	desorganizado
inflexible	leedor	testarudo
ambicioso	débil	tenaz
tolerante		

4 ¿Tiene este retrato la intención de lisonjear al dictador o de burlarse de él? Justifica en español tu contestación utilizando 150 palabras.

Desarrollando el tema

1 *La historia de América Latina:* la conquista — Colón y las islas del Caribe (1492); los aztecas y Cortés (1519); Pizarro y los incas de Sudamérica (1531); el desarrollo de la sociedad colonial — los criollos, las encomiendas; los movimientos de independencia del siglo diecinueve; el siglo veinte — la influencia de EE.UU; las relaciones entre URSS y los países latinoamericanos.

2 *Temas políticos, económicos y sociales:* la democracia y la dictadura en los países latinoamericanos; el populismo; el papel del ejército; los movimientos terroristas (por ejemplo, en Colombia o Perú); la deuda externa; la industrialización; el repartimiento de la tierra; la droga; el papel social de la iglesia.

3 *El estudio de un aspecto de un país hispanoamericano:* la Revolución mexicana de 1910-1917; el peronismo en Argentina; la Cuba de Fidel Castro; la democracia en Chile; problemas políticos, económicos o sociales de uno de los países de Centroamérica.

4 *La cultura:* la pintura; la arquitectura; las diferencias entre el español de América Latina y el de España; la literatura gauchesca; la civilización y la barbarie en la literatura; el <<realismo mágico>> de la nueva narrativa; los poetas latinamericanos (por ejemplo,

C. Vallejo, P. Neruda, O. Paz); la influencia de la cultura europea en América Latina; los deportes (el fútbol, el tenis).

5 *Los indios:* la resistencia al colonialismo; las costumbres indígenas; las tribus; la religión; el vudú; la cuestión de los derechos de la tierra; el arte indígena; el quechua.

AMÉRICA LATINA

"ONE-OFF" EXERCISES

Although the following exercises are divided for convenience into the various skill areas, several can be combined to practise two or three skills together, and some, if worked out in their entirety, involve all four skills. Those marked with an asterisk are suitable for use at *any* stage of the A/AS level course, while the others are more suited to the 'transition' stage.

Oral activities

■ **Personal Identification Activities:** These are useful for introducing students to each other, which is often important at the beginning of the sixth-form when new class-members may appear. Such activities also encourage class unity. Sit pupils in a circle and get them to ask one another for details of name, address, things they (dis)like, etc. This can be followed by surveys of the whole class or interviews leading to the introduction of some students to the rest of the class.

* ■ **Use of picture stories:** Those old and dusty collections of O Level picture stories can be used to good effect to stimulate the invention of dialogues (often linked to specific grammar points such as the teaching of narrative tenses), or even the construction of short plays. One interesting new approach to such material is to remove the picture numbers and then to cut up the material, allowing students to arrange the pictures in any order they see fit before writing a version of the story.

* ■ **Use of visuals (e.g. photos):** Any interesting material can be used to stimulate the formation of questions, in itself a useful exercise especially during the early stages of the sixth-form.

■ **Use of labels pinned to the backs of students:** for example, a label containing the words *"El rey Juan Carlos"* is pinned on to the back of a student who then has to guess his identity by means of questions to the rest of the class.

* ■ **Guessing people/news items leading to written or oral reporting:** One of the class members or the teacher thinks of a celebrity or a current item of news which other students try to identify by means of various questions. This exercise could be done using the format of the

"Twenty Questions" idea whereby students are allowed only a specified time limit or number of questions to reach the solution.

- **Caza al tesoro:** Some form of "treasure" is hidden in the classroom. Students have to discover its nature and whereabouts. This is another activity which is particularly useful for the technique of formulating questions.

- **Consequences:** This is based on the well-known party game. Students sit in a circle with pieces of paper on which they write a few words in response to a question asked by the teacher. After each written entry, the papers are folded to hide what has been written and then passed round the circle before the next question is asked. Thus at the end of the game, the pieces of paper contain a number of comments each written by a different student. The papers are then unfolded and read aloud by each student in turn. The standard questions asked are: "*¿Quién era el hombre?*"; "*¿Quién era la mujer que encontró?*"; "*¿Qué dijo él?*"; "*¿Qué respondió ella?*"; "*¿Qué decidieron hacer?*"; "*¿Cuál fue el resultado de este encuentro?*"

- **El Detective:** One member of the class is chosen as the detective and leaves the room; another student is chosen as the criminal. The detective returns and by asking questions has to discover the identity of the criminal. All of the students must tell the truth except the criminal who can lie.

- *¿Sabes glopar?:* "glopar" is (we hope) a nonsense word. In this exercise it stands for any infinitive chosen by the teacher or a student. The rest of the class has to guess what the verb is by asking questions (e.g. "*¿glopas todos los días?*" / "*¿es necesario ser un hombre para glopar bien?*") or by means of information given by the person who is being questioned (e.g. "*prefiero glopar por la mañana*" / "*sólo glopo dos veces al mes*" / "*a mi mujer no le gusta que glope los domingos*").

* - **Use of pictures for imaginative story-telling:** the sort of "provocative" photographs that appear in advertisements or articles in Sunday colour supplements are excellent source materials for this exercise. Students are encouraged to invent as fantastic an account as they wish to explain who the people are, how the situation has arisen, why the couple have met, etc. They might also imagine the conversations held by those in the photographs. This is a good exercise for students of all abilities, as there are no "correct" answers.

- **I.D. build-up:** Again using photographs of people from similar sources, students could be encouraged to explain why the pictures are at present in police files.

* - **Use of a variety of objects,** to encourage students to ask questions aiming to establish or suggest to whom they belong, why they are there, how they got there, etc. Students can work on this exercise in groups so that there are no silent pauses. A variation on this activity is for the teacher to place any three objects on a table, and then get student groups to invent a story explaining some connection between them.

- **Memory games:** The children's party game known as "Kim's Game" can be used to good effect here. Students study a picture containing a range of details, or perhaps a tray with 20 objects, and then have to recall what they have seen after the picture or tray has been removed.

- **Present lists:** Students invent or are given a list of 10 presents, which they might give to relatives or friends and they must select five which they wish to keep. They must explain who they are for and why they have selected the five chosen.

- **Spot the difference:** Many magazines contain this exercise where two apparently identical pictures differ in six or more ways. Students must explain the differences.

* ■ **Use of oral cards:** Small cards containing a single word or topic heading, or a variety of questions, can be used for (**a**) individual practice, whereby each student in turn picks a card and has to speak for one minute on the subject detailed, and (**b**) whole-class oral work based on the following diagram, where students sitting opposite each other at tables are represented by the letters, and cards are placed in the positions marked by the Xs:

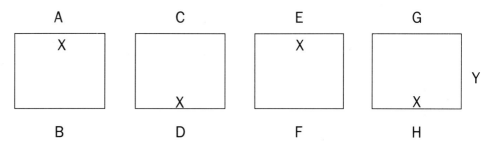

The students who have the cards ask questions based on what is on their card to the student sitting opposite, so that the whole group is speaking Spanish at the same time. After an allotted time, (say, two minutes) the teacher (shown as Y) instructs all students to move one place to the left, leaving the cards in their original positions. This should result in each student changing his role (from questioner to questioned and vice versa) and speaking to a different partner and in most cases on a different subject. The whole process is then repeated. This is a useful exercise for revision of topics, so that in half an hour or so, every student has dealt with a range of subjects. If the class contains an odd number of students, the teacher can join in the exercise, or alternatively each student takes a turn in rotation as the time-keeper.

Reading activities

In general, it is a good idea to get students used from an early stage to using dictionaries at home. Reading passages should at first consist of quite short articles of GCSE Higher Level difficulty or a little more.

* ■ **Pairing exercises:** Newspaper headlines are cut in half, mixed up and then paired by students. The same exercise can of course be done with full sentences.

- ■ **Riddles, crosswords, guessing games, gapped texts, etc.**

* ■ **Use of slogans:** The sort of general statements made on Monopoly cards or in proverbs can be used here. Students must explain what they mean and then agree or disagree with them.

* ■ **Use of teenage magazines.** We have found it interesting to examine materials published in Spain for teenagers as opposed to the usual newspapers and magazines used by teachers in class, such as *"Cambio 16"* or *"El País"*. Magazines such as *"Chica"* often contain items that are not terribly useful or of great literary value, but letters submitted and the occasional article of a controversial nature could be extremely valuable, especially as they are of course written from the point of view of an adolescent or with adolescents in mind.

■ **Role plays:** A useful variation on the usual oral exercise can be used where the teacher writes out one half of the conversation and leaves the students to invent the rest.

■ **"Encuestas"** on various things, the reading activity being provided by the use of forms or questionnaires that must be filled in.

* ■ **Job applications:** Newspaper advertisements for jobs are easy to come by. Students are encouraged to apply for one of them, explaining of course why they think they are particularly suitable for the post.

* ■ **Speed Read.** This is an excellent exercise useful for developing fast reading skills. The class is divided into two or three teams, and each team member is given a page filled with short articles in Spanish – "newsy" and gossipy items are best. Thus, in a class of six students, imagine that there are two teams, A and B. Team A consists of students U, V and W; Team B is made up of students X, Y and Z. Two copies of each of three different sheets will be required. The teacher gives the first sheet to students U and X, the second to students V and Y, and the third to students W and Z. The teacher then allows students a short time (say five minutes) to "read" their sheet of articles. Of course, they can really only scan the headlines and bold print under the headlines to get a *general* idea of the content in the time available. The game consists of the teacher uttering a series of short sentences/descriptions of an article (e.g. *"un animal herido"*, *"un hombre famoso a quien le gustan los dulces"*). Each time, there should be one student in each team who recognises the statement, and who can put up his/her hand to read out the headline of the article to which the statement refers. Points are awarded for correct answers.

The exercise can be made as difficult or easy as the teacher wishes: the initial statement can be followed by a more difficult question (in the manner of University Challenge), where students score extra points for a full summary of the article, or for an answer to a more searching question. As students become more proficient, questions can be centred on the "body" of the text also.

Listening activities

*   ■ **Match details heard on tape** to English sentences, to Spanish headlines, or to pictures taken from the Press. The "Authentik" newspapers produced by Trinity College Dublin are particularly useful for this exercise as the accompanying cassette contains many items which are also examined on the printed pages.

*   ■ **Identifying the speaker:** Careful selection of listening passages so that students can pick out the speaker from a list of possibilities. Thus, a celebrity talking about a football match might be Butragueño, a comment on government policy could be made by Felipe González, a reference to a visit abroad by *"la reina y yo"* is likely to be spoken by Juan Carlos, etc.

*   ■ **Listening grids:** Students could enter details of varying degrees of difficulty onto grids of various sorts about a passage heard. They may, for example, be asked to write down repeated words, to identify political, sporting, human interest items, to record questions asked, notes on the mood of the speaker, etc.

*   ■ **Songs:** These can be used in many ways, including the highlighting of grammatical structures. (Serrat's *"A un olmo seco"* is for example very useful for the subjunctive form after *"antes de que"*!).

*   ■ **Use of video:** This is often a very under-exploited facility in language classes. Various exercises have proved successful, for example:

    The separation of the sound-track from the video: half of the class listens to the sound-track on an audio cassette tape (with backs to the TV). The other half watches the TV with the "mute" facility in operation, i.e. they see the picture but do not hear any sound. Three stages follow:

    1 Those who have only heard the sound-track discuss what they have heard, trying to sum up the content and "imagining" the pictures. Meanwhile those who have watched the pictures talk together to work out the nature and content of the programme.

    2 Students are "paired off" so that one who has listened to the tape joins another who has seen only the picture. Together, they tell each other their conclusions and build up an idea of the whole programme.

    3 A written "follow-up" exercise can then be done summarising the whole thing.

    This exercise works especially well with short documentary-type films.

    The use of the "mute" facility: students summarise what has happened, predict what is going to happen, invent dialogues, etc. This works well with film clips and the like. Students should be encouraged to be as inventive as *possible, giving wildly* absurd answers as well as sensible, factual ones.

    The use of the "pause" facility is also very useful for "predictive" viewing, with students guessing what happens next, etc.

Writing activities

* ■ Many of the above activities can lead quite naturally to a written summary/follow-up exercise.

* ■ **The Reporting Task:** this is another excellent exercise, invented by Rob Rix of Trinity and All Saints College, which combines effectively all four basic skills. The exercise involves the use of cards, some of which contain a short "newsy" gossipy story from the Press and the others a few key words or phrases which give some clues as to the content of the original story but do not give the "game" away! A single example of this activity will be found in the exercise in Texto D in Chapter 5. One or two examples of the short stories ideally suited to this exercise and also of the summary technique are also given in the grammar sections of the same chapter.

The exercise should run along the following lines:

1 Divide the class into two groups A and B: group A students are given cards, each containing a different story; group B students are given the cards containing the brief summaries of those same stories. Students then have 5-10 minutes to read and remember the details of the original story (Group A) or to *invent* a story based on the summary they have been given (Group B).

2 When the time is up, cards are collected, and group B students read out in turn the stories that they have invented. If the cards have been well-prepared, these versions should have *some* resemblance to the originals, but are often wildly inaccurate and frequently very amusing. Group A students declare when they recognise that the summaries are related to their own articles.

3 Group A and B students are now "paired off" according to the articles they have been working on and sent to different parts of the classroom. Student B is now a reporter whose job is to glean all of the correct details from student A – a witness to the incident. It is important to insist that student A does not simply give a complete summary of the event, but can only answer specifically those questions that are asked.

4 Finally, each student completes a written follow-up where the story is written out in its entirety. In the case of student B this is of course a final article to be published in his/her newspaper.

As can be seen from the above stages, this is an exercise which involves all four skills: **READING** the original, **LISTENING** to each others' versions, **SPEAKING** in the summary and the question sessions, and finally **WRITING** up the final version.

GRAMMAR SUMMARY

This Grammar Summary is not intended to be an exhaustive survey of all Spanish grammar, nor indeed of any of the individual points that are examined herein.

The grammar sections of the various chapters of the book deal with specific points highlighted in the texts that have been studied, and we have usually not wished to repeat in this summary explanations that were part of those chapters.

This summary therefore serves three main purposes:
a to provide further examples and knowledge of the main grammatical structures examined in the various chapters, highlighting uses that are of relevance to A level and AS candidates but which have not usually been dealt with in the earlier explanations.
b to provide an explanation and examples of other grammar points which are usually mentioned only briefly in the chapters (normally by means of a note following a stimulus passage).
c to provide a point of reference to students so that items such as verb forms may easily be looked up.

THE ARTICLES

	The definite articles		The indefinite articles	
	Singular	*Plural*	*Singular*	*Plural*
Masculine:	el	los	un	unos
Feminine:	la	las	una	unas

1 The definite article

a **La** is replaced by **el** before a feminine singular noun which begins with stressed **a** or **ha**, e.g. el agua, el águila, el hambre. This does not imply a change of gender: adjectives which qualify these nouns take the feminine ending, e.g. el agua dura (hard water).

b The definite article is used:
(i) when nouns are taken in a general sense or refer to a unique thing.
For example:
○ No me gustan los críos (I don't like kids)
○ Es mala la venganza (Vengeance is evil)
○ No existe el infierno (Hell doesn't exist)
(ii) With the names of languages, except when the language comes directly after **hablar, saber** and **aprender.**
For example:
○ El portugués es un idioma muy útil (Portuguese is a very useful language)
But ○ Hablo francés con soltura (I speak French fluently)
(iii) Before the names of certain countries, e.g. La India, el Reino Unido, El Salvador, la Argentina, el Brasil, los Estados Unidos.
Note: Most countries are *not* preceded by a definite article, e.g. España es diferente.
(iv) When a noun is qualified by an adjective or phrase, e.g. La Alemania Oriental, El Chile de Pinochet.
(v) Before titles, except when the person concerned is being addressed directly, e.g. El señor Fernández, el presidente Gorbachov, la reina Isabel.
But ○ Buenos días, señor Fernández (Good morning, Mr. Fernández)
(vi) In certain common expressions where in English the article is not used, e.g. en el hospital (in hospital), en el colegio (at school), en la cárcel (in prison).
But en casa (at home).

c The definite article is omitted when a noun is in apposition, i.e. when it explains or defines something further about a previous noun.
For example:
○ El rey Juan Carlos, jefe del ejército español (King Juan Carlos, [the] head of the Spanish Army)
○ Madrid, capital cultural de Europa (Madrid, the cultural capital of Europe)

2 The indefinite article

a The first rule above, for definite articles, also applies for indefinite articles, **una** being replaced by **un**, but with no change of gender: un alma, un hacha, etc.

b The indefinite article is omitted:
(i) Before occupations and nationality, unless the nouns are qualified.
For example:
○ Mi madre es médica (My mother is a doctor)
But ○ Mi madre es una médica de gran renombre (My mother is a very famous doctor)
○ Es irlandés (He's Irish)
But ○ Es un irlandés de familia muy pobre (He's an Irishman from a very poor family)
(ii) When the noun is in apposition.
For example:
○ Su vecino era el señor Casas, profesor de física muy conocido (Her neighbour was Mr Casas, a well-known teacher of physics)
(iii) Before **otro, tal, medio, ¡qué!,** and **mil.**
For example:
○ Otra persona no lo habría hecho (Another person wouldn't have done it)
○ No se puede confiar en tal hombre (You can't trust such a man)
○ Mil soldados (A thousand soldiers)

c **Unos/unas** is used before numbers in the sense of "about".
For example:
Asistieron unas 200.000 personas (About 200,000 people attended)

GENDER

1 Be wary of the rule that nouns ending in **-o** are masculine and in **-a** are feminine. This does not always hold good, as can be seen in such common words as: el día, la mano, la radio, la moto.

2 A number of nouns ending in **-ma** and **-ta** are masculine, e.g. el clima, el cometa, el crucigrama, el drama, el idioma, el pijama, el planeta, el problema, el poema, el programa, el sistema, el tema.

3 The names of rivers, mountains, seas, cars and trees are usually masculine: el Guadalquivir, el Caribe, el Monte Blanco, un Seat, un manzano.

4 Days of the week and months are always masculine.

5 Letters of the alphabet, islands and roads are feminine: la eme, las Canarias, la M-30.

6 Words ending in **-ión, -dad, -tad, -tud** and **-cia** are usually feminine: la conclusión, la bondad, la amistad, la senectud, la apariencia.

7 Certain words differ in meaning according to their gender:

el capital = capital (money);	*la* capital = capital (city)
el cura = priest;	*la* cura = cure;
el frente = front (e.g. war);	*la* frente = forehead;
el orden = order (i.e. sequence); etc.	*la* orden = order (i.e. command);
el parte = report, despatch;	*la* parte = part;
el pendiente = earring;	*la* pendiente = slope;
el policía = policeman;	*la* policía = police (force).

ADJECTIVES

1 Formation of feminine and plural

The following guidelines hold good for the majority of adjectives, but there are exceptions.

a Adjectives ending in **-o** in the masculine singular change the last letter to **-a** in the feminine singular (For exceptions see below) and to either **-os** or **-as** in the plural.

For example:

M. sing.	F. sing.	M. pl.	F. pl.
hermoso	hermosa	hermosos	hermosas

b Adjectives which do not end in **-o** in the masculine singular have the same form in the feminine singular (for exceptions, see below). In the plural they add **s** if they end in a vowel or **es** if they end in a consonant. Final **z** changes to **c** before **e**.

For example:

fácil	fácil	fáciles	fáciles
cortés	cortés	corteses	corteses
dulce	dulce	dulces	dulces
feliz	feliz	felices	felices

c Adjectives of nationality which end in a consonant add **-a** in the feminine:

For example:

inglés	inglesa	ingleses	inglesas
español	española	españoles	españolas

d Adjectives ending in **-or** (unless they are comparatives), **-án** and **-ón** add **-a** to the feminine.

For example:

encantador	encantadora	encantadores	encantadoras
holgazán	holgazana	holgazanes	holgazanas

e Comparative adjectives do not have a separate feminine form.

For example:

mejor	mejor	mejores	mejores
inferior	inferior	inferiores	inferiores

2 Agreement of adjectives

Adjectives agree in number and gender with the nouns they qualify.

a Where the adjective qualifies two or more masculine nouns, the masculine plural is used.

For example:
- Un hombre y un muchacho andaluces (A man and a boy from Andalusia)

b Where the nouns are of different gender, the masculine plural is used.

For example:
- Una mujer y un chico encantadores (A charming woman and boy)

3 Position of adjectives

Adjectives in Spanish are usually placed after the noun, but writers often place them before the noun for emphasis or stylistic effect.

a Certain adjectives are usually placed *before* the noun. These include: **bueno, malo, pequeño, grande,** the cardinal numbers, the ordinal numbers, and **último.**

For example:
- ¡Buen viaje! (Have a good trip!)
- Un gran problema (A big problem)
- En los últimos años (In the last few years)
- Mi primera visita (My first visit)

b Some adjectives change their meaning according to their position:

	Before the noun	After the noun
grande	great (i.e. famous)	big (in size)
pobre	poor (pitiful)	poor (not rich)
mismo	same	-self
varios	several	various

For example:
- El gran Ballesteros (The great Ballesteros)
- ¡El pobre Juan! (Poor old John)
- Un barrio pobre (A poor district)
- Carmen misma lo hará (Carmen herself will do it)
- Siempre nos cuenta la misma historia (He always tells us the same story)
- Tienes varias opciones (You have several options)

c The suffix **-ísimo** may be added to adjectives to intensify the meaning. When this happens the spelling of the adjective is sometimes affected: for example, **-z** changes to **-c**, and **-c** to **-qu:**

importante = important; importantísimo = very important;
feo = ugly; feísimo = very ugly;
feliz = happy; felicísimo = very happy;
rico = rich; riquísimo = very rich

4 Apocopation of adjectives

Certain adjectives in Spanish are shortened ("apocopated") when they are placed in front of singular nouns. They fall into three main groups:

1 Some adjectives are shortened only in the masculine singular, dropping the final **o** when they come immediately before the noun. The main ones are: **bueno, malo, uno, alguno, ninguno, primero and tercero.**

For example:
- Es el primer campeón de España en este deporte (He is the first Spanish champion in this sport)
- Ganó el partido un día de abril (He won the match one day in April)
- Es un buen deporte si quieres encontrar a gente (It's a good sport if you want to meet people)

Note: These adjectives will not be shortened if they are followed by another and separated from it by a conjunction:
- Es el tercero y mejor campeón (He is the third and best champion)

2 Grande is shortened to **gran** when placed before a singular noun, whether the latter is masculine or feminine.

La carrera resultó ser una gran catástrofe (The race turned out to be a great catastrophe)
Delgado ha sido un gran ciclista (Delgado has been a great cyclist)

3 **Santo** is shortened to **San** before proper names with the exception of Santo Domingo, Santo Tomás, Santo Tomé and Santo Toribio; it is not however shortened before nouns that are not proper names: San Andrés; San Pablo; San Pedro *but* la santa ciudad de Roma.

COMPARISON

The following adjectives and adverbs have irregular forms:

Adjective	*Adverb*	*Comparative*
bueno = good	bien = well	mejor = better
malo = bad	mal = badly	peor = worse
mucho = much	mucho = much	más = more
poco = little	poco = little	menos = less
grande = big		mayor = bigger (más grande)*
pequeño = small		menor = smaller (más pequeño)*

* You are more likely to use **más grande** and **más pequeño** for size; **mayor** and **menor** are used to indicate superiority / inferiority and to denote age, e.g. mi hermana menor (my younger sister).
Note: "More than" is normally expressed by **más que**, or **más de** with a number. If, however, what follows "more than" is a clause with a verb, then **que** is replaced by **del que, de la que, de los que, de las que** or **de lo que**. Thus "He has more friends than Juan" is **Tiene más amigos que Juan,** but "He has more friends than he had last year" is **Tiene más amigos de los que tenía el año pasado.** De lo que refers back to the whole of the previous idea and not to a specific noun. Thus, "It's easier than you think" is **Es más fácil de lo que crees.**

NUMERALS

1 Cardinal numbers

0	cero	101	ciento uno
16	dieciséis	110	ciento diez
17	diecisiete	192	ciento noventa y dos
20	veinte	200	doscientos
21	veintiuno	255	doscientos cincuenta y cinco
22	veintidós	300	trescientos
23	veintitrés	399	trescientos noventa y nueve
26	veintiséis	400	cuatrocientos
30	treinta	500	quinientos
31	treinta y uno	600	seiscientos
32	treinta y dos	700	setecientos
40	cuarenta	800	ochocientos
49	cuarenta y nueve	900	novecientos
50	cincuenta	1000	mil
59	cincuenta y nueve	1100	mil ciento
60	sesenta	1578	mil quinientos setenta y ocho
70	setenta	2000	dos mil
80	ochenta	100,000	cien mil
90	noventa	200,000	doscientos mil
100	cien(to)	1,000,000	un millón
		2,000,000	dos millones

Remember the following points when using cardinal numbers:

a All cardinal numbers are invariable in Spanish, except **uno** and the hundreds which have a separate feminine form; *e.g.* una agencia de viajes; doscientas pesetas; quinientas líneas.

b **Uno** becomes shortened to **un** when placed before a masculine noun, whether it is used in combination with another number or not; e.g. un tren; doscientos cuarenta y un billetes.

c **ciento** is shortened to **cien** when placed before a noun, an adjective or the word **mil**, but never when it precedes another numeral (except **mil**):
cien pesetas, los cien mejores generales; cien mil hombres; *but* ciento cincuenta millones de habitantes.

d You must omit the article **un** before 100 and 1000 but use it with 1,000,000: cien personas; ciento treinta mesas; mil habitantes; but un millón de preguntas.

e The word **y** in Spanish occurs between the tens and the units, not (as in English) between the hundreds and tens: doscientos treinta y ocho (two hundred and thirty-eight)

2 Ordinal numbers

1st	primero	6th	sexto
2nd	segundo	7th	séptimo
3rd	tercero	8th	octavo
4th	cuarto	9th	noveno
5th	quinto	10th	décimo

Remember the following points when using ordinal numbers:

a Ordinal numbers agree with the noun: la primera persona; las tres primeras páginas; la novena mujer.

b **Primero** and **tercero** are shortened to **primer** and **tercer** in front of a masculine singular noun: el primer tren de alta velocidad; el tercer hombre.

c Though ordinal forms do exist above those shown (11th = undécimo; 20th = vigésimo), it is extremely rare to find any ordinal used after 10th. Cardinal numbers are usually used after that point and they follow the noun: el siglo dieciséis; el capítulo cincuenta y tres; Alfonso trece.

3 Uses of numerals

a Cardinal numbers are used when expressing the time: son las dos y media; a las seis en punto; son las doce menos cuarto.

b Cardinal numbers are used when giving the date, with the exception of "the first" where the ordinal **primero** is used: el primero de enero; el doce de mayo; el treinta y uno de marzo. Years cannot be expressed in hundreds – 1990 is written as "one thousand, nine hundred and ninety", not as "nineteen (hundred and) ninety": mil novecientos noventa.
When a date and year are used together, the word **de** is normally inserted between the two: el doce de febrero de 1985. When a day is used with a date, the article is placed before the day: el dos de abril *but* el domingo, dos de abril.
No article is used with the construction involving **estar**: Es el catorce de junio but Estamos a catorce de junio.
The word "on", used in English with days of the week and dates, is not translated into Spanish: Te veré el martes; llegó el siete de agosto.

c When talking about the dimensions of something, the height, breadth, depth, etc., are expressed either by the relevant adjective, *which is invariable*, or by the equivalent noun: Esta caja tiene diez pies de alto/largo/profundo/espeso; esta caja tiene diez pies de altura/longitud/profundidad/espesor.

d Remember to use **a** with distances: Liverpool está a más de 300 kilómetros de Londres.

e Useful expressions involving numbers:
○ los tres primeros capítulos (the first three chapters)
○ de segunda mano (second-hand)
○ unos seis días (about six days)
○ centenares de hombres (hundreds of men)
○ millares de soldados (thousands of soldiers)
○ el diez por ciento (ten per cent)
○ una veintena/treintena/un millar (About 20, 30, 1000)
○ veinte y tantos años después (20 odd years later)
○ ocho días (a week)
○ quince días (a fortnight)

PERSONAL PRONOUNS

1 Forms

There are three distinct groups of personal pronouns in Spanish: subject pronouns, object (both direct and indirect) pronouns, and disjunctive (also called "strong") pronouns:

Subject	Direct object	Indirect object	Disjunctive
yo	me	me	mí
tú	te	te	ti
él	lo ** / le	le	él
ella	la	le	ella
usted	le / lo ** / la	le	usted
(ello)*	(lo)		(ello)*
nosotros/as	nos	nos	nosotros
vosotros/as	os	os	vosotros
ellos	los/les**	les	ellos
ellas	las	les	ellas
ustedes	los/las/les**	les	ustedes

* See the note on the pronoun **ello** which you will find after the examination of the uses of disjunctive pronouns below.

** The form of the third person singular masculine direct object pronoun (**le/lo**) has frequently been a source of confusion for students. It has been stated that you should only use **le** to translate "him", **lo** being used only for "it" when this is masculine. Other books will tell you that **lo** is used for "him" in Latin America, and yet others say that either **le** or **lo** can be used correctly to translate "him".

Such confusion arises somewhat understandably from a variety of regional usage over the years. It seems these days that Spaniards are themselves divided on this question, and clearly either **lo** or **le** is acceptable as a translation of "him". The same is true of the use of **los** or **les** to translate "them". The important thing is to be *consistent* in what you decide to do.

2 Uses of direct and indirect object pronouns

a In most sentences, these pronouns will be found placed before the verb they accompany.
For example:
Le vi ayer / me ha dado el billete / nos acompañaron allí

b When the verb concerned is in either the infinitive or the gerund, the pronouns can be placed either on the end of it or in front of the verb on which the infinitive or gerund depends.
For example:
○ Voy a ponerle un empaste / le voy a poner un empaste
○ Estaban escribiéndolo / lo estaban escribiendo

c When the verb form is the positive imperative, the pronoun must be placed on the end of it. It will normally then be necessary to add an accent to preserve the stress. When the imperative is negative, the pronoun is placed before the verb (after the **no**).
For example:
○ póngalo aquí / dame la entrada / levántense
○ no lo pongas allí / no me des la entrada / no se levanten

d When two object pronouns accompany the same verb, one will normally be direct object and the other indirect. In such cases, whether they are placed before or after the verb concerned, the indirect one must come first.
For example:
○ Estaban escribiéndotela cuando llegué / te la estaban escribiendo cuando llegué
○ Iban a dármelo después / me lo iban a dar después
○ Nos lo han enviado
○ Démelo ahora mismo / no me lo dé hasta mañana

e When the two pronouns that accompany the same verb are both third person pronouns (i.e. both begin with the letter l) the indirect one must change from **le** or **les** to **se**.
For example:
○ Se lo di ayer (I gave it to him / to her / to you / to them yesterday.

f Since parts of the body and articles of clothing normally take a definite article rather than (as in English) the possessive adjective, an indirect personal pronoun is used with the verb to indicate the person concerned.
For example:
○ Me vendó la rodilla (He bandaged my knee)
○ Le lavé la cara (I washed his/her face)
○ Se cortó el dedo (He cut his [own] finger)
○ Le cortó el dedo (He cut his/her finger [someone else's])

g The pronoun **lo** is used in a variety of ways in Spanish in addition to its usual meaning of "it" (masculine). One of the most common of these is when it is followed by an adjective, in which case it becomes a neuter article, the meaning of which is shown in the following examples:
○ Lo trágico es que murieron tres personas (The tragic thing is

that three people died)
○ Lo más aconsejable es no decir nada (The most advisable thing is to say nothing)

3 Uses of disjunctive pronouns

a The most common use of these pronouns is after a preposition.
For example:
○ Lo he comprado para él
○ Salieron sin mí
○ Es un regalo de ellos

b The preposition **con** combines with **mí** and **ti** to form single words **conmigo** and **contigo**.
For example:
○ No quiere ir conmigo (He/she doesn't want to go with me)
○ Hablaré contigo mañana (I will talk to/with you tomorrow)

c Note that the preposition **entre** takes the subject pronouns and not the disjunctive forms.
For example:
○ Entre tú y yo, creo que no sabe lo difícil que es (Between you and me, I think he/she doesn't know how difficult it is)

d Disjunctive pronouns are also used to add emphasis to a direct or indirect object pronoun which is already present or to avoid the ambiguity caused by the various meanings of the pronouns **le/les/se**:
○ me lo dieron a mí, no a ti
○ a nosotros nos encantan los trenes de alta velocidad
○ le mandé la carta a él/a ella/a usted
○ les di las entradas a ellos/a ellas/a ustedes
○ se lo dije a él/a ella/a usted/a ellos/a ellas/a ustedes

◆ The pronoun **ello**
This pronoun is frequently misunderstood by students of Spanish. It is in fact a *neuter* pronoun (both subject and disjunctive). Since Spanish nouns are either masculine or feminine (and *never* neuter), they are represented by their corresponding masculine or feminine pronouns (i.e. **él** and **ella**), though of course subject pronouns are rarely used in the language. **Ello** is used to refer to a whole idea or fact which has already been expressed or understood in the sentence.

As a subject pronoun, **ello** means "it" or "this" (because of which it may well be replaced by the neuter demonstratives **esto** or **eso**):
○ Ello/esto es una tragedia (It/this is a tragedy)

As a disjunctive pronoun, **ello** also refers to a whole idea and can again be replaced by **esto** or **eso**:
○ Lo que hacían los padres le fascinaba: se interesaba constantemente en ello/eso (What the parents did fascinated him: he was always interested in it/that)

RELATIVE PRONOUNS

The English relative pronouns ("who", "which", "that", "whose", "where", etc.) can be translated into Spanish in several ways. This can often be a positive help rather than a source of confusion, as in lengthy passages of Spanish one can avoid constant repetition of the word **que**.

Most relative pronouns refer to and come immediately after nouns in both languages, although there are two important differences to remember between the way they are used in English and Spanish:

1 While in English it is common to find the relative pronoun omitted in a sentence, this must never happen in Spanish.
For example:
○ La casa que compró el año pasado (The house [which] he bought last year)

2 When a preposition is used with a relative pronoun, it must not be separated from it as sometimes happens in English.
For example:
○ La casa en la que vivía (The house in which he lived *or* the house which he lived in)

The main forms and uses of the relative pronouns in Spanish are as follows:

a Que
This is the most common of the relative pronouns in Spanish. It can refer to persons and things (except after a preposition when it can only refer to things), to both masculine and feminine nouns, and also to singular and plural nouns.
For example:
○ Las mujeres que hacen la comida (The women who do the cooking)
○ La autopista que construían (The motorway which they were building)
○ Los muebles que compraron la semana pasada (The furniture they bought last week)

b Quien (plural **quienes**)
This is used to refer to persons only, and *must* be used in place of **que** after a preposition including personal **a**.
For example:
○ Los habitantes a quienes atacaron (The inhabitants they attacked)
○ El representante, quien llegó poco después (The representative, who arrived soon after)
Note the use of **quien(es)** in the following:
○ Soy yo quien lo hice/hizo (I'm the one who did it)

c El que, la que, los que, las que; el cual, la cual, los cuales, las cuales
These pronouns are used as alternatives to **que** and are frequently seen after prepositions, the **el cual** forms being more common. Since the article is used with them, they can be especially useful in sentences where the presence of a variety of nouns of different genders and numbers can cause confusion or ambiguity if only **que** is used.
For example:
○ Esperábamos a la madre de nuestro amigo, la cual (*or* la que) tenía las llaves (We were waiting for our friend's mother, who had the keys)
(Note that if **que** were used in this sentence, it would mean that the friend had the keys.)
○ La empresa para la cual trabaja (The company for which he/she works)
○ Las casas detrás de las cuales había un colegio (The houses behind which there was a school)
○ Los alumnos con los que había asistido a las clases (The pupils with whom he/she had attended the lessons)

Note that with short prepositions such as **en, a, con** or **de**, it is usual to find **que** used instead of **el cual** etc.

For example:
○ La casa en que vivía (The house I used to live in)

d Lo que, lo cual

These are neuter forms of relative pronouns and cannot therefore refer to specific nouns which are either masculine or feminine. Instead, they refer to a whole clause or idea.

For example:
○ Ganó poco dinero, lo que (lo cual) le hizo enfermar (He earned little money, which made him ill)

Here, it is not the money but the idea of earning little of it, which made him ill.

(Todo) lo que ... is also frequently used in another way, to mean "(everything) which", "what", "that which".

For example:
○ No comprendí lo que había pasado (I did not understand what had happened)
○ Compraron todo lo que vieron (They bought everything which they saw)

In this last example, **cuanto** could also be used:
○ Compraron cuanto vieron

e Cuyo, cuya, cuyos, cuyas

These words, meaning "whose" or "of which", are adjectives and therefore agree with the nouns they qualify.

For example:
○ Fue un carpintero cuya vida había sido muy triste (He was a carpenter whose life had been very sad)
○ Alquiló un cuarto cuyas paredes estaban pintadas de azul (He rented a room the walls of which were painted blue)

f Donde

This can replace **que** or **en que** in examples such as the following:
○ Llegaron al estadio donde (en que) se había celebrado el partido (They reached the stadium where [in which] the match had taken place)

INTERROGATIVES

The interrogative pronouns are:

¿qué? what, which?	¿(a)dónde? where?
¿cuál? which, what?	¿quién? who?
¿cómo? how?	¿por qué? why?
¿cuándo? when?	¿cuánto? how much?

¿Qué? and not **¿cuál?** translates the *adjective* "which", "what".

for example:
¿Qué hora es? (What time is it?)
¿Qué revista quieres? (Which magazine do you want?)

2 When translating "what" or "which" as a pronoun, **cuál** is used (a) in cases of choice and (b) before the verb "to be", except when you are asking for a definition.

For example:
○ ¿Cuál prefieres? (Which do you prefer?, giving a choice between two or more things)
○ ¿Cuál es el resultado? (What is the result?)
  but ○ ¿Qué es la música? (What is music?)

3 Remember that the accent must still be included on a question word even if the question is indirect.

For example:
○ No sé a qué hora vamos a acabar hoy (I don't know what time we are going to finish today)
○ Le pregunté quién iba a la ciudad (I asked him who was going to the town)

EXCLAMATIVES

The most common exclamatives are:
¡cómo! (what!)
¡cuánto/a/os/as! (how [much]!)
¡qué! (what a, how!)

These are the standard words for exclamations in Spanish. They can be translated in a variety of ways.

For example:
○ ¡Qué vergüenza! (What a disgrace! How disgraceful!)
○ ¡Qué guapa estás! (How pretty you look!)
○ ¡Cómo! ¿Y quién le ha dicho semejante cosa? (What! And who told you such a thing?)
○ ¡Cuánto me alegro! (How pleased I am!)
○ ¡Cuántas veces te lo he dicho! (How many times have I told you!)

After **qué** + noun, a following adjective is preceded by **más** or **tan**.

For example:
○ ¡Qué tío tan feo! (What an ugly fellow!)
○ ¡Qué noche más tranquila! (What a calm night!)

DEMONSTRATIVE ADJECTIVES AND PRONOUNS

1 Adjectives

The words for "this" and "these" in Spanish are **este, esta, estos** and **estas.**
There are two ways of saying "that" and "those": **ese, esa, esos, esas;** and **aquel, aquella, aquellos, aquellas.**

You can use either of the latter words for "that", although **ese** tends to be more common; also **aquel** usually refers to something that is some distance away from the person speaking and the person spoken to.

For example:
○ Este coche, esa bicicleta y aquellos camiones (This car, that bicycle and those lorries)

2 Pronouns

These are the same as the adjectives, except that they carry an accent: **éste, ése, aquél.** The pronoun agrees in gender and number with the noun to which it refers.

For example:
○ Este padre y ése (This father and that one)
○ Esa casa y ésta (That house and this one)

Note that the pronouns **aquél** and **éste** can also mean "the former" and "the latter" respectively.

For example:
- Juan no comprendía la actitud de su madre ni la de su padre: aquélla le parecía demasiado emocional y éste demasiado racional (John did not understand the attitude of his mother and father: the former seemed too emotional to him, and the latter too rational)

3 Neuter forms

Esto, eso and **aquello** tend to cause some confusion amongst students of Spanish. They are not masculine but neuter forms and therefore do not refer to a specific noun of fixed gender. They translate "this" and "that" when they have no gender at all.

For example:
- ¿Quién ha hecho esto? (Who has done this?)
- No comprendo eso (I do not understand that)

Note also that **esto de** and **eso de** are used with the meaning "this business of "and "that matter of":
- Esto de su padre me preocupa (This business about your father worries me)
- Le hablé de eso de la barrera generacional (I spoke to him about that matter of the generation gap)

The pronoun **lo** followed by **de** has a similar meaning:
- Lo de las clases particulares es difícil de solucionar (The question of private lessons is difficult to solve)

El, la, los and **las** are used in front of **de** or **que** with the meanings "he who", "they who", "the one which", "those of", etc.

For example:
- Mi padre y el de Juan (My father and John's)
- Tus amigos y los de María (Your friends and María's)
- Estas patatas y las que compramos ayer (These potatoes and the ones [those] that we bought yesterday)

POSSESSIVE ADJECTIVES AND PRONOUNS

1 Possessive adjectives

my	mi/mis
your (tu)	tu/tus
his/her/your (polite)	su/sus
our	nuestro/nuestra/nuestros/nuestras
your (familiar)	vuestro/vuestra/vuestros/vuestras
their/your (polite)	su/sus

For example:
- mis padres; su hermana; nuestras amigas, etc.

Note: there is a second form of possessive adjectives in Spanish:
mío/mía/míos/mías
tuyo/tuya/tuyos/tuyas
suyo/suya/suyos/suyas
nuestro/nuestra/nuestros/nuestras
vuestro/vuestra/vuestros/vuestras
suyo/ suya/ suyos/ suyas

These adjectives have only a few limited uses. Unlike the other forms, they are placed after the noun.

All of these adjectives agree in gender and number with the thing possessed, and not with the possessor.

For example:
- Es un amigo mío or uno de mis amigos (He is a friend of mine)
- Muy señor mío (Dear Sir)
- Un amigo suyo (A friend of hers/his/yours) [**suyo** agrees with **amigo**]
- Una amiga **suya** (A friend of hers/his/yours) [**suya** agrees with **amiga**]

2 Possessive pronouns

The possessive pronouns (mine, yours, his, hers, ours, theirs) have the same forms as the second group of adjectives above. They usually also carry the definite article.

For example:
- Fue allí con su mujer y la mía (He went there with his wife and mine)
- Tus hermanos están en el café; los suyos no han llegado todavía (Your brothers and sisters are in the café; his [or hers/yours/theirs] have not yet arrived.

Note: The definite article is not normally included when the possessive pronoun follows the verb **ser.**

For example:
- Esta casa es mía (This house is mine)
- Descubrimos que los libros eran suyos (We discovered that the books were his/hers/theirs/yours)

As can be seen from the above, **su/sus** and **el suyo/la suya,** etc. can mean a number of things:
- su casa (his/her/your (polite)/your (polite plural)/their house)
- Mis papeles y los suyos (My papers and his/hers/yours/theirs)

The sense will often be quite clear from the context of the conversation or passage concerned. When there is a danger of ambiguity, however, the meaning can be made clear by the use of **de** followed by the relevant disjunctive pronoun (**de él, de ella, de usted, de ellos, de ustedes**).

With the possessive adjective, **de él,** etc. is merely added to the sentence:
- Su casa de él, su casa de ella, su casa de ustedes, etc.

With the possessive pronoun, however, the word **suyo, suya,** etc. is omitted before **de él** is added:
- Mi casa y la de él/de ella/de ustedes (i.e. *not* la suya de él, etc.)
- Los papeles eran de él, de ella, de usted, etc.

ADVERBS

Adverbs qualify verbs, i.e. they tell you something precise about how, when or where the verbal action takes place.

For example:
- **How:** Andábamos despacio (We were walking slowly)
- **When:** Ahora vienen (They're coming now)
- **Where:** ¡Ven aquí! (Come here!)

1 Most "how" adverbs are formed by adding **-mente** to the feminine singular of the adjective.

For example:
- lento (slow); lentamente (slowly)
- frecuente (frequent); frecuentemente (frequently)

Frecuentemente could also be expressed by placing **con** before the abstract noun: **con frecuencia.** This form is used more with longer adverbs, e.g. **con inteligencia** is preferable to **inteligentemente.**

2 Where two or more **-mente** adverbs are joined together by a conjunction, only the last one retains the ending.
For example:
○ Trabajábamos rápida y eficazmente (We worked speedily and effectively)

3 Spanish often prefers to use an adjective where English uses an adverb.
For example:
○ Vivo feliz (I live happily)
○ Esto se ve muy claro (That can be seen clearly)
○ Debes hablar más alto (You must speak more loudly)

PREPOSITIONS

Prepositions "govern" nouns, that is to say, they precede nouns and link them with the rest of the sentence, e.g. La familia vivía **bajo** el puente; estaban parados **delante de** la casa. It is a common mistake for the student to use the preposition which most literally resembles the English.

1 A
A is used to express movement towards, i.e. "to", "into". It does not have the sense of "at", which is usually **en.**
For example:
○ Vamos a la estación (Let's go to the station)
○ Después pasaron al jardín (Then they went into the garden)

2 Ante
Ante meaning "before", "in the presence of" is often an alternative to **delante de,** and must not be confused with **antes de,** meaning "before" in *time.*
For example:
○ El criminal compareció ante el juez (The criminal appeared before the judge)
But ○ Debes venir antes de las seis (You must come before six)

3 Bajo/debajo de
Debajo de means physically "underneath". **Bajo** is often interchangeable with **debajo de** in this sense, and, in addition, it is used for "under" in a figurative sense.
For example:
○ La llave está debajo de la piedra (The key is under the stone)
○ El aerodromo estaba bajo el control del general Martínez (The aerodrome was under the control of General Martínez)

4 De
The English prepositions "in" and "with" are sometimes translated by **de** in the sense of "belonging to".
For example:
○ El hombre de los zapatos blancos (The man in/with the white shoes)

5 Desde
Desde, like **de,** means "from", and is often preferred for emphasis.
For example:
○ Desde el puente se veían lejos los montes (From the bridge

the hills could be seen far off)

6 En
En usually translates English "at" in the sense of being within an area, such as a building.
For example:
Estábamos esperando en la estación (We were waiting at the station)

7 Hacia
○ **Hacia** means "towards" and must not be confused with **hasta,** meaning "up to", "until".
For example:
○ Íbamos despacio hacia la montaña (We went slowly towards the mountain). **Hasta la montaña** would mean "as far as the mountain".

8 Por/Para See Chapter 10, p. 179

9 Sobre
Sobre has a variety of meanings:

a "on", "on top of".
For example:
○ Pon el periódico sobre la mesa (Put the newspaper on the table)

b "about" with reference to time.
For example:
○ Llegó sobre las ocho (He arrived at about 8 o'clock)

c "concerning"
For example:
○ Dio una charla sobre el sistema educativo español (He gave a talk about the Spanish educational system)

RADICAL-CHANGING VERBS

1 The present indicative tense

The following are examples of the radical changes affecting the present tense of certain verbs as outlined in Chapter 1.

a O > UE:

ENCONTRAR(ue)	VOLVER(ue)	DORMIR(ue)
encuentro	vuelvo	duermo
encuentras	vuelves	duermes
encuentra	vuelve	duerme
encontramos	volvemos	dormimos
encontráis	volvéis	dormís
encuentran	vuelven	duermen

b E > IE:

EMPEZAR(ie)	PERDER(ie)	SENTIR(ie)
empiezo	pierdo	siento
empiezas	pierdes	sientes
empieza	pierde	siente
empezamos	perdemos	sentimos
empezáis	perdéis	sentís
empiezan	pierden	sienten

c E > I: PEDIR(i)
pido
pides
pide
pedimos
pedís
piden

2 The present subjunctive

Since the present subjunctive of most Spanish verbs is formed from the first person singular of the present tense, it follows that it will also contain the above radical changes. For example:

VOLVER(ue)	CERRAR(ie)	DORMIR(ue)	SENTIR(ie)	PEDIR(i)
vuelva	cierre	duerma	sienta	pida
vuelvas	cierres	duermas	sientas	pidas
vuelva	cierre	duerma	sienta	pida
volvamos	cerremos	durmamos	sintamos	pidamos
volváis	cerréis	durmáis	sintáis	pidáis
vuelvan	cierren	duerman	sientan	pidan

Note: Notice that for all -**ir** verbs that contain a radical change in the present tense, there is also a change in the **nosotros** and **vosotros** forms of the present subjunctive. This change however only consists of a single letter. In other words, -**ir** verbs which change from **e > ie** or **e > i** in the present tense will change from **e > i** in these two persons of the present subjunctive; those which change from **o > ue** in the present tense will change from **o > u** in the same places.

3 Other changes

The only other radical changes that you will find in Spanish affect one or two other tenses of -**ir** verbs. Here too, the change that occurs is only a *single* letter each time – **i** for verbs that change in the present tense from **e > ie**, e.g. **sentir(ie)** or **e > i**, e.g. **pedir(i)**; and **u** for those that change from **o > ue**, e.g. **dormir (ue)**. The parts of the verbs affected are as follows:

a The *preterite* tense (but *only* in the third persons singular and plural)

DORMIR(ue)	SENTIR(ie)	PEDIR(i)
dormí	sentí	pedí
dormiste	sentiste	pediste
durmió	sintió	pidió
dormimos	sentimos	pedimos
dormisteis	sentisteis	pedisteis
durmieron	sintieron	pidieron

b The *imperfect subjunctive*. Since the latter is always formed from the third person plural of the preterite tense, it follows that the single letter change described above will be present *throughout* the imperfect subjunctive.

DORMIR(ue)	SENTIR(ie)	PEDIR(i)
durmiera (durmiese)	sintiera (sintiese)	pidiera (pidiese)
durmieras	sintieras	pidieras
durmiera	sintiera	pidiera
durmiéramos	sintiéramos	pidiéramos
durmierais	sintierais	pidierais
durmieran	sintieran	pidieran

c *The gerund*

DORMIR(ue)	SENTIR(ie)	PEDIR(i)
durmiendo	sintiendo	pidiendo

SPELLING CHANGES REQUIRED IN VERB FORMS

As mentioned in the study of irregular present tense spellings in Chapter 1, there are two main reasons for spelling changes required in verb forms:

1 Changes that have to be made to avoid an incorrect pronunciation of a letter. This is particularly true of the letters "c" and "g". The basic rule is that the sound these letters have in the infinitive form must be preserved.

a The following verbs will therefore require a spelling change in the present subjunctive and the first person singular of the preterite tense:

○ Verbs ending in -**car**, for example: **sacar**

Subjunctive:	saque	*Preterite:*	saqué
	saques		sacaste
	saque		sacó
	etc.		etc.

○ Verbs ending in -**gar**, for example: **pagar**

Subjunctive:	pague	*Preterite:*	pagué
	pagues		pagaste
	pague		pagó
	etc.		etc.

○ Verbs ending in -**zar**, for example: **empezar(ie)**

Subjunctive:	empiece	*Preterite:*	empecé
	empieces		empezaste
	empiece		empezó
	etc.		etc.

Note: The latter spelling change occurs for the reason that a "z" cannot be followed by an "e" or "i" in Spanish, even though the pronunciation would not be changed in this case.

○ **Verbs ending in -guar**, where the "gw" sound of the infinitive must also be preserved, for example: **averiguar**

Subjunctive:	averigüe	*Preterite:*	averigüé
	averigües		averiguaste
	averigüe		averiguó
	etc.		etc.

b For the same reasons, the following verbs will require a spelling change in the present subjunctive and the first person singular of the present tense:

○ Verbs ending in -**ger** or -**gir**, for example: **coger**

Subjunctive:	coja	*Present:*	cojo
	cojas		coges
	coja		coge
	etc.		etc.

○ Verbs ending in -**cer** or -**cir**, for example: **vencer**

Subjunctive:	venza	*Present:*	venzo
	venzas		vences
	venza		vence
	etc.		etc.

○ Verbs ending in -**guir**, for example: **seguir(i)**

Subjunctive:	siga	*Present:*	sigo
	sigas		sigues
	siga		sigue
	etc.		etc.

Verbs that end in -**uar** and -**iar** will also need to add an accent in the three singular persons and the third person plural of the present indicative and the present subjunctive, so that the "weak" vowel (**u** or **i**) is correctly stressed where necessary. For example:

	CONTINUAR	ENVIAR
Present indicative:	continúo	envío
	continúas	envías
	continúa	envía
	continuamos	enviamos
	continuáis	enviáis
	continúan	envían
Present subjunctive:	continúe	envíe
	continúes	envíes
	continúe	envíe
	continuemos	enviemos
	continuéis	enviéis
	continúen	envíen

2 Changes that occur simply because the pronunciation of the word concerned tends to produce it naturally rather than for any grammatical reason. All such verbs are of the **-er** or **-ir** variety and the persons affected are those where an **i** would normally be expected but is omitted, namely the third person singular and plural of the preterite tense, the whole of the imperfect subjunctive, and the gerund:

	BULLIR	GRUÑIR
Preterite:	bulló	gruñó
	bulleron	gruñeron
Imperfect subjunctive:	bullese, etc.	gruñese, etc.
	bullera, etc.	gruñera, etc.
Gerund:	bullendo	gruñendo

The same situation also causes the change of the **i** to a letter **y** in the same places in **-er** and **-ir** verbs where another vowel immediately precedes the infinitive ending:

	CAER	LEER	CONSTRUIR
Preterite:	cayó	leyó	construyó
	cayeron	leyeron	construyeron
Imperfect subjunctive:	cayese, etc.	leyese, etc.	construyese, etc.
	cayera, etc.	leyera, etc.	construyera, etc.
Gerund:	cayendo	leyendo	construyendo

Finally, notice also that verbs ending in **-oir** or **-uir** have a letter **y** in all singular persons and the third person plural of the present indicative:

OÍR	CONSTRUIR
oigo	construyo
oyes	construyes
oye	construye
oímos	construimos
oís	construís
oyen	construyen

REFLEXIVE VERBS

1 The form of a reflexive verb

It is important to remember that a reflexive verb only differs from a non-reflexive verb in its form in that it must always be accompanied by the reflexive pronoun.

For example: **levantarse**.

Present	Future	Preterite	Perfect
me levanto	me levantaré	me levanté	me he levantado
te levantas	te levantarás	te levantaste	te has levantado
se levanta	se levantará	se levantó	se ha levantado
nos levanta-mos	nos levantare-mos	nos levan-tamos	nos hemos levantado
os levantáis	os levantaréis	os levantasteis	os habéis levan-tado
se levantan	se levantarán	se levantaron	se han levantado

2 The reflexive pronoun

In terms of its position in the sentence, a reflexive pronoun follows the same rules as the normal object pronouns. In other words:

a Its usual position is in front of the verb, as seen above.

b When used with the infinitive or with the gerund, it can be placed either on the end of them or in front of the accompanying auxiliary verb.
For example:
○ Voy a levantarme a las siete / me voy a levantar a las siete.
○ Estaba levantándose/se estaba levantando

c When used with the imperative form of the verb, it must be placed on the end of a positive imperative, but in front of a negative one (after the **no**).
For example:
○ levántate/levántese/levántense
○ no te levantes/no se levante/no se levanten

Note that in the first and second person plural positive imperatives of a reflexive verb, the **s** and **d** respectively are dropped.
For example:
○ levantémonos/durmámonos/divirtámonos
○ sentaos/volveos/salíos

The one important exception to the above rule occurs in the form **idos** from the verb **irse**.

3 Uses of the reflexive verb

a As a straightforward rendering of a true reflexive meaning.
For example:
○ cortar (to cut) but cortarse (to cut oneself)

b In a verb which is simply always reflexive in Spanish, but which has no reflexive meaning in English.
For example:
○ quejarse (to complain); jactarse (to boast)

c To give the intransitive version of the non-reflexive verb which has a transitive meaning, in contrast to English where there is no distinction made. For example, in English "to wash" can be both transitive and intransitive, but in Spanish the intransitive version is rendered by making the verb reflexive.
For example:
○ Lavó al enfermo (He/she washed the patient)
but ○ El enfermo se lavó (the patient washed himself)

d To give extra force to the non-reflexive form of the verb.
For example:
○ Comió el pastel de chocolate (He/she ate the chocolate cake)
but ○ Se comió todo el pastel de chocolate (implying he or she "gobbled" it down)

e To express a reciprocal ("each other") or a reflexive ("themselves") idea. In other words, **se mataron** could mean both "they killed each other" and "they killed themselves". Where the ambiguity is not made clear by the context of the sentence, it can be resolved by the use of **a sí mismo(s)** for reflexive actions, or **el(los) uno(s) al (a los) otro(s)** for reciprocal actions.
For example:
○ Se mataron a sí mismos (They killed themselves)
○ Se mataron el uno al otro (They killed each other/one another)

f To provide a modified or even at times a completely different meaning when compared with the non-reflexive form of the verb.
For example:
○ dormir (to sleep)/dormirse (to fall asleep)
○ ir (to go)/irse (to go away)
○ hacer (to do)/hacerse (to become)

g As one of the most common ways in Spanish of expressing the passive.
For example:
○ Las casas se construyeron en 1977 (The houses were built in 1977)
○ Aquí se cambia dinero (Money [is] changed here)

THE IMPERATIVE FORM OF VERBS

As mentioned in Chapter 3, the imperative forms of Spanish verbs can at first seem to be immensely complicated simply because there are four different words for "you" and also because imperatives can be formed for the first person plural (e.g. let us work hard) and the third persons (let him/her/them come in). In practice, however, the whole affair can be kept in perspective as long as you remember a few simple rules that govern all of the imperatives you can encounter.

The two imperatives that differ in their formation from all others are the *positive* commands for **tú** and **vosotros**.

1 Positive tú commands

To form this imperative for most verbs in Spanish, it is simply necessary to remove the letter **s** from the end of the corresponding person of the present indicative:

Present Indicative	Imperative
hablas	habla
escribes	escribe
cierras	cierra
pides	pide
te diviertes	diviértete

There are, however, a few positive **tú** commands that are irregular and have to be learnt separately:

decir > di	hacer > haz	ir > ve
poner > pon	salir > sal	ser > sé
tener > ten	venir > ven	

2 Positive vosotros commands

These imperatives are formed by removing the **-ar, -er** or **-ir** endings from the corresponding infinitives and then adding **-ad, -ed** or **-id** to the stem:

Infinitive	Imperative
hablar	hablad
comer	comed
escribir	escribid
cerrar	cerrad
pedir	pedid
divertirse	divertíos
levantarse	levantaos
hacerse	haceos

Notice that with reflexive verbs, the letter **d** is omitted before the reflexive pronoun, the one important exception being in the form **idos** from the verb **irse.**

3 All other commands

The positive **usted, ustedes, nosotros** and third persons, as well as *all* negative commands are formed by placing the verb in the corresponding person of the present subjunctive:

a Positive **usted** forms: hábleme/acompáñenos/siga las señales

b Positive **ustedes** forms: háblenme/acompáñennos/sigan las señales

c Positive **nosotros** forms: hablemos español/ acompañémosle/sigamos las señales
Note that in reflexive verbs, the positive **nosotros** imperative omits the **s** before the reflexive pronoun:
○ levantémonos; hacémonos rebeldes; divirtámonos

d Positive third persons: **(que) viva/(que) entren todos**
Note that the word **que** is frequently, though not always, used before the third person imperative.

e Negative commands: **Tú:** no lo hagas/no me hables ahora
Usted: no lo haga/no me hable ahora
Nosotros: no lo hagamos; no le hablemos ahora
Vosotros: no lo hagáis/no nos habléis ahora
Ustedes: no lo hagan/no nos hablen ahora

THE FUTURE AND CONDITIONAL TENSES

1 Forms

As mentioned in Chapter 3, these two tenses have the same stem (usually the full infinitive) of the verb, and the endings for each of them never vary:

	CERRAR	COMER	ESCRIBIR	LEVANTARSE	OÍR
Future:					
	cerraré	comeré	escribiré	me levantaré	oiré
	cerrarás	comerás	escribirás	te levantarás	oirás
	cerrará	comerá	escribirá	se levantará	oirá
	cerraremos	comeremos	escribiremos	nos levantaremos	oiremos
	cerraréis	comeréis	escribiréis	os levantaréis	oiréis
	cerrarán	comerán	escribirán	se levantarán	oirán
Conditional:					
	cerraría	comería	escribiría	me levantaría	oiría
	cerrarías	comerías	escribirías	te levantarías	oirías
	cerraría	comería	escribiría	se levantaría	oiría
	cerraríamos	comeríamos	escribiríamos	nos levantaríamos	oiríamos
	cerraríais	comeríais	escribiríais	os levantaríais	oiríais
	cerrarían	comerían	escribirían	se levantarían	oirían

There is a number of very common verbs whose future (and therefore conditional) stems are irregular, although the endings are always identical to the above. You will find these verbs detailed in the Verb Tables beginning on page 248. One example is the verb **hacer:**

Future:	haré	*Conditional:*	haría
	harás		harías
	hará		haría
	haremos		haríamos
	haréis		haríais
	harán		harían

2 Uses of the future and conditional tenses

Apart from their normal meanings and uses, and those mentioned in Chapter 3, the following points are worthy of note:
a The future can be used to express probability or assumption:
For example:
○ Serán las cuatro (It must be/I guess it is four o'clock)

b Similarly the conditional tense can express probability in the past.
For example:
○ Serían las cuatro cuando llegaron (It was probably / must have been/would have been around four o'clock when they arrived)

c When the English words "will" and "would" carry the meaning of "willing to", then the verb **querer** is used rather than the Future and Conditional tenses:
For example:
○ ¿Quieres abrir la ventana, por favor? (Will you open the window, please?)
○ No quería hacerlo en ese momento (He would not [i.e. refused to/was unwilling to] do it at that moment)

d One can also find the present subjunctive or present indicative used to translate the idea of "shall" or "will":
○ ¿Quieres que te acompañe?/¿Te acompaño? (Shall I go with you?)
○ El tren llega a las tres (The train will arrive at three)
○ ¿Qué hacemos ahora? (What shall we do now?)

THE PRETERITE TENSE

1 Forms

The following are examples of the main types of preterite tense as identified briefly in Chapter 1.

a *Regular verbs:*

HABLAR	COMER	VIVIR
hablé	comí	viví
hablaste	comiste	viviste
habló	comió	vivió
hablamos	comimos	vivimos
hablasteis	comisteis	vivisteis
hablaron	comieron	vivieron

b *"Weak" preterites* (so called because they carry no accents). Despite the varied stems of these verbs, they are easily identified because the first person always ends with an unaccented **e**. Some of the most common irregular verbs in Spanish belong to this group:

PONER	ESTAR	DECIR **	VENIR
puse	estuve	dije	vine
pusiste	estuviste	dijiste	viniste
puso	estuvo	dijo	vino
pusimos	estuvimos	dijimos	vinimos
pusisteis	estuvisteis	dijisteis	vinisteis
pusieron	estuvieron	dijeron	vinieron

** Note that verbs like **decir,** where the preterite stem ends with a **j,** lose the letter **i** from the ending of the third person plural. Other examples are **trajeron** (from **traer**), **condujeron** (from **conducir**).

c **-ir** verbs which are radical-changing in the present tense. A single letter radical change is also included in the preterite tense, but only in the third persons:

DORMIR(ue)	SENTIR(ie)	SEGUIR(i)	REIR(i)
dormí	sentí	seguí	reí
dormiste	sentiste	seguiste	reíste
durmió	sintió	siguió	rio
dormimos	sentimos	seguimos	reímos
dormisteis	sentisteis	seguisteis	reísteis
durmieron	sintieron	siguieron	rieron

d The verbs **ser** and **ir** have the same preterite tense:

fui	fuimos
fuiste	fuisteis
fue	fueron

e The verbs **dar** and **ver** are similar in their preterites:

di	vi
diste	viste
dio	vio
dimos	vimos
disteis	visteis
dieron	vieron

2 Uses

The preterite refers to completed actions in the past in the following cases:

a For narrative events or a series of events that followed one another. *(cont.)*

For example:
- Primero vivieron en Alcalá de Henares. Después, fueron a Madrid. (At first they lived in Alcalá de Henares. Then they went to Madrid)

b For events or actions that happened at a specific moment which is usually mentioned.
For example:
- Se reunieron a las cinco (They met at five o'clock)

c For events or actions that lasted for a specified length of time, even if it was for months or years.
For example:
- Vivieron bajo el puente durante diez años. (They lived under the bridge for ten years)

d To describe an action that suddenly happened while something else was going on (the imperfect being used for the latter).
For example:
- Votaban para el Consejo Escolar cuando entró el director (They were voting for the School Council when the headmaster came in)

THE IMPERFECT TENSE

1 Forms

As mentioned in Chapter 2, there are very few irregularities in the imperfect tense. There is one set of endings for **-ar** verbs and another for **-er** and **-ir** verbs:

HABLAR	PERDER	ESCRIBIR
hablaba	perdía	escribía
hablabas	perdías	escribías
hablaba	perdía	escribía
hablábamos	perdíamos	escribíamos
hablabais	perdíais	escribíais
hablaban	perdían	escribían

Only three verbs are irregular in the imperfect tense:

SER	IR	VER
era	iba	veía
eras	ibas	veías
era	iba	veía
éramos	íbamos	veíamos
erais	ibais	veíais
eran	iban	veían

2 Uses

a It is the tense used to set the scene in a story, and for general descriptions of people and things.
For example:
- Hacía mucho viento y llovía fuerte ... (It was very windy and raining heavily ...)
- Era un hombre muy grande (He was a very big man)

b It describes what was happening when another event suddenly took place.
For example:
- Andaba por el andén cuando el tren empezó a salir (He/she was walking along the platform when the train began to leave)

c It translates the English words "was/were doing" and "used to do".
For example:
- Votaban para los Consejos Escolares (They were voting for the School Council)
- Yo le pedía siempre permiso a él (I always used to ask his permission)

d It is used to convey habitual or repeated actions.
For example:
- Yo le escribía una carta todos los días (I used to write a letter to him every day)

e It is used to convey actions that went on for an unspecified length of time in the past (as opposed to the preterite tense which is used when the length of time is clearly specified).
For example:
- Vivíamos en Madrid (We lived [or used to live] in Madrid)
- Vivimos 20 años en Madrid (We lived in Madrid for 20 years)

COMPOUND TENSES

1 Forms

The various forms, uses and meanings of all of the compound tenses (except for the past anterior – see below) are dealt with in some detail in Chapter 4. Here, we offer simply examples of the full form of each of the tenses and one or two extra notes not mentioned in Chapter 4.

HABLAR	PERDER	DIVERTIRSE
Perfect:		
he hablado	he perdido	me he divertido
has hablado	has perdido	te has divertido
ha hablado	ha perdido	se ha divertido
hemos hablado	hemos perdido	nos hemos divertido
habéis hablado	habéis perdido	os habéis divertido
han hablado	han perdido	se han divertido
Pluperfect:		
había hablado	había perdido	me había divertido
habías hablado	habías perdido	te habías divertido
había hablado	había perdido	se había divertido
habíamos hablado	habíamos perdido	nos habíamos divertido
habíais hablado	habíais perdido	os habíais divertido
habían hablado	habían perdido	se habían divertido
Future Perfect:		
habré hablado	habré perdido	me habré divertido
habrás hablado	habrás perdido	te habrás divertido
habrá hablado	habrá perdido	se habrá divertido
habremos hablado	habremos perdido	nos habremos divertido
habréis hablado	habréis perdido	os habréis divertido
habrán hablado	habrán perdido	se habrán divertido
Conditional Perfect:		
habría hablado	habría perdido	me habría divertido
habrías hablado	habrías perdido	te habrías divertido
habría hablado	habría perdido	se habría divertido
habríamos hablado	habríamos perdido	nos habríamos divertido
habríais hablado	habríais perdido	os habríais divertido
habrían hablado	habrían perdido	se habrían divertido

Past Anterior:

hube hablado	hube perdido	me hube divertido
hubiste hablado	hubiste perdido	te hubiste divertido
hubo hablado	hubo perdido	se hubo divertido
hubimos hablado	hubimos perdido	nos hubimos divertido
hubisteis hablado	hubisteis perdido	os hubisteis divertido
hubieron hablado	hubieron perdido	se hubieron divertido

2 Uses of the past anterior

The past anterior (formed by using the preterite tense of the auxiliary verb **haber** followed by the past participle), has the same meaning as the pluperfect tense (i.e. *had* spoken, *had* lost, etc.) It is used to replace the pluperfect tense in certain sentences when the following three conditions all apply:

a The pluperfect verb is preceded by a time conjunction (e.g. **luego que, en cuanto, tan pronto como, cuando, después que,** etc.).

b The verb after the time conjunction has pluperfect meaning:

c The verb appearing later in the sentence (in the main clause) is in the preterite tense.

For example:

    a   **b**   **c**

○ Cuando hubo terminado, fuimos al parque (When he [had] finished, we went to the park)

    a   **b**   **c**

○ En cuanto hubimos votado, salimos del colegio (As soon as we had voted, we left the school)

Despite the above, it is by no means uncommon to find the past anterior itself replaced by a preterite tense in Spanish.

For example:

○ Cuando terminó, fuimos al parque (When he [had] finished, we went to the park)

3 Other points

a As in the case of the future and conditional tenses, the future perfect and conditional perfect can be used to express an element of probability or assumption.

For example:

○ Sin duda, no habrá leído este libro (No doubt, he won't have read this book/he probably hasn't read this book)

○ Habría sido muy guapa (She might have been/would probably have been very beautiful)

b Remember that several very common Spanish verbs have irregular past participles. You will find them all listed in the Verb Tables beginning on page 248.

THE SUBJUNCTIVE

1 Formation of the present subjunctive

a To form the present subjunctive of most **-ar** verbs you take the first person singular of the present indicative, remove the **o** and add the appropriate endings, as listed below. As you can see, an **-ar** verb appears like an **-er** verb and an **-er** or **-ir** verb appears like an **-ar** verb.

MIRAR	COMER	ESCRIBIR
mire	coma	escriba
mires	comas	escribas
mire	coma	escriba
miremos	comamos	escribamos
miréis	comáis	escribáis
miren	coman	escriban

b Radical-changing verbs also obey this rule and, as in the present indicative, no change takes place in the first persons plural.

PENSAR	PERDER
piense	pierda
pienses	pierdas
piense	pierda
pensemos	perdamos
penséis	perdáis
piensen	pierdan

Note, however, that radical-changing verbs ending in **-ir** also change the stem of the first and second persons plural, from **e** to **i** and **o** to **u**.

DORMIR	SENTIR	PEDIR
duerma	sienta	pida
duermas	sientas	pidas
duerma	sienta	pida
durmamos	sintamos	pidamos
durmáis	sintáis	pidáis
duerman	sientan	pidan

Irregular verbs follow the same rule for the formation of the present subjunctive (e.g. **tener** forms **tenga, tengas,** etc.), with the exception of **dar, estar, haber, ir, saber,** and **ser**). See verb tables for these forms.

2 Formation of the imperfect subjunctive

There are two ways of forming the imperfect subjunctive, and the forms are interchangeable. To form the first person singular you take the third person plural of the preterite and change the ending, for **-ar** verbs, from **-aron** to **-ara** or **-ase,** and, for **-er** and **-ir** verbs, from **-ieron** to **-iera** or **-iese.**

MIRAR	COMER	ESCRIBIR
mirara(ase)	comiera(iese)	escribiera(iese)
miraras(ases)	comieras(ieses)	escribieras(ieses)
mirara(ase)	comiera(iese)	escribiera(iese)
miráramos (ásemos)	comiéramos (iésemos)	escribiéramos (iésemos)
mirarais(aseis)	comierais(ieseis)	escribierais(ieseis)
miraran(asen)	comieran(iesen)	escribieran(iesen)

There are no exceptions to this rule even with irregular verbs, such as **ser: fuera, fueras,** etc; **andar: anduviera, anduvieras** etc; **saber: supiera, supieras,** etc.

Note: Since verbs like **decir, conducir** and **traer** omit the **i** in the third person plural of the preterite (**dijeron, condujeron, trajeron**) the imperfect subjunctive ending will also exclude it: **dijera, condujera, trajera,** etc.

3 Formation of the perfect subjunctive

This tense is formed by the present subjunctive of **haber** and the past participle:

                                           (cont.)

haya mirado/comido/escrito
hayas mirado, etc.
haya mirado, etc.
hayamos mirado, etc.
hayáis mirado, etc.
hayan mirado, etc.

4 Formation of the pluperfect subjunctive

This tense is formed by the imperfect subjunctive of **haber** and the past participle:
hubiera/iese mirado/comido/escrito
hubieras/ieseis mirado, etc.
hubiera/iese mirado, etc.
hubiéramos/iésemos mirado, etc.
hubierais/ieseis mirado, etc.
hubieran/iesen mirado, etc.
For the uses of the subjunctive see pages 119-21 and 196-97.

5 Sequence of tenses with the subjunctive

When using the subjunctive in subordinate clauses it is usual for verbs to follow a "sequence" of tenses. Thus a present, future or perfect tense, or an imperative is followed by either a present or a perfect subjunctive in the subordinate clause.
For example:
○ Siento que no vengas/hayas venido (I'm sorry you aren't coming/ haven't come).
○ Dígale que vuelva en seguida (Tell him to come back at once).
Similarly, an imperfect, preterite, conditional or pluperfect tense in the main clause is followed by an imperfect or pluperfect subjunctive in the subordinate clause.
For example:
○ Sentí que no viniera/hubiera venido (I was sorry he didn't come/hadn't come).
○ No me gustaría que hablara así a mi padre (I wouldn't like him to speak like that to my father).
Note: You should have no problem in deciding when to use the perfect and the pluperfect subjunctive since they translate directly the English perfect and pluperfect tenses.

THE GERUND

1 The gerund is formed by adding **-ando** to the stem of **-ar** verbs and **-iendo** to the stem of **-er** and **-ir** verbs:
hablando; comiendo; escribiendo

2 The gerund is invariable in its form.

3 In **-er** and **-ir** verbs the **i** of the ending changes to **y** when the stem of the verb ends in a vowel:
caer – cayendo; destruir – destruyendo; ir – yendo

4 In **-ir** verbs which change their stem in the third persons of the preterite, e.g. **dormir, morir, corregir, mentir, pedir,** the gerund also changes:
durmiendo; muriendo; corrigiendo; mintiendo; pidiendo

5 There is a past form of the gerund, composed of the gerund of **haber** and the past participle.
For example:
○ habiendo visto (having seen)

6 Pronouns are frequently added to the gerund, which necessitates the use of an accent.
For example:
○ Le escribió informándole ... (He wrote to him informing him ...)

USES OF THE PAST PARTICIPLE

Apart from the points made about the use of the Spanish past participle in Chapter 5, the following additional details are of interest:

1 When it is followed by a past participle. the verb **haber** may sometimes be replaced by another such as **tener, llevar, dejar.** When this happens, however, the participle will always agree. Compare the following:
○ he hecho la maleta/tengo hecha la maleta
○ los pantalones que se ha puesto/los pantalones que lleva puestos
○ había completado el ejercicio/dejó completado el ejercicio

2 The participle is sometimes used on its own to give a neat and economical version of an otherwise long introductory clause:
○ Terminada la obra, fueron a comer (instead of: cuando hubo terminado la obra, fueron a comer)
○ Hechos los deberes, decidió llamar a su amiga (instead of: cuando hubo hecho los deberes, decidió llamar a su amiga)

3 Similarly, the past participle can be used on its own after an expression like **después de.**
For example:
○ Después de terminada la guerra ... (When the war had ended ...)

4 Note the use of the past participle after **lo** in the following construction:
○ Siento mucho lo ocurrido (I am very sorry about what has happened)
○ Deme lo completado (Give me what has been completed)

5 There are many English present participles which become past participles in Spanish.
For example:
○ Vimos una pintura colgada de la pared (We saw a painting hanging on the wall)
○ El hombre sentado en su silla me miró fijamente (The man who was sitting on his chair stared at me)

USES OF SER AND ESTAR

In Chapter 5, the uses of **ser** and **estar** followed by past participles were examined, and also the principal uses of **estar.** The following are extra points concerning these two verbs.

1 Estar

a The continuous tenses (referred to in Chapters 4 and 5) are formed by placing **estar** in any of its tenses and then adding the gerund of the verb concerned. The tenses are used to convey an event that is happening, was happening, will be happening, etc. at a time that is being referred to. They can therefore replace their equivalent indicative tenses but only when the meaning of the latter is "he is doing", "he was doing", "he will be doing", etc. They should not therefore be used to replace other meanings of those tenses (e.g. "he does", "he will do", "he used to do", etc.)

For example:
○ *Present:* Están votando para los Consejos Escolares (They are voting [i.e. at this moment] for the School Councils)
○ *Future:* Estaremos viajando por España (We shall be travelling through Spain [i.e. at the precise moment we are talking about])
○ *Imperfect:* Se estaba quejando de su salario (He was complaining about his salary [i.e. at that precise moment])
○ *Pluperfect:* Habíamos estado escuchando lo que decía (We had been listening to what he was saying)

Note:
(i) **Ir** and **venir** are two other verbs that are frequently followed by the gerund to form continuous tenses. They tend to describe a more gradual and progressive action than the same construction involving **estar.**

For example:
○ Iba corriendo por la calle (He was running down the street)
○ Venía cantando cuando le vi (He was [walking along] singing when I saw him)

(ii) In the construction "to continue to do" or "to go on doing", the verbs **continuar** and **seguir** are always followed by the gerund.

For example:
○ Siguió ganando año tras año (He continued to win year after year)
○ Continuaré estudiando el año que viene (I shall go on studying next year)

b **Estar** is also used with **de** and an occupation to describe a temporary job that someone has:

For example:
○ Ahora está de profesor en un instituto (implying that it is not a permanent arrangement)

2 Ser

a **Ser** is used with an adjective to describe something that is of a permanent nature, or an inherent characteristic of a person or thing.

For example:
○ Mi hermano es muy perezoso (My brother is very lazy, [i.e. he is lazy by nature])

b Because of **a, ser** will always be used before an infinitive, a noun or a pronoun.

For example:
○ Lo importante es votar (The important thing is to vote)
○ Este señor es el director del instituto (This man is the headmaster)
○ El cuaderno es mío (The exercise book is mine)

c **Ser** is used to show who owns something, the origin of someone or something, and the material from which something is made. Again, of course, such sentences are stressing the permanent qualities of an object.

For example:
○ El coche es de mi padre (The car is my father's)

○ Mi compañero es de Madrid (My companion is from Madrid)
○ Los pupitres son de madera (The desks are wooden)

d Also in connection with the general rule expressed in **a** above, **ser** is used with nationalities and occupations.

For example:
○ Somos italianos (We are Italian)
○ Era soldado (He was a soldier)

e **Ser** is used with expressions of time, including days, dates and years.

For example:
○ Son las doce (It is 12 o'clock)
○ Ayer era martes (Yesterday was Tuesday)
○ La estación que prefiero es el verano (My favourite season is summer)
○ El año fue 1492 (The year was 1492)

3 Ser and estar with adjectives

Because of the general rule governing **estar** (its use to describe something of an accidental or temporary nature) and **ser** (its description of something inherent or characteristic), it follows that many adjectives can be used with either verb to convey the appropriate meaning. Notice the following examples:
○ Tu hermana es pálida (i.e. she has a pale complexion)
  but ○ Tu hermana está muy pálida hoy (she looks pale today)
○ Es un borracho (permanently, i.e. he is a drunkard)
  but ○ Está borracho (he has overindulged on this occasion)
○ Es muy pobre (he is poor, i.e. permanently short of money)
  but ○ Está muy pobre (not normally so, but has just run out of money)
○ El azúcar es dulce (sugar is sweet, i.e. naturally so)
  but ○ Este café está muy dulce (not an inherent characteristic of coffee, but this particular cup is sweet)
○ Este café es dulce would mean it is a variety of coffee that is naturally sweet tasting.

The latter examples show why **estar** is frequently heard in situations such as shopping, where prices and quality of goods are often mentioned in terms of what they are like today, as opposed to the "norm":
○ Las naranjas están muy frescas hoy (The oranges are very fresh today)
○ El azúcar está muy caro (Sugar is very expensive [at the moment] as opposed to **el azúcar es muy caro,** which would imply that sugar is always expensive)

4 Ser and estar followed by past participles

This use of **ser** and **estar** is carefully examined in Chapter 5. We feel it worth stressing here again however that the decision as to the choice of **ser** or **estar** in this instance has nothing whatsoever to do with the other uses of these two verbs as detailed above. A frequent mistake made by sixth-form students is to justify their use of **estar** with the past participle on the grounds that it is stressing "something temporary". See the notes in Chapter 5 for this.

NEGATIVES

The following notes on the use of negatives in Spanish are offered as a supplement to the points made in Chapter 4:

1 It is important to remember that Spanish employs a "double negative" system in sentences. This means that whereas in English words like "anyone", "anything", etc. may occur in a negative sentence, their Spanish equivalents almost never do. The slightest hint or implication of a negative idea in a sentence will produce the appropriate negative word.
For example:
○ Sin decir nada (Without saying anything)
○ Antes de hablar con nadie (Before speaking to anyone)
○ No he tomado ninguna de tus cosas (I have not taken any of your things)
○ Quiero hacerlo más que nunca (I want to do it more than ever)

2 Nada, nadie and **ninguno** are the negatives of **algo, alguien** and **alguno** respectively. As mentioned in Chapter 4, these can be found either after the verb they accompany (which is then preceded by the word **no**) or before it (in which case **no** is not used). In practice, this depends on whether the negative is the direct object of a verb (in which case it will rarely precede the verb) or the subject of the verb (in which case it tends to precede it).
Object:
○ No dijo nada (He said nothing)
○ No he visto a nadie (I have not seen anyone)
○ No había comprado ningún regalo (He had not bought any present)
Subject:
Nada le satisface (Nothing satisfies him)
Nadie ha visto su bicicleta (Nobody has seen his bicycle)

3 Sometimes, **alguno** is used as a negative in place of **ninguno;** in this case, it has a stronger meaning than **ninguno** and is always placed *after* the noun.
For example:
○ No había comprado regalo alguno (He had not bought a single present)

4 Nada, like **algo,** can be used in Spanish in an adverbial way to mean "not at all", "in no way".
For example:
○ No me gusta nada (I don't like it at all)

5 Nadie is sometimes used after comparisons to mean "anyone else".
For example:
○ Delgado ha ganado más veces que nadie (Delgado has won more times than anyone else)

6 Nunca and **jamás** both mean "never", though **jamás** can also be used in the positive sense of "ever".
For example:
○ Jamás he visto tal cosa (I've never seen such a thing)
○ ¿Jamás has visto tal cosa? (Have you ever seen such a thing?)

7 Ni ... ni ..., and **tampoco** are frequently confused as both have the meaning of "neither". It will help to remember that **ni ... ni ...** is the negative of **y ... y ...,** or **o ... o ...** ; **tampoco** however is the negative of **también.**
For example:
○ No lo hará ni Pedro ni Juan (Neither Pedro nor Juan will do it)
○ Nunca ha sido ni campeón ni ganador (He has never been either a champion or a winner)
○ No quiere ir ... ni yo tampoco (He does not want to go ... neither do I)
○ Tampoco votaremos/no votaremos tampoco (We shan't vote either)

8 Ni siquiera is used in Spanish to mean "not even".
For example:
○ No ha ganado ni siquiera una vez (He has not even won once)

PERO AND SINO

The word "but", usually translated by **pero** in Spanish, becomes **sino** after a negative statement, indicating a total contrast. If "but" introduces a clause containing a verb, then the translation will be **sino que.**
For example:
○ El debate fundamental no está en argumentar si los alumnos están o no preparados, sino en comprender su situación. (The fundamental argument does not centre on whether or not the pupils are ready, but [rather] on an understanding of their situation)
○ Los Consejos Escolares no destruyen el sistema escolar, sino que lo reforman (School Councils do not destroy the education system, but reform it)
Note the use also of **sino** in the construction **no sólo** (or **no ... solamente**) **... sino (también)** meaning "not only ... but also".
For example:
○ Su decisión fue muy popular, no sólo ese día, sino también durante todo aquel año (His decision was very popular, not only on that day but also for the rest of that year).
Más que tends to replace **sino** in the following type of construction:
○ No tenemos más que una oportunidad de hacerlo (We only have one opportunity to do it).

WORD ORDER

The Spanish language tends to have a greater flexibility in the matter of word order than English, and this can be a source of confusion for English students. What makes the matter even more difficult is that changes in word order are often questions of style and are therefore not governed by any hard and fast rules of grammar. Examples are therefore things that *might* happen rather than things that *must* happen. Appreciation of such stylistic points is usually acquired by means of familiarity rather than any learning of rules. In other words, if you are aware of this feature when reading Spanish, you are likely to spot various examples and become more used to it, eventually learning to use it in your own written compositions. When you do so, it sometimes will involve a feeling that "it just seemed the likely thing to do" rather than any ability to explain the example in concrete terms.

By far the most frequent change in word order occurs when the subject of a sentence is placed after its verb rather than preceding it as in English. This is especially true of a relative clause begining with **que, el cual, el que,** etc.

For example:

○ Vi el juguete que había comprado mi hermano (I saw the toy which my brother had bought)

A similar inversion is also commonly used after words like **cuando.**

For example:

○ Cuando llegó el tren, todos subieron sin esperar (When the train arrived, everyone got on without waiting)

In the two examples given above, there is really nothing grammatically wrong with placing the subject before the verb (vi el juguete que mi hermano había comprado; Cuando el tren llegó ...). It is simply a matter of *stylistic* preference.

Remember that mistranslations of such sentences tend to be caused by a failure to recognise various grammatical clues. For example, **cuando llegó el tren** could not possibly be "When he reached the train" because there is no **a** placed in front of the train to make it **cuando llegó al tren.**

DIMINUTIVES AND AUGMENTATIVES

Spaniards enjoy, especially in popular speech, adding suffixes to nouns in order **(a)** to convey a meaning of smallness or largeness or **(b)** to convey an emotional meaning.

1 The most common diminutive is **-ito,** which can also be found in the forms **-cito, -ecito** and **-ececito.**

For example:

○ ¿Hablas español? Un poquito (Do you speak Spanish? A little)

○ Adiós, guapita, dame un beso (Bye, sweetie, give me a kiss)

○ Pobrecita, no la haga llorar más (The poor thing, don't make her cry any more)

2 Other common endings are **-illo** (e.g. **chico – chiquillo**) and **–uelo.** The latter often has a pejorative sense, e.g. **calle** (street) – **callejuela** (narrow alley); **mujer** (woman) – **mujerzuela** (prostitute).

3 Augmentative endings, denoting greater size, are less common than diminutive ones. The most frequent ending is -**ón/ona,** as in **hombrón, mujerona,** which mean "big man" and "big woman" respectively. Other augmentative endings are -**azo, –acho** and **–ote.**

VERB TABLES

Advice to students

These tables provide a point of reference for you to consult quickly and easily the forms of the verb(s) you need. Since tenses examined in the Grammar Summary are often set out in full, we have not repeated them here for any tense unless the presence of a number of irregularities makes it important to do so. If you are in any doubt about successive persons not shown here, you will find it helpful to consult the relevant section of the Grammar Summary.

Seven parts of each verb are given here: the present tense, future, imperfect, preterite, gerund, past participle and present subjunctive.

You should find that any other form or tense of the verbs you need can be obtained from one of these seven parts. Again, if you are not sure of what to do, you will find it helpful to consult the Grammar Summary in the relevant places. You should be aware of the following points:

The *conditional tense* can be obtained from the future (shown here).

All *compound tenses*, having been written out in full in the Grammar Summary, can be made once the past participle (shown here) is known.

The *perfect subjunctive* is the present subjunctive of **haber** (shown here) with the past participle.

The *imperfect subjunctive* is formed from the third person plural of the preterite tense (shown here).

The *pluperfect subjunctive* can thus be ascertained by knowing the imperfect subjunctive of **haber** and the past participle.

	Present	Future	Imperfect	Preterite	Gerund	Past Participle	Present Subjunctive
REGULAR VERBS							
Hablar	hablo hablas etc.	hablaré	hablaba	hablé	hablando	hablado	hable
Comer	como comes etc.	comeré	comía	comí	comiendo	comido	coma
Vivir	vivo vives etc.	viviré	vivía	viví	viviendo	vivido	viva
RADICAL-CHANGING VERBS							
Pensar(ie)	pienso piensas etc.	pensaré	pensaba	pensé	pensando	pensado	piense pienses etc.
Volver(ue)	vuelvo vuelves etc.	volveré	volvía	volví	volviendo	vuelto	vuelva vuelvas etc.
Sentir(ie)	siento sientes etc.	sentiré	sentía	sentí sentiste sintió etc.	sintiendo	sentido	sienta sientas etc.
Dormir(ue)	duermo duermes etc.	dormiré	dormía	dormí dormiste durmío etc.	durmiendo	dormido	duerma duermas etc.
Pedir(i)	pido pides etc.	pediré	pedía	pedí pediste pidió etc.	pidiendo	pedido	pida pidas etc.
IRREGULAR VERBS							
Abrir	abro abres etc.	abriré	abría	abrí	abriendo	abierto	abra
Agradecer	agradezco agradeces agradece etc.	agradeceré	agradecía	agradecí	agradeciendo	agradecido	agradezca
Andar	ando andas etc.	andaré	andaba	anduve anduviste anduvo etc.	andando	andado	ande

	Present	Future	Imperfect	Preterite	Gerund	Past Particle	Present Subjunctive
Caber	quepo cabes cabe etc.	cabré cabrás etc.	cabía	cupe cupiste cupo etc.	cabiendo	cabido	quepa quepas etc.
Caer	caigo caes cae etc.	caeré	caía	caí caíste cayó caímos caísteis cayeron	cayendo	caído	caiga
Coger	cojo coges coge etc.	cogeré	cogía	cogí	cogiendo	cogido	coja
Conducir	conduzco conduces conduce etc.	conduciré	conducía	conduje condujiste condujo condujimos condujisteis condujeron	conduciendo	conducido	conduzca
Cubrir	cubro cubres etc.	cubriré	cubría	cubrí	cubriendo	cubierto	cubra
Dar	doy das da damos dais dan	daré	daba	di diste dio dimos disteis dieron	dando	dado	dé des dé etc.
Decir	digo dices dice etc.	diré dirás etc.	decía	dije dijiste dijo dijimos dijisteis dijeron	diciendo	dicho	diga
Dirigir	dirijo diriges dirige etc.	dirigiré	dirigía	dirigí	dirigiendo	dirigido	dirija
Escribir	escribo escribes etc.	escribiré	escribía	escribí	escribiendo	escrito	escriba

	Present	Future	Imperfect	Preterite	Gerund	Past Particle	Present Subjunctive
Estar	estoy estás está estamos estáis están	estaré	estaba	estuve estuviste estuvo etc.	estando	estado	esté estés esté etc.
Haber	he has ha hemos habéis han	habré habrás etc.	había	hube hubiste hubo etc.	habiendo	habido	haya hayas etc.
Hacer	hago haces hace etc.	haré harás etc.	hacía	hice hiciste hizo hicimos hicisteis hicieron	haciendo	hecho	haga
Huir	huyo huyes huye huímos huís huyen	huiré	huía	huí huíste huyó huímos huísteis huyeron	huyendo	huído	huya
Ir	voy vas va vamos vais van	iré	iba ibas iba íbamos ibais iban	fui fuiste fue fuimos fuisteis fueron	yendo	ido	vaya vayas etc.
Leer	leo lees etc.	leeré	leía	leí leíste leyó leímos leísteis leyeron	leyendo	leído	lea
Morir	muero mueres etc.	moriré	moría	morí moriste murió etc.	muriendo	muerto	muera
Nacer	nazco naces nace etc.	naceré	nacía	nací	naciendo	nacido	nazca

	Present	Future	Imperfect	Preterite	Gerund	Past Particle	Present Subjunctive
Oír	oigo oyes oye oímos oís oyen	oiré	oía	oí oíste oyó oímos oísteis oyeron	oyendo	oído	oiga
Poder	puedo puedes etc.	podré podrás etc.	podía	pude pudiste pudo etc.	pudiendo	podido	pueda
Poner	pongo pones pone etc.	pondré pondrás etc.	ponía	puse pusiste puso etc.	poniendo	puesto	ponga
Querer	quiero quieres etc.	querré querrás etc.	quería	quise quisiste quiso etc.	queriendo	querido	quiera
Reir	río ríes ríe etc.	reiré	reía	reí reíste rio etc.	riendo	reído	ría
Resolver	resuelvo resuelves etc.	resolveré	resolvía	resolví	resolviendo	resuelto	resuelva
Romper	rompo rompes etc.	romperé	rompía	rompí	rompiendo	roto	rompa
Saber	sé sabes sabe etc.	sabré sabrás etc.	sabía	supe supiste supo etc.	sabiendo	sabido	sepa
Salir	salgo sales sale etc.	saldré saldrás etc.	salía	salí	saliendo	salido	salga
Seguir	sigo sigues sigue etc.	seguiré	seguía	seguí seguiste siguió etc.	siguiendo	seguido	siga

	Present	Future	Imperfect	Preterite	Gerund	Past Particle	Present Subjunctive
Ser	soy eres es somos sois son	seré	era eras era éramos erais eran	fui fuiste fue fuimos fuisteis fueron	siendo	sido	sea
Tener	tengo tienes tiene etc.	tendré tendrás etc.	tenía	tuve tuviste tuvo etc.	teniendo	tenido	tenga
Traer	traigo traes trae etc.	traeré	traía	traje trajiste trajo etc.	trayendo	traído	traiga
Valer	valgo vales vale etc.	valdré valdrás etc.	valía	valí	valiendo	valido	valga
Venir	vengo vienes viene etc.	vendré vendrás etc.	venía	vine viniste vino etc.	viniendo	venido	venga
Ver	veo ves ve etc.	veré	veía veías veía etc.	vi viste vio vimos visteis vieron	viendo	visto	vea

INDEX TO GRAMMAR

TEXT AND PICTURE ACKNOWLEDGEMENTS

The authors and publisher wish to thank the following for permission to use material:

ABC: 'El Plan de Empleo Juvenil pretende dar el primer trabajo a jóvenes entre dieciséis y veinticinco años', 21 November 1988; job advertisement on 24 April 1989. **C & A Modas S.A.:** job advertisement on 23 July 1989. **Cambio 16:** cartoons by Juan Ballesta, 30 September 1984, 4 July 1988 and 14 November 1988; La tragedia de México', by Ander Landáburu, 30 September 1985; 'Ladrones del siglo XXI', by Gonzalo San Segundo, 28 March 1988; 'El "show" del 92 nos costará dos billones', 4 July 1988; 'Como conseguir provocarse un infarto', 4 July 1988; ' El siglo XXI se adelanta' 12 September 1988; 'Guía para la vuelta al cole', by José Manuel Huesa, 12 September 1988; 'Marcado por el cinco', by J.C.A., 10 Oc tober 1988; 'El tren bobo', by Cruz Sierra y Javier Arce, 24 October 1988; 'Cincuenta mil vagabundos recorren España', by José Manuel Huesa, 14 November 1988; 'Qué grande es ser joven', Carmen Rico-Godoy, 14 November 1988; 'Alimentación en España', 21 November 1988; 'Decisión salomónica en el contrato de RENFE', by Cruz Sierra, 5 December 1988; 'Los profesionales más buscados por las empresas', by Inmaculada Sánchez, 26 December 1988; 'El tren rápido cambia del ancho de via', by Carlos Miraz, 20 March 1989, 'Por qué se separan' (chart), 2 June 1989; Casas en venta, 12 June 1989. 'Coches que conducen solos', by José María Cernuda, 12 June 1989. **Agencia literaria Carmen Balcells:** extract from *Federico y su mundo*, by Francisco García Lorca. **Club del Campo, Señorío de Illescas:** advertisement. **Diario 16:** '¿Como influye el orden de nacimiento en la personalidad?', 15 September 1985; 'El Boras, Originalidad estética y equilibrio funcional', by Luis G. de la Cruz, 21 February 1986; 'Vecinos y partidos políticos no se ponen de acuerdo en realojar chabolistas en Moratalaz', by Elena de la Cruz y Borja Hermoso, 23 January 1988; Letter from Angeles Martínez, 29 September 1988; Cartoon, 30 March 1989; '¿Acaso no ve mis pendientes?', 12 June 1989. **Elle:** 'Yoga, la llave del equilibrio', by Marta Riopérez, March 1989. **Ford España:** Advertisement for Ford Escort. **Guardian:** 'All washed up on the streets of Spain', by Kate Muir, 1 June 1989; 'Teeside CTC with the Spanish touch', by David Ward, 16 November 1989; 'Virus attack on City computers foiled', by Peter Large and Peter Rodgers, 1 December 1989. **Kenton S.A:** advertisement. **The Liverpool Daily Post:** 'Mersey Mop-up', by Michelle Williams, 21 August 1989. **Ministerio de Asuntos Exteriores, Revista de Información Diplomática:** 'La UNESCO participara en la conmemoración del "encuentro" con América', May 1989; 'Andalucía, Cataluña y Madrid buscan ideas comunes de cara al 92', May 1989; map of 'Vuelta a España' course, June 1989; 'Arántxa Sanchez Vicario, el espíritu de una luchadora', July 1989. **Ministerio de Educación y Ciencia:** advertisement. **Moneda y Crédito S.A.:** letter and postcard written by Lorca in *Garcia Lorca: cartas, postales, poemas y dibujos*, by Antonio Gallego Morrell. **Muy Interesante:** 'Faxmanía', May 1989. **Nuez/Latin American Bureau:** cartoon. **The Observer:** 'Spain hears Strain of a new Quixote', by John Hooper, 19 September 1989. **Onda Madrid:** text of broadcast, 23 November 1988. **El País:** 'Una oportunidad para ser adultos', by J. Gimeno Sacristan, 22 April 1986; 'Vuelven a la calle', 21 December 1986; three job advertisements, 21 June 1987 and 7 May 1989, letters to the editor, 15 July 1987; 'La alcadía madrileña renuncia a alojar familias gitanas en Peñagrande', by Pedro Montoliú, 19 November 1988; 'Hacendosa, recatada y limpia', by C. S., 22 November 1988; 'Un profesor, agredido con un palo en Alcalá', by Luz Sánchez Mellado, 23 November 1988; 'Secuelas de culpable', by Juan-José Fernández, 24 November 1988; 'La campaña electoral de Vicente y Laura', by Cruz Blanco, 25 November 1988; 'La CE se compromete a reducir la contaminación de los coches pequeños', 25 November 1988, 'Razones para vivir y esparar en la nueva sociedad mundial' by Bertrand Schneider, 25 November 1988; letter to the Editor, 27 November 1988; 'El mal tiempo impide limpiar en Alaska una "marea negra" de 250 kilómetros cuadrados', by John Lichfield, 29 March 1989; 'El triunfo del pertinaz cernícalo', by Jorge A.Rodríguez, 30 March 1989; 'Gorbachov intentará convencer a Castro de que no perturbe sus planes reformistas', by Antonio Cano, 2 April 1989; 'Pleno respaldo español al plan propuesto por Ortega', 27 April 1989; Cartoon by Peridis, 27 April 1989; 'Estudios más flexibles', by E.S.Barcía, 18 May 1989; 'Entrevista con Pedro Delgado', 25 June 1989; 'José Luis Domínguez', by Juan M. Ferdandez-Cuesta, 16 July 1989; 'Menem juega a sus 59 años un partido de fútbol con la selección Argentina', by José Comas, 23 July 1989; Photograph of Anchuras, 23 July 1989; 'Anchuras, un blanco difícil', by Marifé Moreno, 24 July 1989; 'Agarrados a un semáforo', by I de la Fuente, 28 August 1989; 'La cosecha del '92', 3 September 1989; 'En primera persona', 1 October 1989; 'Historias de Miguelito', 8 October 1989; 'Cuestión de hacer deporte', 5 November 1989; 'Los inventos prácticos de Tebeo', 23 November 1989; 'Vargas Llosa: "Mi entrada en política no es un camino sin retorno"', by Julián Martínez, 8 December 1989. **Editoril Pons:** traffic signs. **Quipos:** Mafalda cartoon. **Renfe:** advertisements. **SEAT:** advertisement. **Servicio Regional de Salud: Comunidad de Madrid:** advertisement. **Sociedad Española de Radiodifusión:** text of broadcast, 22 November 1988. **Sr. Francesc Vila (CESC):** cartoons. **Ya:** 'Dos familias viven bajo un puente en la Plaza de España', by Ignacio Marino-Grimau, 19 November 1987; 'Superguía para las elecciones escolares', 17 November 1988; 'El nuevo estadio olímpico, auténtica estrella de la copa del mundo', July/August 1989; 'Siete millones de alumnos vuelven a las aulas', by María José Vidal, August/September 1989.

Permission to reproduce photographs is also acknowledged from the following: Colorsport and Camera Press.

The publishers have made every effort to contact copyright holders; however, if any have been inadvertently overlooked, they will be pleased to make the necessary arrangements at the earliest oppurtunity.